#상위권_정복
#신유형_서술형_고난도

일등 전략

이 책을 집필해 주신 분들

박종혁 보성중학교 교사
최연우 구산중학교 교사
황은경 덕소고등학교 교사

Chunjae
Makes
Chunjae

▼

[일등전략] 중학 국어 문학 2

개발총괄 김덕유
편집개발 고명선, 정인구, 이명진, 이동주
디자인총괄 김희정
표지디자인 윤순미
내지디자인 박희춘, 우혜림
제작 황성진, 조규영
조판 대진문화인쇄(구민범, 장진희, 최진영)

발행일 2022년 1월 1일 초판 2022년 1월 1일 1쇄
발행인 (주)천재교육
주소 서울시 금천구 가산로9길 54
신고번호 제2001-000018호
고객센터 1577-0902
교재 내용문의 02)3282-1788

※ 정답 분실 시에는 천재교육 교재 홈페이지에서 내려받으세요.

중학 국어 문학 2

BOOK 1

학 교 시 험 대 비

일등 전략

이 책의 구성과 활용

주 도입

이번 주에 배울 내용이 무엇인지 안내하는 부분입니다. 재미있는 만화를 통해 앞으로 배울 학습 요소를 미리 떠올려 봅니다.

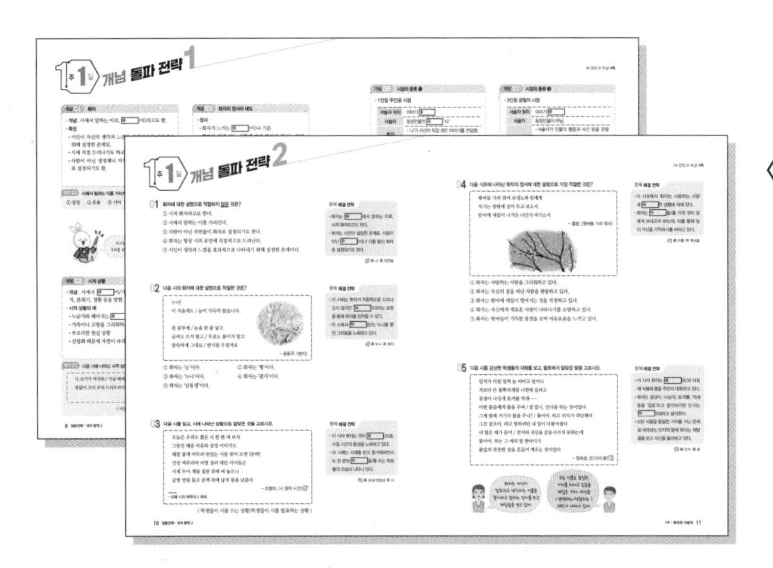

1일 개념 돌파 전략

성취기준별로 꼭 알아야 하는 핵심 개념을 익힌 뒤 문제를 풀며 개념을 잘 이해했는지 확인합니다.

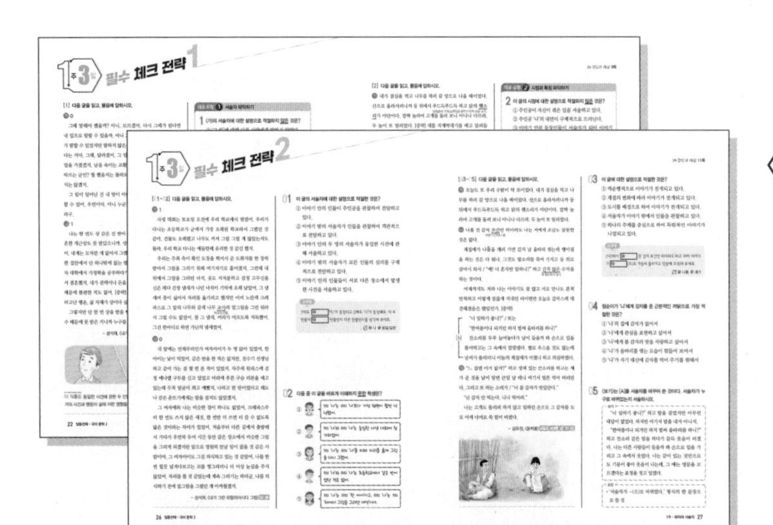

2일, 3일 필수 체크 전략

꼭 알아야 할 대표 유형 문제를 뽑아 쌍둥이 문제와 함께 풀어 보며 문제에 접근하는 과정과 방법을 체계적으로 익혀 봅니다.

부록 시험에 잘 나오는 대표 유형 ZIP

부록을 뜯으면 미니북으로 활용할 수 있습니다. 시험 전에 대표 유형을 확실하게 익혀 보세요.

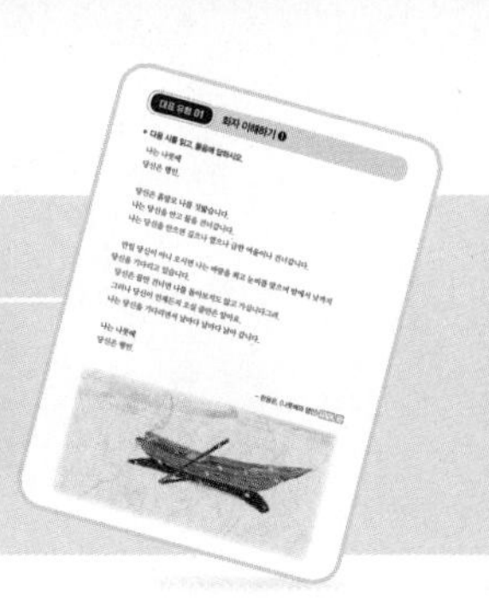

주 마무리 코너

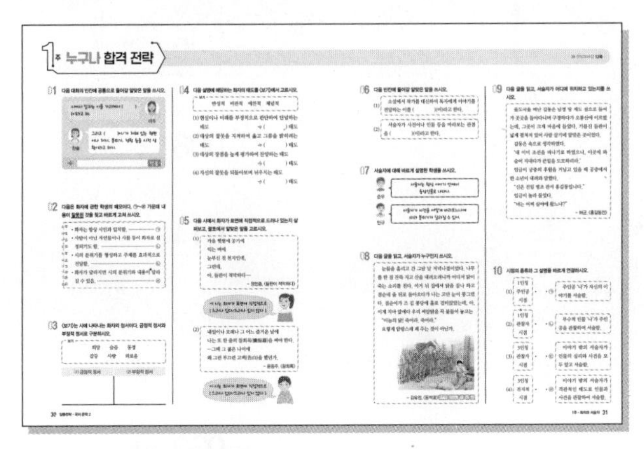

누구나 합격 전략

기초 이해력을 점검할 수 있는 종합 문제로 학습 자신감을 고취할 수 있습니다.

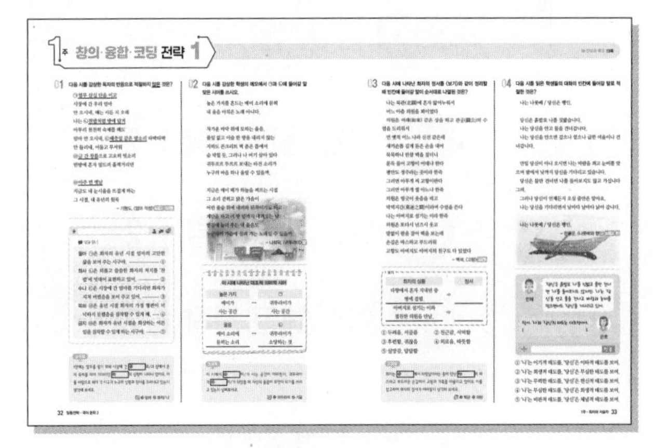

창의·융합·코딩 전략

융복합적 사고력과 문제 해결력을 길러 주는 문제로 구성하였습니다.

권 마무리 코너

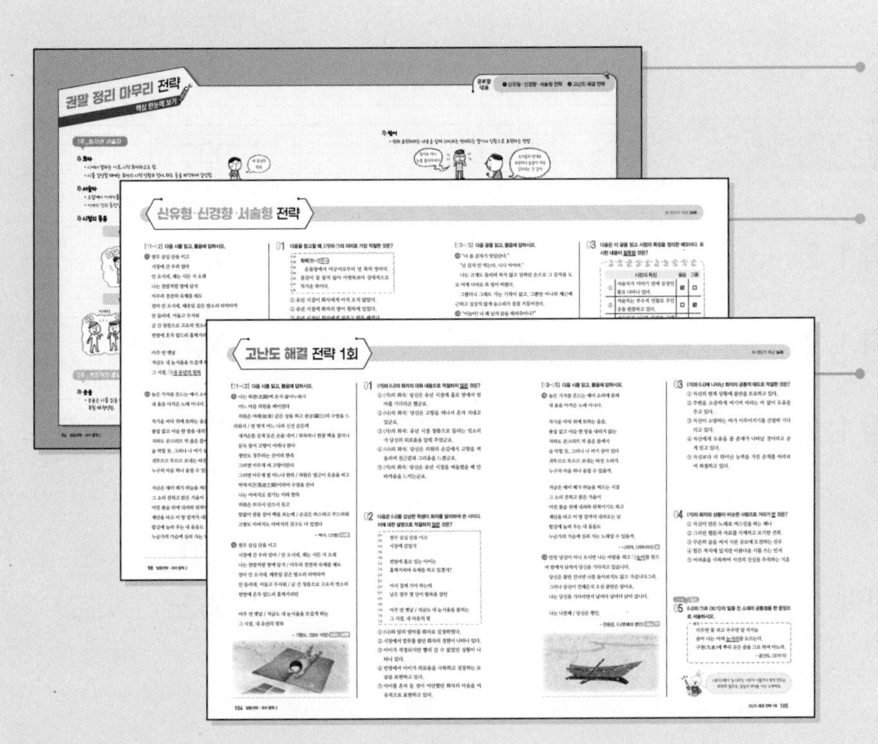

권말 정리 마무리 전략

학습 내용을 도식으로 정리하여 앞에서 공부한 내용을 한눈에 파악할 수 있습니다.

신유형·신경향·서술형 전략

신유형·서술형 문제를 집중적으로 풀며 문제 적응력을 높일 수 있습니다.

고난도 해결 전략

실제 시험에 대비할 수 있는 모의 실전 문제를 3회로 구성하였습니다.

이 책의

차례

이 책에서는 문학 작품이 수록된 교과서명을 아래와 같이 기호로 표시하였습니다.
천재(박영목) 천(박) 천재(노미숙) 천(노) 미래엔 미 비상 비
창비 창 지학사 지 동아 동 금성 금 교학사 교

1주

화자와 서술자

시와 소설에서 작품의 세계를 누가 어떻게 전달하고 있을까?

공부할 내용		
	❶ 화자의 개념 이해하기	❸ 서술자와 시점의 개념 이해하기
	❷ 화자의 정서와 태도 이해하기	❹ 시점의 종류 이해하기

1주 1일 개념 돌파 전략 1

개념 01 화자

- **개념**: 시에서 말하는 이로, ❶ ______(이)라고도 함.
- **특징**
  - 시인이 자신의 생각과 느낌을 효과적으로 나타내기 위해 설정한 존재임.
  - 시에 직접 드러나기도 하고 드러나지 않기도 함.
  - 사람이 아닌 생명체나 자연물, ❷ ______ 등이 화자로 설정되기도 함.

답 ❶ 시적 화자 ❷ 사물

확인 01 시에서 말하는 이를 가리키는 말은?

① 상징　② 운율　③ 시어　④ 화자　⑤ 청자

화자는 시의 분위기를 형성하고
주제를 효과적으로 전달하는 존재예요.

개념 02 시적 상황

- **개념**: 시에서 ❶ ______이/가 처해 있는 형편이나 처지, 분위기, 정황 등을 말함.
- **시적 상황의 예**
  - 누군가와 헤어지는 ❷ ______의 상황
  - 가족이나 고향을 그리워하는 상황
  - 부조리한 현실 상황
  - 산업화 때문에 자연이 파괴되는 상황

답 ❶ 화자 ❷ 이별

확인 02 다음 시에 나타난 시적 상황으로 알맞은 것을 고르시오.

> 나 보기가 역겨워 / 가실 때에는
> 말없이 고이 보내 드리우리다
>
> – 김소월, 〈진달래꽃〉 지 동

(이별하는 상황/재회하는 상황)

개념 03 화자의 정서와 태도

- **정서**
  - 화자가 느끼는 ❶ ______(이)나 기분
  - 화자가 처해 있는 상황에 따라 화자의 정서는 달라질 수 있음.
- **태도**
  - 화자가 보이는 ❷ ______(이)나 대응 방식
  - 같은 상황이라도 화자의 태도는 다를 수 있음.

답 ❶ 감정 ❷ 반응

확인 03 다음 문장의 괄호에서 알맞은 말을 고르시오.

> 화자가 느끼는 감정이나 기분을 (정서/어조)라고 하고, 화자가 보이는 반응이나 대응 방식을 (시점/태도)(이)라고 한다.

개념 04 서술자와 시점

- **서술자**
  - 소설에서 ❶ ______에게 이야기를 전달하는 이로, 사건, 인물의 행동과 심리 등을 전달함.
  - 이야기 안에 등장하는 인물일 수도 있고, 이야기 밖의 존재일 수도 있음.
- **시점**
  - 서술자가 사건이나 인물 등을 바라보는 관점
  - 서술자가 사건이나 ❷ ______ 등을 어떻게 바라보느냐에 따라 작품의 내용이나 분위기가 달라짐.

답 ❶ 독자 ❷ 인물

확인 04 다음 중 내용이 올바른 문장을 고르시오.

> ㉠ 서술자는 시에서 이야기를 전달하는 이를 말한다.
> ㉡ 서술자가 사건이나 인물 등을 바라보는 관점을 시점이라고 한다.

>> 정답과 해설 4쪽

개념 05 시점의 종류 ❶

• 1인칭 주인공 시점

서술자 위치	이야기 ❶
서술자	등장인물인 ❷ '나'
특징	• '나'가 자신이 직접 겪은 이야기를 전달함. • '나'의 속마음이 구체적으로 전달됨.

답 ❶ 안 ❷ 주인공

확인 05 다음 문장의 괄호에서 알맞은 말을 고르시오.

1인칭 주인공 시점은 (주인공/부수적 인물) '나'가 서술자가 되어 자신이 직접 겪은 이야기를 전달하는 것이 특징이다.

서술자가 이야기 안의 등장인물이라도 주인공인지, 부수적 인물인지에 따라 시점이 달라져요.

개념 06 시점의 종류 ❷

• 1인칭 관찰자 시점

서술자 위치	이야기 안
서술자	등장인물인 부수적 인물 '❶ '
특징	• '나'가 주인공을 관찰하여 이야기를 전달함. • 주인공의 ❷ 이/가 정확하게 드러나지 않음.

답 ❶ 나 ❷ 심리/속마음

확인 06 다음 문장의 괄호에서 알맞은 말을 고르시오.

1인칭 관찰자 시점의 서술자는 이야기 (안/밖)에 위치하며, 주인공을 관찰하여 이야기를 전달하므로 주인공의 심리가 정확하게 드러나지 않는다.

개념 07 시점의 종류 ❸

• 3인칭 관찰자 시점

서술자 위치	이야기 ❶
서술자	등장인물이 아님.
특징	• 서술자가 인물의 행동과 사건 등을 관찰하여 객관적으로 전달함. • 서술자가 제3자의 입장으로 인물들을 관찰하기 때문에 ❷ 인 상황 전달이 가능함.

답 ❶ 밖 ❷ 객관적

확인 07 다음 중 내용이 올바른 문장을 고르시오.

㉠ 3인칭 관찰자 시점의 서술자는 등장인물이 아니다.
㉡ 3인칭 관찰자 시점에서 서술자는 상황을 주관적으로 전달한다.

이야기 밖에 있는 서술자가 어느 범위까지 서술할 수 있느냐에 따라 시점이 달라져요.

개념 08 시점의 종류 ❹

• 3인칭 전지적 시점

서술자 위치	이야기 밖
서술자	등장인물이 아님.
특징	• 서술자가 인물의 ❶ 까지 모두 알고 전달함. • 서술자가 ❷ 의 정황을 설명하기도 하고, 인물의 생각을 알려 주기도 함. • 독자의 상상력을 제한함.

답 ❶ 심리/속마음 ❷ 사건

확인 08 이야기 밖에 위치하는 서술자가 인물의 심리까지 모두 알고 전달하는 시점은?

(3인칭 관찰자 시점/3인칭 전지적 시점)

1주 1일 개념 돌파 전략 2

01 화자에 대한 설명으로 적절하지 않은 것은?

① 시적 화자라고도 한다.
② 시에서 말하는 이를 가리킨다.
③ 사람이 아닌 자연물이 화자로 설정되기도 한다.
④ 화자는 항상 시의 표면에 직접적으로 드러난다.
⑤ 시인이 생각과 느낌을 효과적으로 나타내기 위해 설정한 존재이다.

문제 해결 전략

- 화자는 ❶ [ ]에서 말하는 이로, 시적 화자라고도 한다.
- 화자는 시인이 설정한 존재로, 사람이 아닌 ❷ [ ](이)나 사물 등이 화자로 설정되기도 한다.

답 ❶ 시 ❷ 자연물

02 다음 시의 화자에 대한 설명으로 적절한 것은?

누나!
이 겨울에도 / 눈이 가득히 왔습니다.

흰 봉투에 / 눈을 한 줌 넣고
글씨도 쓰지 말고 / 우표도 붙이지 말고
말쑥하게 그대로 / 편지를 부칠까요

– 윤동주, 〈편지〉

① 화자는 '눈'이다.
② 화자는 '형'이다.
③ 화자는 '누나'이다.
④ 화자는 '편지'이다.
⑤ 화자는 '남동생'이다.

문제 해결 전략

- 이 시에는 화자가 직접적으로 드러나 있지 않지만 '❶ [ ]'(이)라는 표현을 통해 화자를 짐작할 수 있다.
- 이 시에서 ❷ [ ]은/는 누나를 향한 그리움을 노래하고 있다.

답 ❶ 누나 ❷ 화자

03 다음 시를 읽고, 시에 나타난 상황으로 알맞은 것을 고르시오.

오늘은 우리도 짧은 시 한 편 써 보자
그동안 배운 비유와 상징 이미지도
때깔 좋게 버무려 맛있는 시를 빚어 보렴 [중략]
인상 찌푸리며 비명 질러 대던 아이들은
시제• 두어 개를 칠판 위에 써 놓으니
금방 연필 들고 공책 위에 납작 몸을 낮춘다

– 조향미, 〈시 창작 시간〉 금

• **시제** 시의 제목이나 제재.

(학생들이 시를 쓰는 상황/학생들이 시를 발표하는 상황)

문제 해결 전략

- 이 시의 화자는 국어 ❶ [ ](으)로, 수업 시간의 풍경을 노래하고 있다.
- 이 시에는 시제를 받고 힘겨워하면서도 한 편의 ❷ [ ]을/를 쓰는 학생들의 모습이 나타나 있다.

답 ❶ 교사/선생님 ❷ 시

>> 정답과 해설 4쪽

04 다음 시조에 나타난 화자의 정서에 대한 설명으로 가장 적절한 것은?

묏버들 가려 꺾어 보내노라 임에게
자시는 창밖에 심어 두고 보소서
밤비에 새잎이 나거든 나인가 여기소서

– 홍랑, 〈묏버들 가려 꺾어〉

① 화자는 사랑하는 사람을 그리워하고 있다.
② 화자는 자신의 곁을 떠난 사람을 원망하고 있다.
③ 화자는 밤비에 새잎이 떨어지는 것을 걱정하고 있다.
④ 화자는 자신에게 새로운 사랑이 나타나기를 소망하고 있다.
⑤ 화자는 묏버들이 가득한 풍경을 보며 여유로움을 느끼고 있다.

문제 해결 전략

- 이 시조에서 화자는 사랑하는 사람과 ❶ [ ] 한 상황에 처해 있다.
- 화자는 ❷ [ ] 을/를 가려 꺾어 임에게 보내고자 하는데, 이를 통해 임이 자신을 기억하기를 바라고 있다.

답 ❶ 이별 ❷ 묏버들

05 다음 시를 감상한 학생들의 대화를 보고, 괄호에서 알맞은 말을 고르시오.

민지가 아침 일찍 눈 비비고 일어나
저보다 큰 물뿌리개를 나한테 들리고
질경이 나싱개 토끼풀 억새……
이런 풀들에게 물을 주며 / 잘 잤니, 인사를 하는 것이었다
그게 뭔데 거기다 물을 주니? / 꽃이야, 하고 민지가 대답했다
그건 잡초야, 라고 말하려던 내 입이 다물어졌다
내 말은 때가 묻어 / 천지와 귀신을 감동시키지 못하는데
꽃이야, 하는 그 애의 말 한마디가
풀잎의 풋풋한 잠을 흔들어 깨우는 것이었다

– 정희성, 〈민지의 꽃〉 비

문제 해결 전략

- 이 시의 화자는 ❶ [ ] 와/과 아침에 식물에 물을 주면서 대화하고 있다.
- 화자는 질경이, 나싱개, 토끼풀, 억새 등을 '잡초'라고 생각하지만 민지는 '❷ [ ]'(이)라고 생각한다.
- 모든 식물을 동일한 가치를 지닌 존재로 바라보는 민지의 말에 화자는 깨달음을 얻고 자신을 돌아보고 있다.

답 ❶ 민지 ❷ 꽃

06 서술자에 대한 설명으로 적절하지 않은 것은?

① 소설에서 이야기를 전달하는 이를 가리킨다.
② 사건, 인물의 행동과 심리 등을 독자에게 전달한다.
③ 서술자는 반드시 이야기 안에 등장인물로 나타난다.
④ 서술자가 사건이나 인물 등을 바라보는 관점을 시점이라고 한다.
⑤ 서술자가 사건이나 인물 등을 어떻게 바라보느냐에 따라 작품의 분위기가 달라진다.

문제 해결 전략

- 서술자는 소설에서 이야기를 전달하는 이로 사건, 인물의 행동과 심리 등을 ❶ ______에게 전달한다.
- 서술자는 ❷ ______ 안에 등장하는 인물일 수도 있고, 이야기 밖의 존재일 수도 있다.

답 ❶ 독자 ❷ 이야기

07 다음 글을 읽고, 빈칸에 들어갈 알맞은 말을 쓰시오.

> 삼 년 전 가을이었다. 저녁 무렵 친구가 찾아왔다. 어느 은행 지점장인가 지점장 대리인가 하는 그 친구는 퇴근길에 잠깐 들렀다는 것이었다.
> "부탁이 있는데."
> "부탁? 설마 은행가가 가난한 화가더러 돈을 꾸란 건 아닐 게고."
> 나는 농담으로 그를 맞아들였다.
>
> – 이범선, 〈표구된 휴지〉

서술자	서술자의 직업
'나'	

문제 해결 전략

- 이 글의 서술자 '❶ ______'은/는 자신이 겪은 일을 서술하고 있다.
- '나'는 삼 년 전 가을에 있었던 일을 회상하고 있는데, '나'를 방문한 친구의 직업은 ❷ ______(이)다.

답 ❶ 나 ❷ 은행가

08 다음 글의 서술자에 대한 설명으로 적절하지 않은 것은?

> 김밥 아줌마는 작품을 만들 때 사람들이 보고 있으면 막 화를 낸다. [중략] 쳐다보고 있으니까 김밥 옆구리가 터지는 실수를 다 한다고 신경질을 내는 그이가 무서워서 주문한 김밥을 싸는 동안 멀찌감치 떨어져 있었다. 그러나 집에 돌아와서 먹어 본 김밥은 그이에게 당한 것쯤이야 까맣게 잊어버리고도 남을 만큼 그 맛이 환상적이었다. 그 김밥은 돈 몇 푼의 이익을 위해 말아진 그런 김밥이 아니었다.
>
> 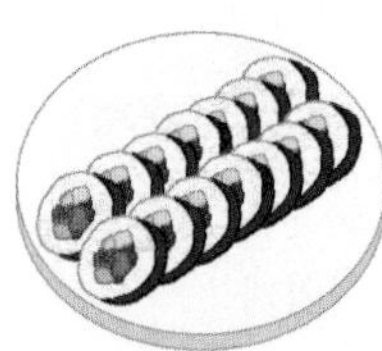
>
> – 양귀자, 〈길모퉁이에서 만난 사람〉

① 서술자는 '나'이다.
② 김밥 아줌마를 관찰하여 서술하고 있다.
③ 김밥 아줌마와 같은 가게에서 일하고 있다.
④ 김밥 아줌마가 만드는 김밥의 맛이 환상적이라고 생각한다.
⑤ 김밥 마는 것을 구경하다가 김밥 아줌마가 화내는 모습을 본 경험이 있다.

문제 해결 전략

- 이 글에서 서술자 '나'는 ❶ ______을/를 관찰하여 묘사하고 있다.
- '나'는 김밥 아줌마가 경제적 이익보다 ❷ ______ 만드는 것 자체를 중요하게 생각하고 최선을 다하는 사람이라고 생각하고 있다.

답 ❶ 김밥 아줌마 ❷ 김밥

>> 정답과 해설 4쪽

09 다음 글을 감상한 학생들의 대화를 보고, 괄호에서 알맞은 말을 고르시오.

진수가 국물을 훌쩍 들이마시고 나자 만도는,
"한 그릇 더 묵을래?" / 한다.
"아니예."
"한 그릇 더 묵지, 와?" / "고만 묵을랍니더."
진수는 입술을 싹 닦으며 부스스 자리에서 일어났다.
주막을 나선 그들 부자는 논두렁길로 접어들었다. 아까와 같이 만도가 앞장을 서는 것이 아니라, 이번에는 진수를 앞세웠다. 지팡이를 짚고 기우뚱기우뚱 앞서가는 아들의 뒷모습을 바라보며, 팔뚝이 하나밖에 없는 아버지가 느릿느릿 따라가는 것이다.

– 하근찬, 〈수난이대〉

이 소설의 서술자는 어디에 위치하고 있을까?

이 소설의 서술자는 이야기 (안 / 밖)에 위치하고 있는데, 인물의 말과 행동을 관찰하여 전달하고 있어.

문제 해결 전략

- 이 글에는 '나'가 등장하지 않으므로, 서술자는 이야기 안의 등장인물이 아니다. 이를 통해 시점이 1인칭 시점이 아니라 ❶ ______ 시점임을 알 수 있다.
- 서술자는 ❷ ______인 태도로 만도와 진수의 말과 행동을 관찰하여 전달하고 있다.

답 ❶ 3인칭 ❷ 객관적

10 다음 글의 서술자에 대한 설명으로 적절하지 <u>않은</u> 것은?

율도국을 떠난 길동은 남경 땅 제도 섬으로 들어가 곳곳을 돌아다니며 구경하다가 오봉산에 이르렀는데, 그곳이 크게 마음에 들었다. 기름진 들판이 넓게 펼쳐져 있어 사람 살기에 알맞은 곳이었다. 길동은 속으로 생각하였다.
'내 이미 조선을 떠나기로 하였으니, 이곳에 와 숨어 지내다가 큰일을 도모하리라.'

– 허균, 〈홍길동전〉

• **도모하다** 어떤 일을 이루기 위해 대책과 방법을 세우다.

① 서술자가 이야기 밖에 위치하고 있다.
② 서술자는 이야기의 등장인물이 아니다.
③ 서술자가 인물의 행동을 전달하고 있다.
④ 서술자가 인물의 생각을 알려 주고 있다.
⑤ 서술자가 인물의 심리까지는 파악하지 못하고 있다.

문제 해결 전략

- 이 글의 서술자는 이야기 ❶ ______에 위치하며 이야기 안의 등장인물이 아니다.
- 서술자는 홍길동의 행동뿐만 아니라 생각이나 ❷ ______까지 모두 파악하여 전달하고 있다.

답 ❶ 밖 ❷ 심리/속마음

1주 2일 필수 체크 전략 1

[1] 다음 시를 읽고, 물음에 답하시오.

열무 삼십 단을 이고
시장에 간 우리 엄마
안 오시네, 해는 시든 지 오래
나는 찬밥처럼 방에 담겨
아무리 천천히 숙제를 해도
엄마 안 오시네, 배춧잎 같은 발소리 타박타박
안 들리네, 어둡고 무서워
금 간 창틈으로 고요히 빗소리
빈방에 혼자 엎드려 훌쩍거리던

아주 먼 옛날
지금도 내 눈시울을 뜨겁게 하는
그 시절, 내 유년의 윗목

(윗목: 온돌방에서 아궁이로부터 먼 쪽의 방바닥.)
(유년: 나이가 어린 때.)

– 기형도, 〈엄마 걱정〉 천(박) 천(노)

이 작품은 열무를 팔러 시장에 간 엄마를 기다리던 유년 시절의 기억을 노래한 시입니다.

대표 유형 1 화자 이해하기

1 이 시의 화자에 대한 설명으로 적절하지 않은 것은?

① 화자가 겉으로 드러나 있다.
② 화자는 자신의 유년 시절을 회상하고 있다.
③ 화자는 유년 시절에 엄마를 홀로 기다린 경험이 있다.
④ 화자는 유년 시절 자신의 모습을 찬밥에 빗대어 표현하고 있다.
⑤ 화자는 유년 시절의 순수함이 사라진 현재를 안타까워하고 있다.

유형 해결 전략

시에서 말하는 이를 ❶ ____(이)라고 한다. 시인은 자신의 의도를 잘 드러낼 수 있는 존재를 화자로 내세워 주제를 ❷ ____(으)로 전달한다. 이 시의 화자가 겉으로 드러나 있는지, 화자가 누구인지 파악해 보도록 한다.

답 ❶ 화자/시적 화자 ❷ 효과적

1-1 이 시에 나타난 화자의 모습으로 적절하지 않은 것은?

이 시에 나타난 화자의 모습이 무엇인지 생각해 볼까요?

① 유년 시절 화자가 엎드려 울고 있는 모습
② 어른이 된 화자가 눈시울을 붉히고 있는 모습
③ 유년 시절 화자가 방에서 혼자 숙제를 하고 있는 모습
④ 어른이 된 화자가 우산을 들고 엄마를 마중 나가는 모습
⑤ 유년 시절 화자가 해가 진 뒤 방에서 시장에 간 엄마를 기다리고 있는 모습

>> 정답과 해설 6쪽

[2] 다음 시를 읽고, 물음에 답하시오.

나는 북관(北關)에 혼자 앓어누워서
'함경도'의 다른 이름.
어느 아츰 의원을 뵈이었다
'아침'의 방언.
의원은 여래(如來) 같은 상을 하고 관공(關公)의 수염을 드리워서
'부처'를 달리 이르는 말. '관우'를 높여 부르는 말.
먼 옛적 어느 나라 신선 같은데
새끼손톱 길게 돋은 손을 내어
묵묵하니 한참 맥을 짚더니
문득 물어 고향이 어데냐 한다
평안도 정주라는 곳이라 한즉
그러면 아무개 씨 고향이란다
그러면 아무개 씰 아느냐 한즉
의원은 빙긋이 웃음을 띠고
막역지간(莫逆之間)이라며 수염을 쓴다
허물이 없는 아주 친한 사이를 이르는 말.
나는 아버지로 섬기는 이라 한즉
의원은 또다시 넌즈시 웃고
말없이 팔을 잡어 맥을 보는데
손길은 따스하고 부드러워
고향도 아버지도 아버지의 친구도 다 있었다

– 백석, 〈고향〉 천(노)

이 작품은 낯선 곳에서 고향을 떠올리게 하는 사람을 만난 경험을 노래한 시입니다.

대표 유형 2 시적 상황 파악하기

2 이 시의 화자가 처해 있는 상황에 관한 설명으로 적절하지 <u>않은</u> 것은?

① 화자는 몸이 아파 앓아누워 있다.
② 화자는 가족과 떨어져 타향에서 혼자 살고 있다.
③ 화자는 고향에서부터 알고 지내던 의원에게 진료를 받았다.
④ 화자는 의원이 아무개 씨와 친구라는 사실을 알게 되었다.
⑤ 화자는 의원의 손길에서 고향과 가족을 떠올리고 있다.

유형 해결 전략

화자가 처해 있는 형편이나 처지를 ❶ (이)라고 하는데, 시구를 통해 화자가 어떤 상황에 처해 있는지 파악할 수 있다. 1행에는 화자가 ❷ 앓아누워 있는 상황임이 나타나 있다.

답 ❶ 시적 상황 ❷ 혼자/홀로

2-1 이 시의 화자가 처한 상황을 아래와 같이 정리할 때 빈칸에 공통으로 들어갈 알맞은 말을 쓰시오.

화자가 홀로 타향살이를 하는 북관에서 병이 들어 (   )을/를 만남.

↓

화자가 (   )와/과 대화를 하다가 그가 아버지로 섬기는 이의 친구라는 사실을 알게 됨.

↓

화자가 (   )의 손길에서 고향과 가족을 떠올림.

도움말

이 시에서 화자는 ❶ 을/를 떠나 ❷ 에서 혼자 지내다 앓아누워 있어요. 병에 걸린 화자가 누구를 만나면서 시상이 전개되고 있는지를 살펴보세요.

답 ❶ 고향 ❷ 북관/타향

[3] 다음 시를 읽고, 물음에 답하시오.

높은 가지를 흔드는 매미 소리에 묻혀
내 울음 아직은 노래 아니다.

차가운 바닥 위에 토하는 울음,
풀잎 없고 이슬 한 방울 내리지 않는
지하도 콘크리트 벽 좁은 틈에서
숨 막힐 듯, 그러나 나 여기 살아 있다
귀뚜르르 뚜르르 보내는 타전 소리가
누구의 마음 하나 울릴 수 있을까.

타전: 전보나 무전을 침.

지금은 매미 떼가 하늘을 찌르는 시절
그 소리 걷히고 맑은 가을이
어린 풀숲 위에 내려와 뒤척이기도 하고
계단을 타고 이 땅 밑까지 내려오는 날
발길에 눌려 우는 내 울음도
㉠누군가의 가슴에 실려 가는 노래일 수 있을까.

– 나희덕, 〈귀뚜라미〉 미

이 작품은 자신의 울음이 누군가에게 감동을 주는 노래가 되기를 소망하는 귀뚜라미의 마음을 표현한 시입니다.

대표 유형 3 화자의 정서와 태도 파악하기

3 이 시에 나타난 화자의 정서와 태도에 대한 설명으로 적절한 것은?

① 자신의 '울음'이 '노래'가 되지 않는 현실에 절망하고 있다.
② '타전 소리'를 보내며 힘든 상황에서도 자신의 존재를 알리고 있다.
③ 하늘을 찌르는 '매미 떼'의 모습을 보고 두려워하고 있다.
④ '맑은 가을'이 빨리 오지 않아 조바심을 내며 걱정하고 있다.
⑤ '발길에 눌려' 희망을 잃고 포기한 채 현실을 받아들이고 있다.

유형 해결 전략

이 시의 화자는 ❶ ______ (이)다. 화자가 현재 어떤 상황에 처해 있는지, 그 상황에서 어떤 감정을 느끼며 어떤 ❷ ______ 을/를 보이고 있는지를 파악해 본다.

답 ❶ 귀뚜라미 ❷ 태도

3-1 ㉠에 드러나 있는 화자의 태도를 바르게 이해한 학생은?

① 진수: 아름다운 자연 풍경을 바라보며 감탄하고 있어.
② 은호: 현재 자신의 삶에 만족하며 행복을 느끼고 있어.
③ 원우: 자신의 소망이 이루어지기를 간절히 바라고 있어.
④ 민채: 불평등한 현실을 깨닫고 자신의 처지에 분노하고 있어.
⑤ 윤서: 앞으로의 상황이 절대 변하지 않을 것임을 인식하여 비관하고 있어.

[4] 다음 시를 읽고, 물음에 답하시오.

나는 나룻배
당신은 행인.

당신은 흙발로 나를 짓밟습니다.
나는 당신을 안고 물을 건너갑니다.
나는 당신을 안으면 깊으나 옅으나 급한 여울이나 건너갑니다.

만일 당신이 아니 오시면 나는 바람을 쐬고 눈비를 맞으며 밤에서 낮까지 당신을 기다리고 있습니다.
당신은 물만 건너면 나를 돌아보지도 않고 가십니다그려.
그러나 당신이 언제든지 오실 줄만은 알아요.
나는 당신을 기다리면서 날마다 날마다 낡아 갑니다.

나는 나룻배
당신은 행인.

– 한용운, 〈나룻배와 행인〉 천(박) 교

이 작품은 '나'와 '당신'의 관계를 나룻배와 행인의 관계에 빗대어 표현한 시로, '당신'을 향한 절대적 믿음과 사랑을 노래하고 있습니다.

대표 유형 4 화자의 어조 파악하기

4 이 시에 나타난 화자의 어조에 대한 설명으로 적절한 것은?

① 비판적 어조로 '당신'의 잘못을 꾸짖고 있다.
② 단호한 어조로 화자의 의지를 드러내고 있다.
③ 끊임없이 질문하며 '당신'을 몰아붙이고 있다.
④ 경어체로 '당신'을 향한 절대적인 믿음과 사랑을 드러내고 있다.
⑤ 예찬하는 어조로 화자를 위해 노력하는 '당신'의 모습을 드러내고 있다.

유형 해결 전략

화자의 목소리와 화자가 사용하는 ❶ [ ]을/를 어조라고 한다. 어조는 화자의 정서나 태도와 관련이 있으므로, 화자가 어떤 어조를 사용하여 '❷ [ ]'을/를 향한 태도를 드러내는지 살펴본다.

답 ❶ 말투 ❷ 당신

4-1 이 시에서 경어체를 사용하여 얻고 있는 효과로 가장 적절한 것은?

① '당신'과 이별한 화자의 슬픔을 효과적으로 드러내고 있다.
② '당신'을 향한 화자의 비판과 분노를 효과적으로 드러내고 있다.
③ '당신'과 이별하는 화자의 체념적 태도를 효과적으로 드러내고 있다.
④ 자신의 잘못에 대한 화자의 반성과 후회를 효과적으로 드러내고 있다.
⑤ '당신'을 위해 희생하고 헌신하는 화자의 태도를 효과적으로 드러내고 있다.

도움말

자신이 품었던 생각이나 기대, ❶ [ ] 따위를 아주 버리고 더 이상 기대하지 않는 태도를 ❷ [ ] 태도라고 해요.

답 ❶ 희망 ❷ 체념적

1주 2일 필수 체크 전략 2

[01~03] 다음 시를 읽고, 물음에 답하시오.

열무 삼십 단을 이고

시장에 간 우리 엄마

안 오시네, 해는 시든 지 오래

나는 찬밥처럼 방에 담겨

아무리 천천히 숙제를 해도

엄마 안 오시네, 배춧잎 같은 발소리 타박타박

안 들리네, 어둡고 무서워

금 간 창틈으로 고요히 빗소리

빈방에 혼자 엎드려 훌쩍거리던

아주 먼 옛날

지금도 내 눈시울을 뜨겁게 하는

그 시절, 내 유년의 윗목

– 기형도, 〈엄마 걱정〉 천(박) 천(노)

01 이 시에 나타난 화자의 정서로 거리가 먼 것은?

① 서글픔 ② 두려움
③ 외로움 ④ 후련함
⑤ 안타까움

02 다음은 이 시의 화자와 가상 면담을 한 내용이다. 화자의 답변으로 적절하지 않은 것은?

진행자: 유년 시절을 회상하면 어떤 기억이 떠오르는지요?
화자: 방에서 혼자 시장에 가신 어머니를 기다리던 기억이 떠오르네요. ······ ①
진행자: 어머니께서는 왜 시장에 가셨나요?
화자: 아, 어머니께서는 시장에서 열무를 파는 일을 하셨어요. ······ ②
진행자: 그렇다면 어머니와 보낸 시간이 많지 않았겠네요?
화자: 아닙니다. 늘 해가 지기 전에는 집에 돌아오셨어요. ······ ③
진행자: 어머니를 기다릴 때 무엇을 하며 기다리셨나요?
화자: 숙제를 했습니다. 아무리 천천히 해도 어머니를 기다리는 시간이 길게 느껴졌어요. ······ ④
진행자: 그때를 떠올리면 어떤 생각이 드는지요?
화자: 시장에서 열무를 팔고 돌아오시는 길이 어머니께 얼마나 지치고 힘든 길이었을까 하는 생각이 듭니다. ······ ⑤

도움말

1연의 시구 '❶ ______은/는 시든 지 오래', '❷ ______ 무서워'를 참고하여 화자의 엄마가 시장에서 집으로 돌아오신 시간이 언제였을지를 생각해 보세요.

답 ❶ 해 ❷ 어둡고

03 〈보기〉의 설명에 해당하는 시구를 찾아 쓰시오.

보기
- 돌봐 주는 사람이 없이 혼자 방에 있는 화자의 처지가 드러나 있다.
- 화자의 쓸쓸한 처지를 비유를 사용하여 표현하고 있다.

[04~05] 다음 시를 읽고, 물음에 답하시오.

㉮ 나는 북관(北關)에 혼자 앓어누워서
어느 아츰 의원을 뵈이었다
의원은 여래(如來) 같은 상을 하고 관공(關公)의 수염을 드리워서
먼 옛적 어느 나라 신선 같은데
새끼손톱 길게 돋은 손을 내어
묵묵하니 한참 맥을 짚더니
문득 물어 고향이 어데냐 한다
평안도 정주라는 곳이라 한즉
그러면 아무개 씨 고향이란다
그러면 아무개 씰 아느냐 한즉
의원은 빙긋이 웃음을 띠고
막역지간(莫逆之間)이라며 수염을 쓴다
나는 아버지로 섬기는 이라 한즉
의원은 또다시 넌즈시 웃고
말없이 팔을 잡어 맥을 보는데
손길은 따스하고 부드러워
고향도 아버지도 아버지의 친구도 다 있었다

– 백석, 〈고향〉 천(노)

㉯ 고향에 고향에 돌아와도
그리던 고향은 아니러뇨.

산꿩이 알을 품고 / 뻐꾸기 제철에 울건만,

마음은 제 고향 지니지 않고 / 머언 항구로 떠도는 구름.

오늘도 뫼 끝에 홀로 오르니 / 흰 점 꽃이 인정스레 웃고,

어린 시절에 불던 풀피리 소리 아니 나고
메마른 입술에 쓰디쓰다.

고향에 고향에 돌아와도 / 그리던 하늘만이 높푸르구나.

– 정지용, 〈고향〉 천(노)

04 (가)를 감상한 독자의 반응으로 적절하지 않은 것은?

① 화자의 고향은 평안도 정주야.
② 화자는 고향을 떠나 혼자 지내고 있어.
③ 화자는 병 때문에 우울함을 느끼고 있어.
④ 화자는 어느 아침에 의원에게 진료를 받았어.
⑤ 화자가 아버지로 섬기는 이와 의원은 서로 친하게 지내는 사이구나.

05 (가)와 (나)의 화자가 '고향'에 대해 느끼는 정서를 〈보기〉와 같이 정리할 때 빈칸에 들어갈 말로 적절하지 않은 것은?

보기

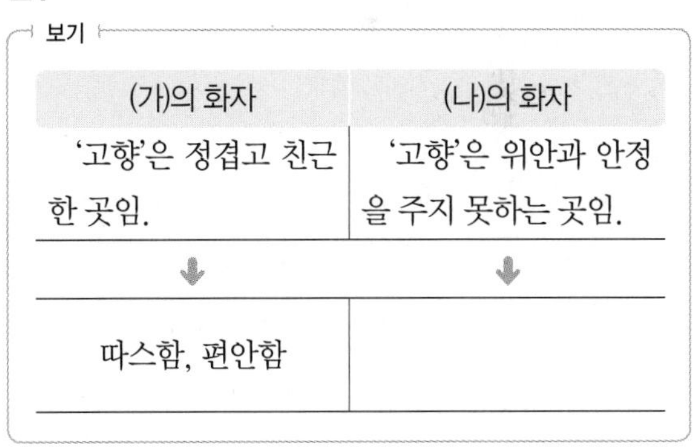

(가)의 화자	(나)의 화자
'고향'은 정겹고 친근한 곳임.	'고향'은 위안과 안정을 주지 못하는 곳임.
↓	↓
따스함, 편안함	

① 설렘　② 답답함
③ 상실감　④ 쓸쓸함
⑤ 허망함

도움말
(가)의 '손길은 따스하고 부드러워 / ❶ ______도 아버지도 아버지의 친구도 다 있었다'와 (나)의 '그리던 고향은 아니러뇨.', '메마른 ❷ ______에 쓰디쓰다.' 등 시구를 살펴보며 '고향'을 바라보는 화자의 관점을 파악하여 비교해 보세요.

답 ❶ 고향 ❷ 입술

[06~08] 다음 시를 읽고, 물음에 답하시오.

높은 가지를 흔드는 매미 소리에 묻혀
내 울음 아직은 노래 아니다.

차가운 바닥 위에 토하는 울음,
풀잎 없고 이슬 한 방울 내리지 않는
지하도 콘크리트 벽 좁은 틈에서
숨 막힐 듯, 그러나 나 여기 살아 있다
귀뚜르르 뚜르르 보내는 타전 소리가
누구의 마음 하나 울릴 수 있을까.

지금은 매미 떼가 하늘을 찌르는 시절
그 소리 걷히고 맑은 가을이
어린 풀숲 위에 내려와 뒤척이기도 하고
계단을 타고 이 땅 밑까지 내려오는 날
발길에 눌려 우는 내 울음도
누군가의 가슴에 실려 가는 노래일 수 있을까.

– 나희덕, 〈귀뚜라미〉 미

06 이 시에 대한 설명으로 적절하지 않은 것은?

① 화자가 시의 표면에 직접적으로 드러나 있다.
② 의문형 어미로 화자의 소망을 드러내고 있다.
③ 어조의 변화로 역동적인 분위기를 드러내고 있다.
④ 의인화된 존재를 화자로 설정하여 주제를 제시하고 있다.
⑤ 대조적인 의미의 시어를 사용하여 화자의 처지를 드러내고 있다.

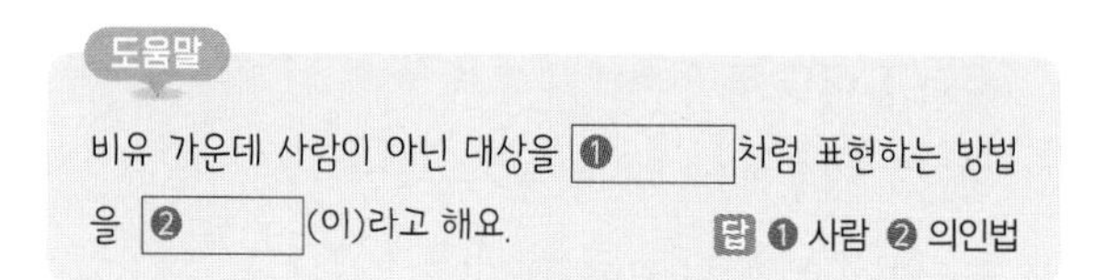
도움말
비유 가운데 사람이 아닌 대상을 ❶ [　　] 처럼 표현하는 방법을 ❷ [　　] (이)라고 해요.
답 ❶ 사람 ❷ 의인법

07 이 시의 화자가 되고 싶은 존재가 무엇인지 서술하시오.

조건
1. '누군가의 가슴에 실려 가는 노래'를 중심으로 하여 파악할 것
2. '~ 존재가 되기를 바라고 있다.' 형식의 한 문장으로 쓸 것

08 이 시를 감상한 독자의 반응으로 가장 적절한 것은?

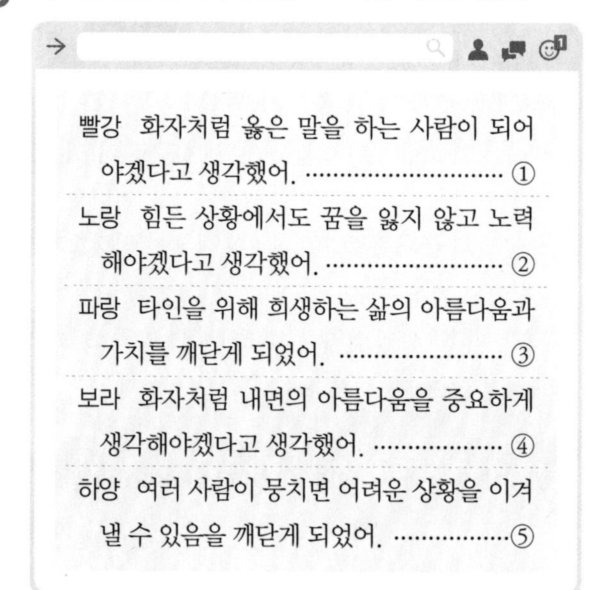
빨강 화자처럼 옳은 말을 하는 사람이 되어야겠다고 생각했어. ①
노랑 힘든 상황에서도 꿈을 잃지 않고 노력해야겠다고 생각했어. ②
파랑 타인을 위해 희생하는 삶의 아름다움과 가치를 깨닫게 되었어. ③
보라 화자처럼 내면의 아름다움을 중요하게 생각해야겠다고 생각했어. ④
하양 여러 사람이 뭉치면 어려운 상황을 이겨낼 수 있음을 깨닫게 되었어. ⑤

[09~11] 다음 시를 읽고, 물음에 답하시오.

나는 나룻배
당신은 행인.

당신은 흙발로 나를 짓밟습니다.
나는 당신을 안고 물을 건너갑니다.
나는 당신을 안으면 깊으나 옅으나 급한 여울이나 건너갑니다.

만일 당신이 아니 오시면 나는 바람을 쐬고 눈비를 맞으며 밤에서 낮까지 당신을 기다리고 있습니다.
당신은 물만 건너면 나를 돌아보지도 않고 가십니다그려.
그러나 당신이 언제든지 오실 줄만은 알아요.
나는 당신을 기다리면서 날마다 날마다 낡아 갑니다.

나는 나룻배
당신은 행인.

– 한용운, 〈나룻배와 행인〉 천(박) 교

09 이 시에 대한 설명으로 적절하지 <u>않은</u> 것은?

① 수미상관의 구조를 취하여 시에 안정감을 부여하고 있다.
② '시련과 고통'을 의미하는 상징적 소재를 사용하고 있다.
③ 비유를 사용하여 화자와 '당신'의 관계를 드러내고 있다.
④ 사물의 특성을 통해 화자의 태도를 효과적으로 표현하고 있다.
⑤ 말하고자 하는 내용과 반대로 표현하여 화자의 의지를 강조하고 있다.

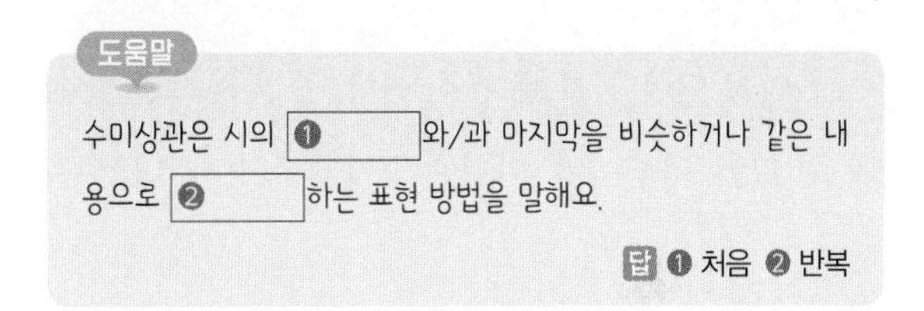

도움말
수미상관은 시의 ❶ [ ] 와/과 마지막을 비슷하거나 같은 내용으로 ❷ [ ] 하는 표현 방법을 말해요.
답 ❶ 처음 ❷ 반복

10 이 시의 화자에 대한 설명으로 적절하지 <u>않은</u> 것은?

① '당신'을 위해 희생하고 헌신하는 태도를 드러내고 있다.
② '당신'을 향한 강한 인내와 기다림의 자세를 드러내고 있다.
③ '나'를 '나룻배'에 비유하고 '당신'을 '행인'에 비유하고 있다.
④ '당신'이 '나'를 떠난 원인이 자신에게 있다고 생각하고 있다.
⑤ '당신'이 '나'에게 무심한 태도를 드러내고 있다고 말하고 있다.

11 〈보기〉의 설명에 해당하는 시구를 찾아 쓰시오.

보기
• '당신'을 향한 화자의 믿음을 표현하고 있다.
• 화자는 '당신'이 반드시 올 것이라고 생각하고 있다는 점이 드러나 있다.

1주 3일 필수 체크 전략 1

[1] 다음 글을 읽고, 물음에 답하시오.

(가) 0

그때 말해야 했을까? 아니, 모르겠어. 다시 그때가 된다면 내 입으로 말할 수 있을까. 아니 그것도 몰라. 내가 아는 건 내가 말할 수 있었지만 말하지 않은 그 일 때문에 내 삶이 달라졌다는 거야. 그래, 달라졌어. 그 일이 아니었다면 나는 다른 직업을 가졌겠지. 남을 속이는 교활한 장사꾼? 명령에 충실하게 따르는 군인? 뭘 했을지는 몰라도 지금처럼 그림을 그리고 있지는 않겠지.

그 일이 일어난 건 내 탓이 아냐. 그건 확실히 그렇다고 말할 수 있어. 우연이야. 아니 누군가의 실수지. 내 실수는 아니라구.

(나) 1

나는 한 번도 상 같은 건 받아 본 적 없어. 학교 다닐 때 그 흔한 개근상도 못 받았으니까. 상에 욕심을 부려 본 적도 없었어. 내게는 모자란 게 없어서 그랬는지도 몰라. 어릴 때는 부유한 집안에서 단 하나밖에 없는 딸로 사랑을 받으며 자랐고 여자 대학에서 가정학을 공부하다가 판사인 남편을 중매로 만나서 결혼했지. 내가 권력이나 돈을 손에 쥔 건 아니라도 그런 것 때문에 불편한 적도 없어. [중략] 나는 상을 못 받았지만 내가 타고난 행운, 삶 자체가 상이다 싶어.

그렇지만 단 한 번 상을 받을 뻔한 적은 있지. 나 자신의 실수 때문에 못 받은 거니까 누구를 원망할 수도 없지만.

– 성석제, 〈내가 그린 히말라야시다 그림〉 미 지

히말라야시다: 개잎갈나무. 소나뭇과의 상록 침엽 교목.

이 작품은 동일한 사건에 관한 두 인물의 시점이 교차하는 소설로, 과거의 사건과 행동이 삶에 어떤 영향을 주었는지를 그리고 있습니다.

대표 유형 1 서술자 파악하기

1 (가)의 서술자에 대한 설명으로 적절하지 않은 것은?

① '그 일'에 대해 다른 사람에게 말하지 않았다.
② '그 일' 때문에 삶이 달라졌다고 생각하고 있다.
③ '그 일'의 원인이 자신에게 있음을 인정하고 있다.
④ 과거로 다시 돌아가도 '그 일'을 자신의 입으로 말할 수 있다는 확신이 없다.
⑤ '그 일'의 영향으로 자신이 현재 그림을 그리는 일을 하고 있다고 생각하고 있다.

유형 해결 전략

소설에서 독자에게 이야기를 전달하는 이를 ❶ [　　] (이)라고 한다. 서술자는 이야기 밖에 있을 수도 있고 이야기 안에 있을 수도 있는데, (가)의 서술자는 이야기 ❷ [　　] 에 등장하는 인물인 '나'이다. '나'에 대해 서술한 내용을 살펴본다.

답 ❶ 서술자 ❷ 안

1-1 (나)의 서술자에 대한 설명으로 적절한 것은?

(가)의 서술자와 (나)의 서술자는 다른 인물이에요. (나)에서 서술자가 자신에 관해 뭐라고 말하고 있는지 살펴볼까요?

① 어릴 때부터 그림을 잘 그려서 화가가 되었다.
② 경제적으로 풍족한 집안에서 부족함 없이 자랐다.
③ 같은 대학교에 다니던 남편을 만나 연애를 하고 결혼하였다.
④ 학창 시절에 개근상을 받고 싶어서 몸이 아파도 학교에 갔다.
⑤ 다른 사람의 실수 때문에 상을 받지 못한 일을 지금까지 억울하게 생각하고 있다.

>> 정답과 해설 9쪽

[2] 다음 글을 읽고, 물음에 답하시오.

㉮ 내가 점심을 먹고 나무를 하러 갈 양으로 나올 때이었다. 산으로 올라서려니까 등 뒤에서 푸드득푸드득 하고 닭의 횃소리가 야단이다. 깜짝 놀라며 고개를 돌려 보니 아니나 다르랴. 두 놈이 또 얼리었다. [중략] 대뜸 지게막대기를 메고 달려들어 점순네 닭을 후려칠까 하다가 생각을 고쳐먹고 헛매질로 떼어만 놓았다.

횃소리: 날짐승이 크게 날갯짓을 하면서 탁탁 치는 소리.

이번에도 점순이가 쌈을 붙여 놨을 것이다. 바짝바짝 내 기를 올리느라고 그랬음에 틀림없을 것이다.

㉯ 나흘 전 감자 쪼간만 하더라도 나는 저에게 조금도 잘못한 것은 없다. / 계집애가 나물을 캐러 가면 갔지 남 울타리 엮는 데 쌩이질을 하는 것은 다 뭐냐. 그것도 발소리를 죽여 가지고 등 뒤로 살며시 와서

쌩이질: 한창 바쁠 때에 쓸데없는 일로 남을 귀찮게 구는 짓.

"얘! 너 혼자만 일하니?" 하고 긴치 않은 수작을 하는 것이다.

㉰ 우리가 이 동리에 들어온 것은 근 삼 년째 되어 오지만 여지껏 가무잡잡한 점순이의 얼굴이 이렇게까지 홍당무처럼 새빨개진 법이 없었다. 게다 눈에 독을 올리고 한참 나를 요렇게 쏘아보더니 나중에는 눈물까지 어리는 것이 아니냐. 그리고 바구니를 다시 집어 들더니 이를 꼭 악물고는 엎더질 듯 자빠질 듯 논둑으로 휑하니 달아나는 것이다.

어리는: 눈에 눈물이 조금 괴다.

어쩌다 동리 어른이 / "너 얼른 시집을 가야지?" 하고 웃으면 "염려 마서유. 갈 때 되면 어련히 갈라구……."

이렇게 천연덕스레 받는 점순이였다. 본시 부끄럼을 타는 계집애도 아니거니와 또한 분하다고 눈에 눈물을 보일 얼병이도 아니다. 분하면 차라리 나의 등어리를 바구니로 한번 모질게 후려 쌔리고 달아날지언정.

얼병이: '얼뜨기'의 사투리.

– 김유정, 〈동백꽃〉 천(박) 천(노) 미 금 교

이 작품은 농촌을 배경으로 하여 소년과 소녀의 사랑을 해학적으로 그린 소설입니다.

대표 유형 ② 시점과 특징 파악하기

2 이 글의 시점에 대한 설명으로 적절하지 않은 것은?

① 주인공이 자신이 겪은 일을 서술하고 있다.
② 주인공 '나'의 내면이 구체적으로 드러난다.
③ 이야기 안의 등장인물이 서술자가 되어 이야기를 전달하고 있다.
④ 장면마다 주인공이 바뀌기 때문에 하나의 사건을 다양한 관점에서 살펴볼 수 있다.
⑤ 주인공이 보고 느낀 대로 서술하기 때문에 다른 인물의 내면은 직접적으로 드러나지 않는다.

유형 해결 전략

이 소설에 '❶ ______'라는 표현이 있으므로, ❷ ______ 시점임을 알 수 있다. '나'가 자신의 이야기를 전달하는 1인칭 주인공 시점인지, 다른 사람을 관찰하여 전달하는 1인칭 관찰자 시점인지를 생각하며 살펴본다.

답 ❶ 나 ❷ 1인칭

2-1 이 글의 시점에 대한 설명으로 가장 적절한 것은?

① 주인공 '나'가 점순이와 자신 사이에 있었던 일을 서술하고 있다.
② 동리 어른이 '나'와 점순이의 말과 행동을 관찰하여 서술하고 있다.
③ '나'와 점순이가 각각 자신의 입장에서 사건을 바라보고 서술하고 있다.
④ 이야기 밖의 서술자가 '나'와 점순이의 말과 행동을 관찰하여 서술하고 있다.
⑤ 부수적 인물 '나'가 점순이와 다른 인물 사이에 일어난 일을 관찰하여 서술하고 있다.

도움말

주인공은 '❶ ______'(이)고 주인공이 점순이와 있었던 이야기를 서술하고 있으므로, 이 소설의 시점은 1인칭 ❷ ______ 시점이에요.

답 ❶ 나 ❷ 주인공

[3] 다음 글을 읽고, 물음에 답하시오.

가 잔소리를 두루 늘어놓다가 남이 들을까 봐 손으로 입을 틀어막고는 그 속에서 깔깔댄다. 별로 우스울 것도 없는데 날씨가 풀리더니 이놈의 계집애가 미쳤나 하고 의심하였다. 게다가 조금 뒤에는 즈 집께를 할금할금 돌아다보더니 행주치마의 속으로 꼈던 바른손을 뽑아서 나의 턱 밑으로 불쑥 내미는 것이다. 언제 구웠는지 아직도 더운 김이 확 끼치는 굵은 감자 세 개가 손에 뿌듯이 쥐였다.

할금할금: 곁눈으로 살그머니 계속 할겨 보는 모양.
바른손: 오른손.

"느 집엔 이거 없지?" 하고 생색 있는 큰소리를 하고는 제가 준 것을 남이 알면 큰일 날 테니 여기서 얼른 먹어 버리란다. 그리고 또 하는 소리가 / "너 봄 감자가 맛있단다."

생색: 다른 사람 앞에 당당히 나설 수 있거나 자랑할 수 있는 체면.

"난 감자 안 먹는다. 너나 먹어라."

나 점순이가 즈 집 봉당에 홀로 걸터앉았는데, 아, 이게 치마 앞에다 우리 씨암탉을 꼭 붙들어 놓고는

봉당: 안방과 건넌방 사이의 마루를 놓을 자리를 흙바닥으로 둔 곳.

"이놈의 닭! 죽어라. 죽어라."

요렇게 암팡스레 패 주는 것이 아닌가. 그것도 대가리나 치면 모른다마는 아주 알도 못 낳으라고 그 볼기짝께를 주먹으로 콕콕 쥐어박는 것이다.

암팡스레: 몸은 작아도 야무지고 다부진 면이 있게.

나는 눈에 쌍심지가 오르고 사지가 부르르 떨렸으나 사방을 한번 휘돌아보고야 그제서 점순이 집에 아무도 없음을 알았다. 잡은 참 지게막대기를 들어 울타리의 중턱을 후려치며

"이놈의 계집애! 남의 닭 알 못 낳으라구 그러니?" 하고 소리를 빽 질렀다.

– 김유정, 〈동백꽃〉 천(박) 천(노) 미 금 교

대표 유형 3 서술자의 특징 파악하기

3 이 글의 서술자인 '나'의 특성으로 적절한 것은?

① 예민하고 민첩하다.
② 영악하고 약삭빠르다.
③ 능동적이고 적극적이다.
④ 눈치가 없고 어수룩하다.
⑤ 이타적이고 배려심이 많다.

유형 해결 전략

점순이는 '나'를 향한 관심을 표현하고자 ❶ [ ] 을/를 주었는데 '나'는 이를 알아차리지 못하고 거절하였다. 또한 점순이가 '나'의 집 ❷ [ ] 의 볼기짝을 쥐어박으며 자신을 괴롭히는 까닭이 무엇인지도 눈치채지 못하고 있다.

답 ❶ 감자 ❷ 씨암탉/닭

3-1 이 글의 서술자인 '나'의 특성을 잘못 파악한 학생은?

① 준우: '나'는 아주 순박하고 어수룩한 성격을 가지고 있어.
② 미주: '나'는 아직 누군가를 사랑하는 감정에 눈을 뜨지 못했어.
③ 윤서: '나'는 점순이에게 관심이 있지만 그 마음을 숨기고 있어.
④ 승아: '나'는 점순이의 행동에 담긴 의도를 제대로 파악하지 못하고 있어.
⑤ 민규: '나'는 눈치가 없고 둔해서 점순이의 말에 담긴 숨은 뜻을 알지 못해.

도움말

'나'는 ❶ [ ] 의 속마음을 제대로 파악하지 못하고 자신이 판단한 대로 서술하고 있는데, 이러한 '나'의 특성 때문에 전체적으로 ❷ [ ] 인 분위기를 띠고 있어요.

답 ❶ 점순이 ❷ 해학적

[4] 다음 글을 읽고, 물음에 답하시오.

(가) 하루는 밤에 아저씨 방에서 놀다가 졸려서 안방으로 들어오려고 일어서니까 아저씨가 하얀 봉투를 서랍에서 꺼내어 내게 주었습니다.

(나) 어머니는 그 봉투를 들고 어쩔 줄을 모르는 듯이 초조한 빛이 나타났습니다. [중략] 봉투 속으로 들어갔던 어머니의 파들파들 떨리는 손가락이 지전을 몇 장 끌고 나왔습니다. 어머니는 입술에 약간 웃음을 띠면서 후 하고 한숨을 내쉬었습니다. 그러나 그것도 잠깐, 다시 어머니는 무엇에 놀랐는지 흠칫하더니 금시에 얼굴이 다시 새하얘지고 입술이 바르르 떨렸습니다. 어머니의 손을 바라다보니 거기에는 지전 몇 장 외에 네모로 접은 하얀 종이가 한 장 잡혀 있는 것이었습니다.

지전: 종이에 인쇄를 하여 만든 화폐.

(다) 나는 그 안에 무슨 글이 쓰여 있는지 알 도리가 없었으나 어머니는 그 글을 읽으면서 금시에 얼굴이 파랬다 발갰다 하고 그 종이를 든 손은 이제는 바들바들이 아니라 와들와들 떨리어서 그 종이가 부석부석 소리를 내게 되었습니다.

한참 후에 어머니는 그 종이를 아까 모양으로 네모지게 접어서 돈과 함께 봉투에 도로 넣어 반짇그릇에 던졌습니다. 그러고는 정신 나간 사람처럼 멀거니 앉아서 전등만 쳐다보는데 어머니 가슴이 불룩불룩합니다. 나는 어머니가 혹시 병이나 나지 않았나 하고 염려가 되어서 얼른 가서 무릎에 안기면서,

반짇그릇: 반짇고리. 바느질 도구를 담는 그릇.

"엄마, 잘까?" / 하고 말했습니다.

– 주요섭, 〈사랑손님과 어머니〉 창 동

이 작품은 여섯 살 난 어린아이의 눈으로 바라본 어머니와 사랑손님의 사랑을 그린 소설입니다.

대표 유형 4 서술자 설정의 효과 이해하기

4 이 글에서 서술자를 '나'로 설정하여 얻은 효과로 적절하지 않은 것은?

① 어른들의 사랑이 순수하게 그려지고 있다.
② 어른들의 심리를 정확하게 파악해 전달하고 있다.
③ 어머니의 모습이 '나'의 관점에서 서술되기 때문에 재미를 유발한다.
④ 어머니의 심리가 직접적으로 드러나지 않아 독자의 궁금증을 유발한다.
⑤ 어머니의 행동에 담긴 의도를 파악하기 위해 독자가 상상력을 발휘하게 한다.

유형 해결 전략

이 소설의 서술자는 '나'(❶)로, 어머니와 아저씨(사랑손님)의 말과 행동을 관찰하여 전달하고 있다. 이때 어머니와 아저씨의 감정이나 ❷ 은/는 정확하게 드러나지 않는다.

답 ❶ 옥희 ❷ 심리/속마음

4-1 다음 대화의 빈칸에 들어갈 알맞은 말을 쓰시오.

도움말

이 소설의 ❶ 인 옥희는 어린아이예요. 만약 어린아이가 아닌 ❷ (이)면 분위기가 어떻게 다를지 생각해 보세요.

답 ❶ 서술자 ❷ 어른/성인

1주 3일 필수 체크 전략 2

[01~02] 다음 글을 읽고, 물음에 답하시오.

가 1

사생 대회는 토요일 오전에 우리 학교에서 열렸어. 우리가 다니는 초등학교가 군에서 가장 오래된 학교라서 그랬던 것 같아. 건물도 오래됐고 나무도 커서 그림 그릴 게 많았는지도 몰라. 우리 학교 다니는 애들한테 유리한 것 같긴 했지.

우리는 주최 측이 확인 도장을 찍어서 준 도화지를 한 장씩 받아서 그림을 그리기 위해 여기저기로 흩어졌지. 그런데 내 뒤에서 그림을 그리던 녀석, 옷도 지저분하고 검정 고무신을 신은 데다 간장 냄새가 나던 녀석이 기억에 오래 남았어. 그 냄새며 꼴이 싫어서 자리를 옮기려고 했지만 이미 노란색 크레파스로 그 앞의 나무와 갈색 나무 교사의 밑그림을 그린 뒤라서 그럴 수도 없었어. 참 그 냄새, 머리가 아프도록 지독했어. 그건 한마디로 하면 가난의 냄새였어.

(교사: 학교의 건물.)

나 0

내 앞에는 언제부터인가 여자아이가 두 명 앉아 있었어. 한 아이는 낯이 익었어. 같은 반을 한 적은 없지만, 천수기 선생님하고 같이 가는 걸 몇 번 본 적이 있었지. 자주색 원피스에 검정 에나멜 구두를 신고 있었고 머리에 푸른 구슬 리본을 매고 있는데 무척 얼굴이 희고 예뻤지. 나하고 한 반이었다고 해도 나 같은 촌뜨기에게는 말을 걸지도 않았겠지.

그 여자애와 나는 비슷한 점이 하나도 없었어. 크레파스부터 한 번도 쓰지 않은 새것, 한 번만 더 쓰면 더 쓸 수 없도록 닳은 것이라는 차이가 있었어. 처음부터 다른 길에서 출발해서 가다가 우연히 두어 시간 동안 같은 장소에서 비슷한 그림을 그리게 되겠지만 앞으로 영원히 만날 일이 없을 것 같은 사람이야. 그 여자아이도 그걸 의식하고 있는 것 같았어. 나를 한 번 힐끗 넘겨다보고는 코를 찡그리더니 더 이상 눈길을 주지 않았어. 자리를 뜰 것 같았는데 계속 그리기는 하더군. 나를 의식하기 전에 밑그림을 그렸던 게 아까웠겠지.

– 성석제, 〈내가 그린 히말라야시다 그림〉 미 지

01 이 글의 서술자에 대한 설명으로 적절한 것은?

① 이야기 안의 인물이 주인공을 관찰하여 전달하고 있다.

② 이야기 밖의 서술자가 인물을 관찰하여 객관적으로 전달하고 있다.

③ 이야기 안의 두 명의 서술자가 동일한 사건에 관해 서술하고 있다.

④ 이야기 밖의 서술자가 모든 인물의 심리를 구체적으로 전달하고 있다.

⑤ 이야기 안의 인물들이 서로 다른 장소에서 발생한 사건을 서술하고 있다.

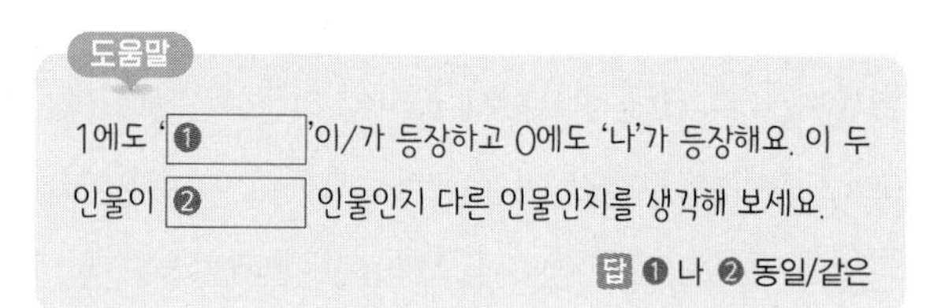

도움말

1에도 '❶ [ ]'이/가 등장하고 0에도 '나'가 등장해요. 이 두 인물이 ❷ [ ] 인물인지 다른 인물인지를 생각해 보세요.

답 ❶ 나 ❷ 동일/같은

02 다음 중 이 글을 바르게 이해하지 못한 학생은?

①  1의 '나'는 0의 '나'보다 가정 형편이 훨씬 넉넉했어.

②  1의 '나'와 0의 '나'는 동일한 사생 대회에 참가하였어.

③  1의 '나'는 0의 '나'를 피해 자리를 옮겨 그림을 다시 그렸어.

④  1의 '나'와 0의 '나'는 초등학교에서 같은 반이었던 적은 없어.

⑤  1의 '나'는 0의 '한 아이'이고, 0의 '나'는 1의 '뒤에서 그림을 그리던 녀석'이야.

[03~05] 다음 글을 읽고, 물음에 답하시오.

㉮ 오늘도 또 우리 수탉이 막 쪼이었다. 내가 점심을 먹고 나무를 하러 갈 양으로 나올 때이었다. 산으로 올라서려니까 등 뒤에서 푸드득푸드득 하고 닭의 횃소리가 야단이다. 깜짝 놀라며 고개를 돌려 보니 아니나 다르랴. 두 놈이 또 얼리었다.

㉯ 나흘 전 감자 쪼간만 하더라도 나는 저에게 조금도 잘못한 것은 없다.

(쪼간: 어떤 사건이나 일.)

계집애가 나물을 캐러 가면 갔지 남 울타리 엮는데 쌩이질을 하는 것은 다 뭐냐. 그것도 발소리를 죽여 가지고 등 뒤로 살며시 와서 / "얘! 너 혼자만 일하니?" 하고 긴치 않은 수작을 하는 것이다.

(긴치 않은: 꼭 필요하지 않다.)

어제까지도 저와 나는 이야기도 잘 않고 서로 만나도 본척만척하고 이렇게 점잖게 지내던 터이련만 오늘로 갑작스레 대견해졌음은 웬일인가. [중략]

[A]
"너 일하기 좋니?" / 또는
"한여름이나 되거던 하지 벌써 울타리를 하니?"
잔소리를 두루 늘어놓다가 남이 들을까 봐 손으로 입을 틀어막고는 그 속에서 깔깔댄다. 별로 우스울 것도 없는데 날씨가 풀리더니 이놈의 계집애가 미쳤나 하고 의심하였다.

㉰ "느 집엔 이거 없지?" 하고 생색 있는 큰소리를 하고는 제가 준 것을 남이 알면 큰일 날 테니 여기서 얼른 먹어 버리란다. 그리고 또 하는 소리가 / "너 봄 감자가 맛있단다."

"난 감자 안 먹는다. 너나 먹어라."

나는 고개도 돌리려 하지 않고 일하던 손으로 그 감자를 도로 어깨 너머로 쑥 밀어 버렸다.

– 김유정, 〈동백꽃〉 천(박) 천(노) 미 금 교

03 이 글에 대한 설명으로 적절한 것은?

① 역순행적으로 이야기가 전개되고 있다.
② 계절의 변화에 따라 이야기가 전개되고 있다.
③ 도시를 배경으로 하여 이야기가 전개되고 있다.
④ 서술자가 이야기 밖에서 인물을 관찰하고 있다.
⑤ 하나의 주제를 중심으로 하여 독립적인 이야기가 나열되고 있다.

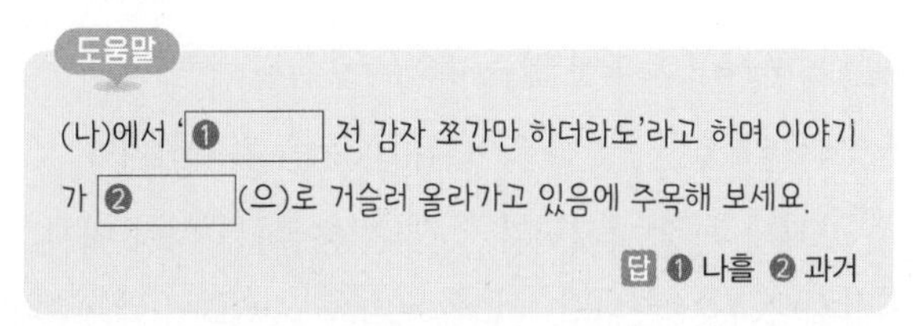

도움말
(나)에서 '❶ ______ 전 감자 쪼간만 하더라도'라고 하며 이야기가 ❷ ______ (으)로 거슬러 올라가고 있음에 주목해 보세요.

답 ❶ 나흘 ❷ 과거

04 점순이가 '나'에게 감자를 준 근본적인 까닭으로 가장 적절한 것은?

① '나'의 집에 감자가 없어서
② '나'에게 관심을 표현하고 싶어서
③ '나'에게 봄 감자의 맛을 자랑하고 싶어서
④ '나'가 울타리를 엮는 모습이 힘들어 보여서
⑤ '나'가 자기 대신에 감자를 먹어 주기를 원해서

05 〈보기〉는 [A]를 서술자를 바꾸어 쓴 것이다. 서술자가 누구로 바뀌었는지 서술하시오.

보기
"너 일하기 좋니?" 하고 말을 걸었지만 아무런 대답이 없었다. 하지만 여기서 멈출 내가 아니지.
"한여름이나 되거던 하지 벌써 울타리를 하니?" 하고 잔소리 같은 말을 하다가 문득 웃음이 터졌다. 나는 다른 사람들이 들을까 봐 손으로 입을 가리고 그 속에서 웃었다. 나는 같이 있는 것만으로도 기분이 좋아 웃음이 나는데, 그 애는 영문을 모르겠다는 표정을 짓고 있었다.

조건
• '서술자가 ~(으)로 바뀌었다.' 형식의 한 문장으로 쓸 것

[06~07] 다음 글을 읽고, 물음에 답하시오.

가 "아저씨는 무슨 반찬이 제일 맛나우?"

하고 물으니까, 아저씨는 한참이나 빙그레 웃고 있더니,

"나두 삶은 달걀."

하겠지요. 나는 좋아서 손뼉을 짤깍짤깍 치고,

"아, 나와 같네. 그럼, 가서 어머니한테 알려야지." [중략]

"엄마, 엄마, 사랑 아저씨두 나처럼 삶은 달걀을 제일 좋아 한대." / 하고 소리를 질렀지요.

"떠들지 말어." / 하고 어머니는 눈을 흘기십니다.

그러나 사랑 아저씨가 달걀을 좋아하는 것이 내게는 썩 좋게 되었어요. 그것은 그다음부터는 어머니가 달걀을 많이씩 사게 되었으니까요. 달걀 장수 노친네가 오면 한꺼번에 열 알도 사고 스무 알도 사고 그래선 두고두고 삶아서 아저씨 상에도 놓고 또 으레 나도 한 알씩 주고 그래요. 그뿐만 아니라 아저씨한테 놀러 나가면 가끔 아저씨가 책상 서랍 속에서 달걀을 한두 알 꺼내서 먹으라고 주지요. 그래 그담부터는 나는 아주 실컷 달걀을 많이 먹었어요.

(으레: 틀림없이 언제나.)

나 나는 아저씨가 아주 좋았어요. 그렇지마는 외삼촌은 가끔 툴툴하는 때가 있었어요. 아마 아저씨가 마음에 안 드나 봐요. 아니, 그것보다도 아저씨 상 심부름을 꼭 외삼촌이 하게 되니까 그것이 싫어서 그러나 봐요. 한번은 어머니와 외삼촌이 말다툼하는 것까지 내가 들었어요. 어머니가,

"야, 또 어디 나가지 말구 사랑에 있다가 선생님 들어오시거든 상 내가야지."

하고 말씀하시니까, 외삼촌은 얼굴을 찡그리면서,

"제길, 남 어디 좀 볼일이 있는 날은 으레 끼니때에 안 들어오고 늦어지니……."

하고 툴툴하겠지요. 그러니까 어머니는,

"그러니 어짜갔니? 너밖에 사랑 출입할 사람이 어디 있니?"

"누님이 좀 상 들구 나가구려. 요새 세상에 내외합니까!"

어머니는 갑자기 얼굴이 발개지시고 아무 대답도 없이 그냥 외삼촌을 향하여 눈을 흘기셨습니다.

(내외: 남의 남녀 사이에 서로 얼굴을 마주 대하지 않고 피하다.)

– 주요섭, 〈사랑손님과 어머니〉 창 동

06 〈보기〉의 설명에 해당하는 소재를 (가)에서 찾아 두 글자로 쓰시오.

보기
- '나'와 아저씨가 친해지는 계기가 된다.
- 아저씨를 향한 어머니의 관심을 간접적으로 드러낸다.

07 (나)의 어머니와 외삼촌 사이의 대화를 이해한 내용으로 적절하지 않은 것은?

① 외삼촌의 가치관은 어머니보다 개방적이다.
② 당시 사회가 가치관이 전환되는 과도기였음을 짐작할 수 있다.
③ 어머니는 남녀가 내외해야 한다는 봉건적인 가치관을 가지고 있다.
④ 외삼촌은 아저씨가 집에 돌아와 식사를 하기 전에는 외출하기 어려움을 알 수 있다.
⑤ 평소에 외삼촌과 어머니가 아저씨 상을 들고 함께 사랑방에 들어갔음을 알 수 있다.

도움말

어머니와 ❶ ______ 은/는 외삼촌의 외출을 두고 말다툼을 하고 있어요. ❷ ______ 이/가 식사를 하기 전에 외삼촌이 외출하는 것을 어머니가 막는 까닭을 생각해 보세요.

답 ❶ 외삼촌 ❷ 아저씨

[08~09] 다음 글을 읽고, 물음에 답하시오.

아저씨가 사랑방에 와 계신 지 벌써 여러 밤을 잔 뒤입니다. 아마 한 달이나 되었지요. 나는 거의 매일 아저씨 방에 놀러 갔습니다. 어머니는 나더러 그렇게 가서 귀찮게 굴면 못쓴다고 가끔 꾸지람을 하시지만 정말인즉 나는 조금도 아저씨를 귀찮게 굴지는 않았습니다. 도리어 아저씨가 나를 귀찮게 굴었지요.

"옥희 눈은 아버지를 닮었다. 고 고운 코는 아마 어머니를 닮었지, 고 입하고! 응, 그러냐, 안 그러냐? 어머니도 옥희처럼 곱지, 응?"

이렇게 여러 가지로 물을 적도 있었습니다. 그래서 나는,

"아저씨, 입때 우리 엄마 못 봤수?"

(입때: 지금까지. 또는 아직까지.)

하고 물었더니, 아저씨는 잠잠합니다. 그래 나는,

"우리 엄마 보러 들어갈까?"

하면서 아저씨 소매를 잡아당겼더니, 아저씨는 펄쩍 뛰면서,

"아니, 아니, 안 돼. 난 지금 분주해서."

하면서 나를 잡아끌었습니다. 그러나 정말로는 무슨 그리 분주하지도 않은 모양이었어요. 그러기에 나더러 가란 말도 않고 그냥 나를 붙들고 앉아서 머리도 쓰다듬어 주고 뺨에 입도 맞추고 하면서,

"요 저구리 누가 해 주지? …… 밤에 엄마하구 한자리에서 자니?"

라는 등 쓸데없는 말을 자꾸만 물었지요!

[A] 그러나 웬일인지 나를 그렇게도 귀애해 주던 아저씨도 아랫방에 외삼촌이 들어오면 갑자기 태도가 달라지지요. 이것저것 묻지도 않고 나를 꼭 껴안지도 않고 점잖게 앉아서 그림책이나 보여 주고 그러지요. 아마 아저씨가 우리 외삼촌을 무서워하나 봐요.

(귀애해: 귀엽게 여겨 사랑하다.)

하여튼 어머니는 나더러 너무 아저씨를 귀찮게 한다고 어떤 때는 저녁 먹고 나서 나를 꼭 방 안에 가두어 두고 못 나가게 하는 때도 더러 있었습니다. 그러나 조금 있다가 어머니가 바느질에 정신이 팔리어서 골몰하고 있을 때 몰래 가만히 일어나서 나오지요.

– 주요섭, 〈사랑손님과 어머니〉 창 동

08 다음 질문의 답으로 적절한 것은?

① 이야기 밖의 서술자가 사건을 관찰하여 서술하고 있어요.
② 이야기 밖의 서술자가 등장인물의 심리를 알고 서술하고 있어요.
③ 이야기 안의 '나'가 주인공으로서 다른 인물과의 갈등을 서술하고 있어요.
④ 이야기 안의 여러 등장인물이 각자 다른 사건을 관찰하여 서술하고 있어요.
⑤ 이야기 안의 '나'가 부수적 인물로서 주인공의 말과 행동 등을 관찰하여 서술하고 있어요.

도움말

서술자가 이야기 ❶ [   ]에 있다면 등장인물로 나타나고, 이야기 밖에 있다면 ❷ [   ](으)로 나타나지 않아요. '나'가 나타나 있는지, 어떤 역할을 하고 있는지를 살펴보세요.

답 ❶ 안 ❷ 등장인물

09 [A]에 대한 적절한 설명을 〈보기〉에서 골라 짝지은 것은?

보기

ㄱ. 아저씨와 외삼촌의 갈등이 해소되었음을 알 수 있다.
ㄴ. 아저씨는 어머니를 향한 감정을 외삼촌에게 들킬까 봐 조심하고 있다.
ㄷ. 아저씨가 온 뒤로 옥희와 외삼촌의 사이가 멀어졌다는 것을 보여 주고 있다.
ㄹ. 옥희는 어린아이이기 때문에 아저씨의 심리를 정확하게 파악하지 못하고 있다.

① ㄱ, ㄴ ② ㄱ, ㄷ
③ ㄴ, ㄷ ④ ㄴ, ㄹ
⑤ ㄷ, ㄹ

1주 누구나 합격 전략

01 다음 대화의 빈칸에 공통으로 들어갈 알맞은 말을 쓰시오.

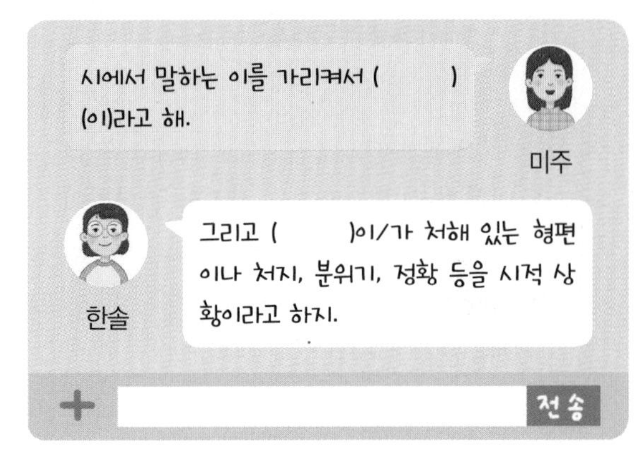

02 다음은 화자에 관한 학생의 메모이다. ㉠~㉣ 가운데 내용이 잘못된 것을 찾고 바르게 고쳐 쓰시오.

- 화자는 항상 시인과 일치함. ··· ㉠
- 사람이 아닌 자연물이나 사물 등이 화자로 설정되기도 함. ··· ㉡
- 시의 분위기를 형성하고 주제를 효과적으로 전달함. ··· ㉢
- 화자가 달라지면 시의 분위기와 내용이 달라질 수 있음. ··· ㉣

03 〈보기〉는 시에 나타나는 화자의 정서이다. 긍정적 정서와 부정적 정서로 구분하시오.

보기

희망　슬픔　동경
갈등　사랑　외로움

(1) 긍정적 정서	(2) 부정적 정서

04 다음 설명에 해당하는 화자의 태도를 〈보기〉에서 고르시오.

보기

반성적　비판적　예찬적　체념적

(1) 현실이나 미래를 부정적으로 판단하여 단념하는 태도 ➜ (　　　) 태도

(2) 대상의 잘못을 지적하여 옳고 그름을 밝히려는 태도 ➜ (　　　) 태도

(3) 대상의 장점을 높게 평가하여 찬양하는 태도 ➜ (　　　) 태도

(4) 자신의 잘못을 되돌아보며 뉘우치는 태도 ➜ (　　　) 태도

05 다음 시에서 화자가 표면에 직접적으로 드러나 있는지 살펴보고, 괄호에서 알맞은 말을 고르시오.

(1)

가을 햇볕에 공기에
익는 벼에
눈부신 것 천지인데,
그런데,
아, 들판이 적막하다—

– 정현종, 〈들판이 적막하다〉

이 시는 화자가 표면에 직접적으로 (드러나 있다/드러나 있지 않다).

(2)

내일이나 모레나 그 어느 즐거운 날에
나는 또 한 줄의 참회록(懺悔錄)을 써야 한다.
—그때 그 젊은 나이에
왜 그런 부끄런 고백(告白)을 했던가.

– 윤동주, 〈참회록〉

이 시는 화자가 표면에 직접적으로 (드러나 있다/드러나 있지 않다).

>> 정답과해설 12쪽

06 다음 빈칸에 들어갈 알맞은 말을 쓰시오.

(1) 소설에서 작가를 대신하여 독자에게 이야기를 전달하는 이를 (　　　　)(이)라고 한다.

(2) 서술자가 사건이나 인물 등을 바라보는 관점을 (　　　　)(이)라고 한다.

07 서술자에 대해 바르게 설명한 학생을 쓰시오.

준우: 서술자는 항상 이야기 안에서 등장인물로 나타나.

민규: 서술자가 사건을 어떻게 바라보느냐에 따라 분위기가 달라질 수 있어.

08 다음 글을 읽고, 서술자가 누구인지 쓰시오.

눈물을 흘리고 간 그담 날 저녁나절이었다. 나무를 한 짐 잔뜩 지고 산을 내려오려니까 어디서 닭이 죽는 소리를 친다. 이거 뉘 집에서 닭을 잡나 하고 점순네 울 뒤로 돌아오다가 나는 고만 눈이 뚱그렇다. 점순이가 즈 집 봉당에 홀로 걸터앉았는데, 아, 이게 치마 앞에다 우리 씨암탉을 꼭 붙들어 놓고는

"이놈의 닭! 죽어라. 죽어라."

요렇게 암팡스레 패 주는 것이 아닌가.

– 김유정, 〈동백꽃〉 천(박) 천(노) 미 금 교

09 다음 글을 읽고, 서술자가 어디에 위치하고 있는지를 쓰시오.

율도국을 떠난 길동은 남경 땅 제도 섬으로 들어가 곳곳을 돌아다니며 구경하다가 오봉산에 이르렀는데, 그곳이 크게 마음에 들었다. 기름진 들판이 넓게 펼쳐져 있어 사람 살기에 알맞은 곳이었다.

길동은 속으로 생각하였다.

'내 이미 조선을 떠나기로 하였으니, 이곳에 와 숨어 지내다가 큰일을 도모하리라.'

임금이 궁중의 후원을 거닐고 있을 때 공중에서 한 소년이 내려와 말했다.

"신은 전임 병조 판서 홍길동입니다."

임금이 놀라 물었다.

"너는 어찌 심야에 왔느냐?"

– 허균, 〈홍길동전〉

10 시점의 종류와 그 설명을 바르게 연결하시오.

(1) 1인칭 주인공 시점 •　　• ㉠ 주인공 '나'가 자신의 이야기를 서술함.

(2) 1인칭 관찰자 시점 •　　• ㉡ 부수적 인물 '나'가 주인공을 관찰하여 서술함.

(3) 3인칭 관찰자 시점 •　　• ㉢ 이야기 밖의 서술자가 인물의 심리와 사건을 모두 알고 서술함.

(4) 3인칭 전지적 시점 •　　• ㉣ 이야기 밖의 서술자가 객관적인 태도로 인물과 사건을 관찰하여 서술함.

1주 창의·융합·코딩 전략 1

01 다음 시를 감상한 독자의 반응으로 적절하지 않은 것은?

㉠열무 삼십 단을 이고
시장에 간 우리 엄마
안 오시네, 해는 시든 지 오래
나는 ㉡찬밥처럼 방에 담겨
아무리 천천히 숙제를 해도
엄마 안 오시네, ㉢배춧잎 같은 발소리 타박타박
안 들리네, 어둡고 무서워
㉣금 간 창틈으로 고요히 빗소리
빈방에 혼자 엎드려 훌쩍거리던

㉤아주 먼 옛날
지금도 내 눈시울을 뜨겁게 하는
그 시절, 내 유년의 윗목

– 기형도, 〈엄마 걱정〉 천(박) 천(노)

댓글 달기

월아 ㉠은 화자의 유년 시절 엄마의 고단한 삶을 보여 주는 시구야. ········· ①

화사 ㉡은 외롭고 쓸쓸한 화자의 처지를 '찬밥'에 빗대어 표현하고 있어. ········· ②

수나 ㉢은 시장에 간 엄마를 기다리던 화자가 지쳐 버렸음을 보여 주고 있어. ········· ③

목하 ㉣은 유년 시절 화자의 가정 형편이 넉넉하지 못했음을 짐작할 수 있게 해. ····· ④

금지 ㉤은 화자가 유년 시절을 회상하는 어른임을 짐작할 수 있게 하는 시구야. ·········⑤

도움말

1연에는 열무를 팔기 위해 시장에 간 ❶ [ ] 와/과 방에서 혼자 숙제를 하며 기다리던 ❷ [ ] 의 상황이 나타나 있어요. 이를 바탕으로 하여 각 시구가 누구의 상황과 정서를 드러내고 있는지 생각해 보세요.

답 ❶ 엄마 ❷ 화자/'나'

02 다음 시를 감상한 학생의 메모에서 ㉠과 ㉡에 들어갈 알맞은 시어를 쓰시오.

높은 가지를 흔드는 매미 소리에 묻혀
내 울음 아직은 노래 아니다.

차가운 바닥 위에 토하는 울음,
풀잎 없고 이슬 한 방울 내리지 않는
지하도 콘크리트 벽 좁은 틈에서
숨 막힐 듯, 그러나 나 여기 살아 있다
귀뚜르르 뚜르르 보내는 타전 소리가
누구의 마음 하나 울릴 수 있을까.

지금은 매미 떼가 하늘을 찌르는 시절
그 소리 걷히고 맑은 가을이
어린 풀숲 위에 내려와 뒤척이기도 하고
계단을 타고 이 땅 밑까지 내려오는 날
발길에 눌려 우는 내 울음도
누군가의 가슴에 실려 가는 노래일 수 있을까.

– 나희덕, 〈귀뚜라미〉 미

이 시에 나타난 대조적 의미의 시어

높은 가지		㉠
매미가 사는 공간	↔	귀뚜라미가 사는 공간
울음		㉡
매미 소리에 묻히는 소리	↔	귀뚜라미가 소망하는 것

도움말

이 시에서 ❶ [ ] 이/가 사는 공간이 어떠한지, 귀뚜라미가 ❷ [ ] 이/가 되었을 때 자신의 울음이 무엇이 되기를 바라고 있는지 살펴보세요.

답 ❶ 귀뚜라미 ❷ 가을

03 **다음 시에 나타난 화자의 정서를 〈보기〉와 같이 정리할 때 빈칸에 들어갈 말이 순서대로 나열된 것은?**

나는 북관(北關)에 혼자 앓어누워서
어느 아츰 의원을 뵈이었다
의원은 여래(如來) 같은 상을 하고 관공(關公)의 수염을 드리워서
먼 옛적 어느 나라 신선 같은데
새끼손톱 길게 돋은 손을 내어
묵묵하니 한참 맥을 짚더니
문득 물어 고향이 어데냐 한다
평안도 정주라는 곳이라 한즉
그러면 아무개 씨 고향이란다
그러면 아무개 씰 아느냐 한즉
의원은 빙긋이 웃음을 띠고
막역지간(莫逆之間)이라며 수염을 쓴다
나는 아버지로 섬기는 이라 한즉
의원은 또다시 넌즈시 웃고
말없이 팔을 잡어 맥을 보는데
손길은 따스하고 부드러워
고향도 아버지도 아버지의 친구도 다 있었다

– 백석, 〈고향〉 천(노)

보기

화자의 상황		정서
타향에서 혼자 지내던 중 병에 걸림.	➔	
아버지로 섬기는 이와 절친한 의원을 만남.	➔	

① 두려움, 서글픔　② 친근감, 서먹함
③ 후련함, 귀찮음　④ 외로움, 따뜻함
⑤ 실망감, 답답함

도움말

화자는 ❶ [　　] 에서 타향살이하는 중에 만난 ❷ [　　] 의 따스하고 부드러운 손길에서 고향과 가족을 떠올리고 있어요. 이를 참고하여 화자의 정서가 어떠할지 생각해 보세요.

답 ❶ 북관 ❷ 의원

04 **다음 시를 읽은 학생들의 대화의 빈칸에 들어갈 말로 적절한 것은?**

나는 나룻배 / 당신은 행인.

당신은 흙발로 나를 짓밟습니다.
나는 당신을 안고 물을 건너갑니다.
나는 당신을 안으면 깊으나 옅으나 급한 여울이나 건너갑니다.

만일 당신이 아니 오시면 나는 바람을 쐬고 눈비를 맞으며 밤에서 낮까지 당신을 기다리고 있습니다.
당신은 물만 건너면 나를 돌아보지도 않고 가십니다그려.
그러나 당신이 언제든지 오실 줄만은 알아요.
나는 당신을 기다리면서 날마다 날마다 낡아 갑니다.

나는 나룻배 / 당신은 행인.

– 한용운, 〈나룻배와 행인〉 천(박) 교

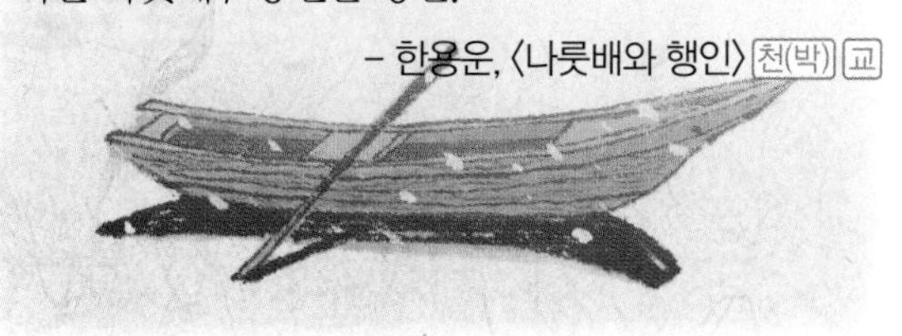

① '나'는 이기적 태도를, '당신'은 이타적 태도를 보여.
② '나'는 희생적 태도를, '당신'은 무심한 태도를 보여.
③ '나'는 무력한 태도를, '당신'은 헌신적 태도를 보여.
④ '나'는 무심한 태도를, '당신'은 희생적 태도를 보여.
⑤ '나'는 비판적 태도를, '당신'은 체념적 태도를 보여.

05 다음 시를 쓴 작가의 창작 노트에서 내용이 적절하지 않은 것은?

오십 리 길 짐차에 실려 왔어유
멀미도 가시기 전에 / 낯선 거리 좌댕기면서
지 몸 살 사람 찾고 있지유
목마름은 이냥저냥 견딜 수 있슈
헌디, 볼기짝 쥐어뜯으며 / 살결이 거칠다느니
단맛이 무르다느니 허진 말어유
지 몸이 그냥 지 몸인가유
이만한 몸띵이 하나 살리기 위해서도
하느님 손 농부 손 고루 탔어유
그러니께 지폐 한 장으루다
우리 식구 사돈에 팔촌까지 두루 사가는 선상님들
몸값이나 후하게 쳐주셔야겄슈

– 이재무, 〈딸기〉 천(박)

어느 날 딸기를 파는 짐차를 보았습니다. ①제가 있는 곳에서 오십 리는 족히 떨어진 곳에서 수확한 딸기였어요. 딸기가 그 먼 곳에서 멀미를 하며 왔겠구나 하는 생각이 들자 ②짐차의 딸기가 손님을 기다리는 것처럼 보였습니다. 그리고 ③차에 있는 딸기가 모두 한 집안이라고 생각되었습니다.

한편으로 ④정성으로 딸기를 재배했을 농부들의 모습이 떠올랐습니다. 하늘을 살피고 저수지를 살피는 모습이요. 그래서 ⑤저는 딸기를 화자로 내세워 과소비하는 현대인을 비판하고 싶었습니다.

도움말
이 시는 사람이 아닌 ❶ ______ 을/를 화자로 내세워 농사를 짓는 농부의 수고로움과 농작물의 ❷ ______ 을/를 전달하고 있어요.

답 ❶ 딸기 ❷ 가치

06 다음 글을 읽고, ㉠에 담긴 점순이의 심리와 ㉠에 대한 '나'의 생각을 각각 한 문장으로 서술하시오.

(가) ㉠"느 집엔 이거 없지?" 하고 생색 있는 큰소리를 하고는 제가 준 것을 남이 알면 큰일 날 테니 여기서 얼른 먹어 버리란다. 그리고 또 하는 소리가

"너 봄 감자가 맛있단다."

"난 감자 안 먹는다. 니나 먹어라."

나는 고개도 돌리려 하지 않고 일하던 손으로 그 감자를 도로 어깨 너머로 쑥 밀어 버렸다.

그랬더니 그래도 가는 기색이 없고, 그뿐만 아니라 쌔근쌔근하고 심상치 않게 숨소리가 점점 거칠어진다. [중략] 게다 눈에 독을 올리고 한참 나를 요렇게 쏘아보더니 나중에는 눈물까지 어리는 것이 아니냐.

(나) 설혹 주는 감자를 안 받아먹은 것이 실례라 하면, 주면 그냥 주었지 "느 집엔 이거 없지?"는 다 뭐냐. 그렇잖아도 즈이는 마름이고 우리는 그 손에서 배재를 얻어 땅을 부치므로 일상 굽실거린다.

– 김유정, 〈동백꽃〉 천(박) 천(노) 미 금 교

(1) 점순이의 심리	(2) '나'의 생각

↓

'나'는 어수룩하고 눈치가 없어 점순이의 심리를 제대로 파악하지 못하고 있음.

도움말
'나'는 점순이가 ❶ ______ 을/를 주며 "느 집엔 이거 없지?"라고 했을 때, ❷ ______ 와/과 소작농이라는 집안 차이를 떠올리고 그 때문에 기분이 상해 거절했어요. 하지만 점순이의 반응을 참고할 때 '나'가 점순이의 의도를 잘못 파악했음을 알 수 있어요.

답 ❶ 감자 ❷ 마름

07 **다음 글을 〈보기〉처럼 고쳐 썼을 때 달라진 점이 무엇인지 서술하시오.**

그날 오후에 아저씨가 떠나간 다음 나는 방에서 아저씨가 준 인형을 업고 자장자장 잠을 재우고 있었습니다. 어머니가 부엌에서 들어오시더니,

"옥희야, 우리 뒷동산에 바람이나 쐬러 올라갈까?"

하십니다.

"응, 가, 가." / 하면서 나는 좋아 덤비었습니다. [중략] 나는 인형을 안고 어머니 손목을 잡고 뒷동산으로 올라갔습니다. 뒷동산에 올라가면 정거장이 빤히 내려다보입니다.

– 주요섭, 〈사랑손님과 어머니〉 창 동

보기

그날 오후에 사랑손님이 떠나고 얼마 지난 뒤에 나는 부엌을 나서며 옥희를 불렀다.

"옥희야, 우리 뒷동산에 바람이나 쐬러 올라갈까?"

"응, 가, 가."

옥희는 사랑손님이 준 인형을 업은 모습으로 좋아 덤비었다. 뒷동산에 올라가면 정거장이 빤히 내려다보인다. 나는 떠나는 사랑손님을 마지막으로 배웅하고 싶었다.

조건

1. 서술자가 누구에서 누구로 바뀌었는지 쓸 것
2. '어머니'의 심리 서술에 어떤 효과가 있는지 쓸 것
3. 한 문장으로 쓸 것

도움말

<보기>에서 '어머니'를 '❶ [ ]'(이)라고 지칭하고 있으므로 서술자가 옥희의 ❷ [ ](이)라는 것을 알 수 있어요.

답 ❶ 나 ❷ 어머니

08 **다음 글에 나타난 '나'의 심리 변화를 〈보기〉처럼 정리할 때 빈칸에 들어갈 내용을 서술하시오.**

0

내 그림은 맨 안쪽에 걸려 있었어. 입선작 여덟 점을 지나서 특선작 세 점을 지나고 나서 황금색 종이 리본을 매달고 좀 떨어진 곳에, 검정 붓글씨로 '壯元(장원)'이라고 크게 쓰인 종이를 거느리고, 다른 작품보다 세 뼘쯤 더 높이. 초등학교에 다니는 아이들이라면 우러러 볼 수밖에 없는 높이에.

그런데, 그런데, 그런데, 그런데 그 그림은 내가 그린 그림이 아니었어. [중략]

내가 주 선생님을 찾아가서 말해야 했을까. 이건 내 그림이 아니라고. 다른 사람이 그린 그림이라고. 나는 그 사람만 한 재능이 없다고. 실수를 바로잡아 달라고. 나는 그렇게 하지 못했어. 주 선생님의 품에 안겨 울지만 않았더라도 찾아갈 수 있었어. 가능성이 크지는 않지만.

– 성석제, 〈내가 그린 히말라야시다 그림〉 미 지

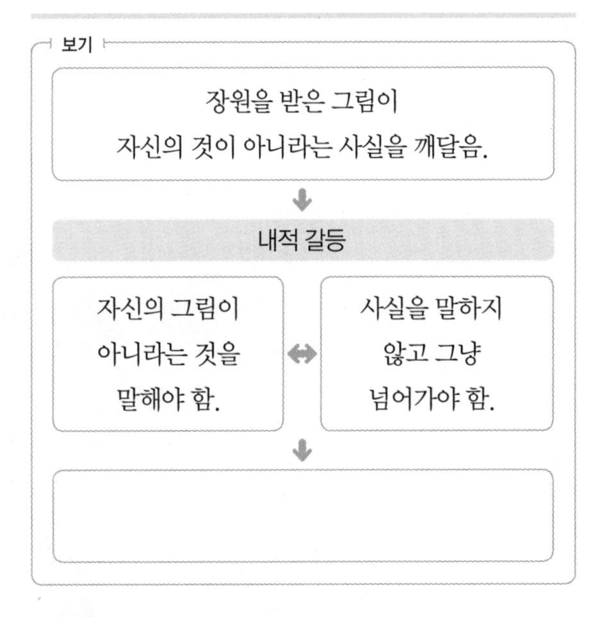

도움말

'나'는 ❶ [ ]을/를 받은 ❷ [ ]이/가 자신의 그림이 아니라는 것을 알게 된 뒤, 이를 주 선생님께 말해야 할지를 두고 갈등했어요. '나'의 선택이 나타난 부분을 찾아보세요.

답 ❶ 장원 ❷ 그림

2주 개성적인 발상과 표현

다음 대화에서 어떤 문학적 표현 방법이 사용되고 있을까?

공부할 내용		
	❶ 운율의 개념과 표현 효과 이해하기	❸ 역설의 개념과 표현 효과 이해하기
	❷ 반어의 개념과 표현 효과 이해하기기	❹ 풍자의 개념과 표현 효과 이해하기

2주 1일 개념 돌파 전략 1

개념 01 운율의 개념과 형성 방법

- **개념**: 시를 읽을 때 느껴지는 말의 ❶ [　　]
- **운율 형성 방법**: 소리가 규칙적으로 ❷ [　　]될 때 운율이 형성됨.

형성 요소	예
같거나 비슷한 소리의 반복	갈래갈래 갈린 길 → 자음 'ㄱ'과 'ㄹ'을 반복함.
같거나 비슷한 시어나 시구의 반복	산에는 / 꽃 피네 / 꽃이 피네 → '꽃(이) 피네'를 반복함.
일정한 글자 수의 반복	산 너머 남촌에는(7) 누가 살길래(5) / 해마다 봄바람이(7) 남으로 오네(5) → 7글자와 5글자의 반복
일정한 수의 음보의 반복 끊어 읽기로 구분 짓는 단위	엄마야∨누나야∨강변 살자 / 뜰에는∨반짝이는∨금모래 빛. → 3음보의 율격
같거나 비슷한 문장 구조의 반복	벚꽃 지는 걸 보니 / 푸른 솔이 좋아 / 푸른 솔 좋아하다 보니 / 벚꽃마저 좋아. → '~ 보니 / ~ 좋아'라는 문장 구조를 반복함.

답 ❶ 가락 ❷ 반복

확인 01 다음 시에 사용된 운율 형성 방법으로 알맞은 것을 고르시오.

> 눈은 살아 있다
> 떨어진 눈은 살아 있다
> 마당 위에 떨어진 눈은 살아 있다
>
> – 김수영, 〈눈〉

(같거나 비슷한 시구의 반복/일정한 수의 음보의 반복)

음성 상징어를 사용하여 운율을 형성하기도 해요. 음성 상징어는 소리나 동작, 형태를 흉내 내는 말로, 의성어와 의태어가 있어요.

개념 02 운율의 효과

- **운율의 효과**
  - 소리의 규칙적인 반복을 통해 언어의 아름다움을 느끼게 함.
  - 시의 ❶ [　　]을/를 형성하고 주제를 인상적으로 전달하는 데 도움을 줌.
  - 화자의 어조를 형성하고, ❷ [　　]의 정서를 효과적으로 드러냄.

답 ❶ 분위기 ❷ 화자

확인 02 다음 문장의 괄호에서 알맞은 말을 고르시오.

> 운율은 시의 분위기를 형성하고 (소재/주제)를 인상적으로 전달하는 데 도움을 준다.

개념 03 반어의 개념과 효과

- **개념**: 원래 표현하려는 내용을 실제 의미와는 ❶ [　　] 되는 말이나 상황으로 표현하는 방법

> 예 나 보기가 역겨워 / 가실 때에는 / 죽어도 아니 눈물 흘리우리다

➜ 임이 떠나는 것을 매우 슬퍼하는 '나'의 속마음을 반대로 표현함.

- **효과**
  - 말하고자 하는 바를 반대로 표현하여 그 의미를 더욱 강조함.
  - 화자의 ❷ [　　](이)나 등장인물의 상황을 좀 더 강렬하게 드러낼 수 있음.

답 ❶ 반대 ❷ 심리

확인 03 다음 중 내용이 올바른 문장을 고르시오.

> ㉠ 반어는 원래 표현하려는 내용을 반대로 표현한다.
> ㉡ 반어를 쓰면 겉으로 드러난 의미와 속에 담긴 의미가 달라 인물의 상황을 알 수 없다.

>> 정답과 해설 14쪽

개념 04 역설의 개념과 효과

• **개념:** 겉보기에는 ❶ ______(이)지만 대상에 관한 통찰을 통해 얻은 진실을 담고 있는 표현 방법

> 예 이것은 소리 없는 아우성

→ '아우성'은 '떠들썩하게 기세를 올려 지르는 소리.'라는 뜻인데 '소리 없는'이라고 했으므로 겉보기에는 모순된 표현임.

• **효과**
- 모순된 표현 이면의 ❷ ______을/를 강조하여 나타낼 수 있음.
- 모순된 표현에 어떤 의미가 담겼는지 깊이 생각해 보게 함.
- 독자의 주의를 끌고 참신한 느낌을 줄 수 있음.

답 ❶ 모순 ❷ 진실

확인 04 다음 중 역설이 쓰인 시구를 고르시오.

> ㉠ 아씨처럼 나린다 / 보슬보슬 햇비
> ㉡ 길이 끝나는 곳에서도 / 길이 있다

개념 05 반어와 역설의 차이

• **반어와 역설의 차이**

반어	❷ ______
• 표현 자체에 ❶ ______이/가 없음. • 숨겨진 속뜻과 겉으로 드러난 표현이 서로 맞지 않음.	• 표현 자체가 모순을 드러내고 있음. • 표현은 말이 안 되지만, 그 속에 진실이나 진리가 담겨 있음.

답 ❶ 모순 ❷ 역설

확인 05 다음 시구에 사용된 표현 방법이 무엇인지 고르시오.

> 님은 갔지마는 나는 님을 보내지 아니하였습니다.

(반어/역설)

개념 06 풍자의 개념과 특징

• **개념:** 개인 또는 사회의 부조리 등을 ❶ ______(으)로 비판하며 웃음을 유발하는 표현 방법

> 예 양반은 …… 밥 먹을 때 국을 먼저 떠먹어서는 안 되고, 마실 때 후루룩 소리를 내서는 안 된다. 젓가락으로 음식을 집을 때 방아 찧듯이 해서는 안 되고, 생파를 먹지 말아야 한다.

→ 지나치게 체면과 격식을 중시하는 양반의 모습을 풍자함.

• **특징:** 대상을 비꼬거나 ❷ ______하여 우스꽝스럽게 만드는 경우가 많음.

답 ❶ 간접적 ❷ 조롱

확인 06 개인이나 사회의 부조리를 간접적으로 비판하며 웃음을 유발하는 표현 방법은?

(풍자/해학)

문학 작품에서 풍자가 쓰인 표현을 찾으려면 우선 그 작품에서 비판하고 있는 대상을 파악해야 해요.

개념 07 풍자의 효과

• **풍자의 효과**
- 겉으로 직접 말하기 어려운 불합리나 ❶ ______의 부조리를 에둘러 비판할 수 있음.
- 독자로 하여금 읽는 ❷ ______을/를 느끼게 하고 대상에 대한 비판적인 의식을 갖게 함.

답 ❶ 사회 ❷ 재미

확인 07 다음 문장의 괄호에서 알맞은 말을 고르시오.

> 풍자를 쓰면 대상의 부정적인 면을 에둘러 비판할 수 있고, 대상에 대한 (비판적/예찬적) 의식을 갖게 한다.

2주 1일 개념 돌파 전략 2

01 다음 중 운율에 대한 설명으로 적절한 것은?

① 시에 쓰인 단어 하나하나를 말한다.
② 시를 이루는 한 줄 한 줄의 단위를 말한다.
③ 시를 읽을 때 느껴지는 말의 가락을 말한다.
④ 말이나 글이 여러 가지 뜻을 담고 있는 성질을 말한다.
⑤ 하나 이상의 시행이 모여 이루어진 의미의 단위를 말한다.

문제 해결 전략

- 시를 읽을 때 느껴지는 말의 가락을 ❶ (이)라고 한다. 시의 운율은 겉으로 드러나는 경우도 있고, 시의 내면에 깃들어 있는 경우도 있다.
- 시는 ❷ , 행, 연으로 구성되어 있다.

답 ❶ 운율 ❷ 시어

02 시에서 운율을 형성하는 요소로 거리가 먼 것은?

① 일정한 글자 수의 반복
② 같은 표현 방법의 반복
③ 일정한 수의 음보의 반복
④ 유사한 문장 구조의 반복
⑤ 같은 소리나 시어, 시구의 반복

문제 해결 전략

- 운율은 ❶ 의 반복을 통해 형성된다.
- 운율을 통해 시의 ❷ 을/를 형성하고 주제를 강조할 수 있다.

답 ❶ 소리 ❷ 분위기

03 다음 시의 운율 형성 방법으로 적절한 것은? (정답 2개)

> 산 너머 남촌에는 누가 살길래
> 해마다 봄바람이 남으로 오네.
>
> 꽃 피는 사월이면 진달래 향기
> 밀 익는 오월이면 보리 내음새.
>
> – 김동환, 〈산 너머 남촌에는〉

① 같은 시구를 반복하였다.
② 음성 상징어를 사용하였다.
③ 일정한 글자 수를 반복하였다.
④ 일정한 간격으로 끊어 읽게 하였다.
⑤ 각 행의 처음에 같은 시어를 반복하였다.

문제 해결 전략

- 이 시는 ❶ 글자와 다섯 글자가 반복된다.
- 소리 내어 읽으면 '산 너머∨남촌에는∨누가 살길래 / 해마다∨봄바람이∨남으로 오네.'와 같이 ❷ 마디로 끊어 읽는 것이 자연스럽다.

답 ❶ 일곱 ❷ 세

>> 정답과 해설 14쪽

04 다음 빈칸에 공통으로 들어갈 알맞은 말을 쓰시오.

원래 표현하려는 내용을 실제 의미와는 반대되는 말이나 상황으로 표현하는 방법을 (　　　　)(이)라고 한다. (　　　　)을/를 쓰면 겉으로 드러난 의미와 속에 담긴 의미가 달라서 의도를 쉽게 파악할 수는 없지만, 화자의 심리나 등장인물의 상황을 좀 더 강렬하게 드러낼 수 있다.

문제 해결 전략

- 반어는 원래 표현하려는 내용을 실제 의미와는 ❶ 　　　 되는 말이나 상황으로 표현하는 방법이다.
- 반어를 사용하면 화자의 심리나 등장인물의 ❷ 　　　 을/를 좀 더 강렬하게 드러낼 수 있다.

답 ❶ 반대 ❷ 상황

05 다음 시의 밑줄 친 부분에 대한 설명으로 적절한 것은?

나는 이 겨울을 누워 지냈다.
사랑하는 사람을 잃어버려
염주처럼 윤나게 굴리던
독백도 끝이 나고
바람도 불지 않아
이 겨울 누워서 편히 지냈다. [중략]

문 한 번 열지 않고
반추동물처럼 죽음만 꺼내 씹었다.
<u>나는 누워서 편히 지냈다.</u>
사랑하는 사람을 잃어버린
이 겨울.

– 문정희, 〈겨울 일기〉

- **염주** 불교에서 염불할 때에, 손가락으로 알을 넘기면서 개수를 세거나 손목이나 목에 걸도록 나무 구슬을 실에 꿰어 만든 기구.
- **반추동물** 소화 과정에서 한번 삼킨 먹이를 다시 게워 내어 씹어 다시 먹는 특성을 가진 동물.

① 사랑하는 사람과 이별한 뒤의 심정을 반대로 표현하고 있다.
② 사랑하는 사람과 이별한 뒤의 심정을 격정적인 어조로 표현하고 있다.
③ 사랑하는 사람과 이별한 뒤의 모습을 실제보다 과장하여 표현하고 있다.
④ 사랑하는 사람과 이별한 뒤의 모습을 청각적 심상을 사용하여 표현하고 있다.
⑤ 사랑하는 사람과 이별한 뒤의 모습을 음성 상징어를 사용하여 표현하고 있다.

문제 해결 전략

- 이 시에서 화자는 사랑하는 사람과 ❶ 　　　 을/를 한 상황에 처해 있다.
- 화자는 사랑하는 사람과 헤어진 뒤의 슬픈 심정을 실제 의미와는 다르게 ❷ 　　　 (으)로 표현하고 있다.

답 ❶ 이별 ❷ 반대

06 다음 중 역설에 대한 설명으로 적절하지 <u>않은</u> 것은?

① 겉보기에는 모순된 표현이다.
② 표현 안에 어떤 진실을 담고 있다.
③ 독자의 주의를 끌고 참신한 느낌을 줄 수 있다.
④ 독자로 하여금 모순된 표현에 어떤 의미가 담겼는지 깊게 생각해 보게 한다.
⑤ 숨겨진 속뜻과 겉으로 드러난 표현이 서로 맞지 않아 의도가 효과적으로 전달되지 않는다.

문제 해결 전략

• 역설은 겉보기에는 모순이지만 대상에 관한 ❶ ______ 을/를 통해 얻은 진실을 담고 있는 표현이다.
• 모순을 담고 있어 ❷ ______ 의 주의를 끌고, 독자가 표현 속에 담긴 의미가 무엇일지 깊이 생각해 보게 한다.

답 ❶ 통찰 ❷ 독자

07 다음 중 역설이 쓰인 표현끼리 바르게 짝지은 것은?

ㄱ. 그 과학자는 작지만 큰 인물이다.
ㄴ. 눈은 세상을 하얗게 지우는 지우개이다.
ㄷ. 고양이의 털은 꽃가루처럼 정말 부드럽다.
ㄹ. 내 손을 잡은 친구의 손이 차갑지만 따뜻하다.
ㅁ. 나는 문밖으로 나갔지만 나는 아직 방 안에 있다.
ㅂ. 정원으로 나가니 꽃들이 우리를 보며 활짝 웃고 있다.

① ㄱ, ㄴ, ㄹ　② ㄱ, ㄹ, ㅁ　③ ㄴ, ㄷ, ㄹ
④ ㄷ, ㄹ, ㅂ　⑤ ㄹ, ㅁ, ㅂ

문제 해결 전략

• 역설은 겉보기에는 ❶ ______ 되어 앞뒤가 맞지 않는 표현이다.
• 단어의 사전적 ❷ ______, 구절의 의미 등을 고려하여 논리적으로 앞뒤가 맞지 않는 표현이 무엇인지 찾아본다.

답 ❶ 모순 ❷ 의미

08 풍자에 대한 설명으로 적절하지 <u>않은</u> 것은?

① 독자가 읽는 재미를 느끼게 한다.
② 대상을 비꼬아 우스꽝스럽게 표현한다.
③ 대상에 대한 비판적인 의식을 갖게 한다.
④ 대상의 긍정적인 특성을 강조하여 드러낸다.
⑤ 사회의 부조리한 면을 조롱하여 웃음을 유발한다.

문제 해결 전략

• 풍자는 대상을 조롱하거나 우습게 그려 대상을 간접적으로 ❶ ______ 하는 표현 방법이다.
• 풍자는 대상의 부정적인 면을 우스꽝스럽게 표현함으로써 ❷ ______ 을/를 유발한다.

답 ❶ 비판 ❷ 웃음

>> 정답과 해설 14쪽

09 다음 시를 감상한 학생들의 대화를 보고, 괄호 안에서 알맞은 말을 고르시오.

못나고 흠집 난 사과만 두세 광주리 담아 놓고
그 사과만큼이나 못난 아낙네는 난전에 앉아 있다
지나가던 못난 지게꾼은 잠시 머뭇거리다
주머니 속에서 꼬깃꼬깃한 천 원짜리 한 장 꺼낸다
파는 장사치도 팔리는 사과도 사는 손님도
모두 똑같이 못나서 실은 아무도 못나지 않았다

– 조향미, 〈못난 사과〉

• **난전** 허가 없이 길에 함부로 벌여 놓은 가게.

문제 해결 전략

• 이 시의 '❶ _____'와/과 '지게꾼'은 겉모습은 못났지만, 하루하루를 성실히 살아가는 사람들이다.
• 화자는 대상의 삶에서 발견한 진정한 아름다움을 ❷ _____적으로 표현하고 있다.

답 ❶ 아낙네 ❷ 역설

10 다음 시에서 비판하고 있는 모습으로 적절한 것은?

자고 일어나
달리기를 하면 발목 삘까 봐
조깅을 한다.
땀이 나
찬물로 씻으면 피부병 걸릴까 봐
냉수로 샤워만 한다.
아침밥은 먹지 못하고
식사만 하고
달걀을 부쳐 먹지 않고
계란 프라이만 해
먹는다.

– 서정홍, 〈우리말 사랑 1〉 천(박)

① 아침밥을 거르는 모습
② 상대방의 잘못을 비꼬는 모습
③ 운동을 열심히 하지 않는 모습
④ 습관적으로 외래어나 한자어를 쓰는 모습
⑤ 외국어에 대응하는 고유어를 만들지 않는 모습

문제 해결 전략

• 이 시에는 고유어에 대응하는 의미를 지닌 ❶ _____(이)나 한자어를 사용하는 모습이 나타나 있다.
• 이 시는 '발목 삘까 봐, 피부병 걸릴까 봐'와 같이 비꼬아서 표현함으로써 대상을 비판하는 ❷ _____을/를 사용하고 있다.

답 ❶ 외래어 ❷ 풍자

[1] 다음 시를 읽고, 물음에 답하시오.

나 보기가 역겨워
가실 때에는
말없이 고이 보내 드리우리다

영변에 약산
평안북도의 한 지명. 진달래꽃이 곱기로 유명함.
진달래꽃
아름 따다 가실 길에 뿌리우리다

가시는 걸음걸음
놓인 그 꽃을
사뿐히 즈려밟고 가시옵소서

나 보기가 역겨워
가실 때에는
죽어도 아니 눈물 흘리우리다

– 김소월, 〈진달래꽃〉 지 동

이 작품은 우리 민족의 보편적 정서라고 할 수 있는 이별의 슬픔을 노래한 시입니다.

대표 유형 ① 운율 이해하기

1 이 시의 운율에 대한 설명으로 적절하지 않은 것은?

① 각 연에서 같은 문장을 반복하고 있다.
② 1연과 4연에서 동일한 시구를 반복하고 있다.
③ 주로 일곱 글자와 다섯 글자가 반복되고 있다.
④ 행의 끝부분에 어미 '–우리다'를 반복하고 있다.
⑤ 각 연의 마지막 행은 세 마디로 끊어 읽을 수 있다.

유형 해결 전략

시에서 ❶ ______ 은/는 일반적으로 ❷ ______ 에 의해 형성된다. 이 시에서 어떤 요소들이 반복적으로 나타나는지 살펴본다.

답 ❶ 운율 ❷ 반복

1-1 이 시와 〈보기〉에 공통적으로 드러나는 운율 형성 방법으로 적절한 것은?

보기

이 몸이 죽고 죽어 일백 번 고쳐 죽어
백골이 진토 되어 넋이라도 있고 없고
임 향한 일편단심이야 가실 줄이 있으랴

– 정몽주, 〈단심가〉

① 시적 허용이 나타나고 있다.
② 수미상관 구조를 취하고 있다.
③ 의성어와 의태어를 활용하고 있다.
④ 각 행의 처음에 같은 시어를 반복하고 있다.
⑤ 일정한 수의 음보가 규칙적으로 반복되고 있다.

도움말

시적 허용은 시에서 정서를 표현하고 ❶ ______ 적 효과를 주기 위해서 의도적으로 맞춤법이나 ❷ ______ 에 어긋나는 표현을 사용하는 경우를 말해요.

답 ❶ 운율 ❷ 띄어쓰기

[2] 다음 시를 읽고, 물음에 답하시오.

내를 건너서 숲으로
고개를 넘어서 마을로

어제도 가고 오늘도 갈
나의 길 새로운 길

민들레가 피고 까치가 날고
아가씨가 지나고 바람이 일고

나의 길은 언제나 새로운 길
오늘도…… 내일도……

내를 건너서 숲으로
고개를 넘어서 마을로

– 윤동주, 〈새로운 길〉 금

이 작품은 상징적인 소재인 '길'을 중심으로 하여 언제나 새로운 길을 가고자 하는 의지를 노래한 시입니다.

대표 유형 2 운율의 효과 이해하기

2 이 시를 감상한 독자의 반응으로 적절한 것은?

① 시적 허용을 사용하여 여운을 주고 있어.
② 음성 상징어를 사용해서 운율을 형성하고 있어.
③ 시 전체에 걸쳐 글자 수가 규칙적으로 반복되어 리듬감을 형성하고 있어.
④ 같은 시어를 반복함으로써 운율을 형성하고 주제를 인상적으로 전달하고 있어.
⑤ 시 전체를 일정한 간격으로 끊어 읽도록 하여 음악적인 분위기를 형성하고 있어.

유형 해결 전략

운율은 시의 ❶ ☐ 와/과 정서를 형성하고 시의 의미를 강조하여 ❷ ☐ 을/를 인상적으로 전달하는 데 기여한다.

답 ❶ 분위기 ❷ 주제

2-1 이 시와 〈보기〉를 비교하여 읽고 운율의 효과에 대해 나눈 대화에서 잘못 말한 학생을 찾고, 내용을 바르게 고쳐 쓰시오.

보기
나는 내를 건너서 숲으로 가고 고개를 넘어서 마을로 간다. 나의 길은 늘 새로운 길이다. 나는 날마다 다양한 존재를 만나며 새로운 마음으로 길을 걸어갈 것이다.

[3] 다음 시를 읽고, 물음에 답하시오.

먼 훗날 당신이 찾으시면
그때에 내 말이 '잊었노라'

당신이 속으로 나무라면
'무척 그리다가 잊었노라'

그래도 당신이 나무라면
'믿기지 않아서 잊었노라'

오늘도 어제도 아니 잊고
먼 훗날 그때에 '잊었노라'

– 김소월, 〈먼 후일〉 천(박) 천(노) 비 지 교

이 작품은 임에 대한 사랑을 노래한 시로, 결코 잊을 수 없는 임을 향한 그리움을 드러내고 있습니다.

대표 유형 ③ 반어 이해하기

3 이 시에 쓰인 주된 표현 방법에 대한 설명으로 적절한 것은?

① 사람이 아닌 것을 사람처럼 표현하고 있다.
② 서로 반대되는 대상이나 내용을 표현하고 있다.
③ 말하려는 내용을 의문문의 형식으로 표현하고 있다.
④ 원래 표현하려는 내용을 실제 의미와는 반대되는 말로 표현하고 있다.
⑤ 표현하려는 내용을 실제보다 크거나 작게, 길거나 짧게, 심하거나 덜하게 표현하고 있다.

유형 해결 전략

이 시는 '당신'을 향한 간절한 ❶ [ ] 을/를 드러내고 있다. '당신'을 잊지 못하고 그리워하는 ❷ [ ] 의 마음을 어떻게 표현하고 있는지를 살펴본다.

답 ❶ 그리움 ❷ 화자

3-1 〈보기〉는 이 시의 표현 방법을 정리한 것이다. ㉠~㉢에 들어갈 알맞은 말을 쓰시오.

보기

- 그때에 내 말이 '잊었노라'
- '무척 그리다가 잊었노라'
- '믿기지 않아서 잊었노라'
- 먼 훗날 그때에 '잊었노라'

↓

표현	화자의 속마음
잊었노라	㉠

→ 표현 '잊었노라'는 (㉡)을/를 사용하여 화자의 속마음을 (㉢)(으)로 표현한 것이다.

[4] 다음 글을 읽고, 물음에 답하시오.

앞부분 줄거리 | 아픈 아내와 굶주린 아이를 집에 두고 일을 나선 인력거꾼 김 첨지는 오랜만에 큰 벌이를 하는 행운을 얻지만 계속되는 행운에 불안함을 느낀다. 이유 모를 불안감 때문에 일을 마치고 집에 돌아가야 할 때에 친구 치삼이와 술을 마시며 일부러 귀가를 늦춘다. 마침내 집으로 돌아간 김 첨지는 이미 싸늘한 시신이 되어 있는 아내를 발견한다.

방 안에 들어서며 설렁탕을 한구석에 놓을 사이도 없이 주정꾼은 목청을 있는 대로 다 내어 호통을 쳤다.

"이년, 주야장천(晝夜長川) 누워만 있으면 제일이야. 남편이 와도 일어나지를 못해!"

(주야장천: 밤낮으로 쉬지 아니하고 연달아.)

라고 소리와 함께 발길로 누운 이의 다리를 몹시 찼다. 그러나 발길에 차이는 건 사람의 살이 아니고 나뭇등걸과 같은 느낌이 있었다. [중략]

발로 차도 그 보람이 없는 걸 보자 남편은 아내의 머리맡으로 달려들어 그야말로 까치집 같은 환자의 머리를 꺼들어 흔들며,

"이년아, 말을 해, 말을! 입이 붙었어? 이년!" / "……."

"으응, 이것 봐, 아무 말이 없네." / "……."

"이년아, 죽었단 말이냐, 왜 말이 없어?" / "……."

"으응, 또 대답이 없네. 정말 죽었나 보이."

이러다가 누운 이의 흰창이 검은창을 덮은, 위로 치뜬 눈을 알아보자마자,

"이 눈깔! 이 눈깔! 왜 나를 바라보지 못하고 천장만 보느냐? 응."

하는 말끝엔 목이 메었다. 그러자 산 사람의 눈에서 떨어진 닭똥 같은 눈물이 죽은 이의 뻣뻣한 얼굴을 어룽어룽 적신다. 문득 김 첨지는 미친 듯이 제 얼굴을 죽은 이의 얼굴에 한데 비비대며 중얼거렸다.

"설렁탕을 사다 놓았는데 왜 먹지를 못하니, 왜 먹지를 못하니? 괴상하게도 오늘은 운수가 좋더니만……."

– 현진건, 〈운수 좋은 날〉 천(노)

이 작품은 인력거꾼 김 첨지의 하루 동안의 일상을 통해 일제 강점기 하층민의 비극적인 삶을 그린 소설입니다.

대표 유형 4 반어의 효과 이해하기

4 〈보기〉는 이 글의 결말에 대한 설명이다. 이와 같이 결말을 구성함으로써 얻을 수 있는 효과로 적절한 것은?

보기
김 첨지는 여느 때와 달리 운수 좋게 돈을 많이 번 날, 아내의 죽음이라는 가장 비통한 순간을 맞이한다. 즉, 제목과 반대되는 결말이 나타나 있다.

① 작품의 비극성을 더욱 강조한다.
② 독자가 자신의 삶을 성찰하게 한다.
③ 김 첨지와 아내의 갈등이 심화되었음을 보여 준다.
④ 김 첨지가 처한 비극적인 상황을 긍정적으로 승화시킨다.
⑤ 서술자가 인물에 대해 중립적인 태도를 지니고 있음을 드러낸다.

유형 해결 전략

반어를 쓰면 ❶ [　　] (으)로 드러난 의미와 속에 담긴 의미가 달라서 의도를 쉽게 파악할 수 없지만, 등장인물의 ❷ [　　] 을/를 좀 더 강렬하게 드러낼 수 있다.

답 ❶ 겉 ❷ 상황

4-1 이 글을 읽은 독자의 반응으로 적절하지 않은 것은?

①  '운수 좋은 날'은 겉으로는 돈을 많이 벌어 운수 좋은 날을 의미해.

②  하지만 심층적 의미를 따져 보면 병든 아내가 세상을 떠난 가장 불행한 날이지.

③  김 첨지가 처한 상황을 반어적으로 표현하고 있는 거네.

④  반어적으로 표현하니까 아내의 죽음이 비현실적으로 느껴져.

⑤  이 글의 주제인 일제 강점기 하층민의 비극적인 삶을 더욱 효과적으로 드러내고 있는 것 같아.

2주 2일 필수 체크 전략 2

[01~03] 다음 시를 읽고, 물음에 답하시오.

나 보기가 역겨워
가실 때에는
말없이 고이 보내 드리우리다

영변에 약산
㉠진달래꽃
아름 따다 가실 길에 뿌리우리다

가시는 걸음걸음
놓인 그 꽃을
사뿐히 즈려밟고 가시옵소서

나 보기가 역겨워
가실 때에는
㉡죽어도 아니 눈물 흘리우리다

– 김소월, 〈진달래꽃〉 지 동

01 이 시에 대한 설명으로 적절하지 않은 것은?

① 동일한 어미를 반복하여 운율을 형성하고 있다.
② 시상이 전개됨에 따라 화자의 정서가 변화하고 있다.
③ 임과 이별하고 싶지 않은 마음을 에둘러 표현하고 있다.
④ 임과 이별한 과거를 떠올리며 임이 다시 돌아오기를 간절히 바라고 있다.
⑤ 1연과 4연의 형태가 같은 수미상관 구조를 통해 구성의 안정감을 주고 있다.

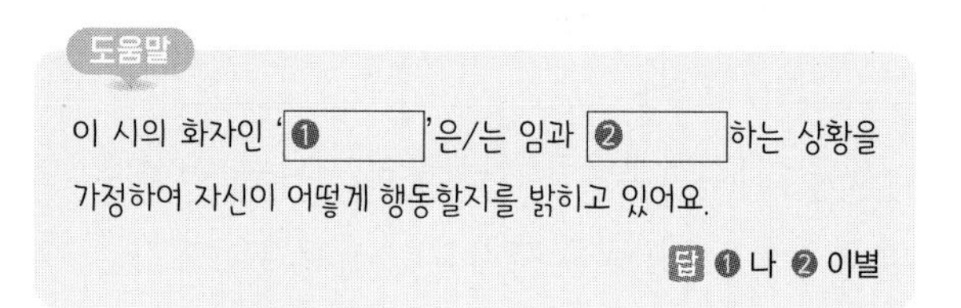

도움말
이 시의 화자인 '❶ ( )'은/는 임과 ❷ ( )하는 상황을 가정하여 자신이 어떻게 행동할지를 밝히고 있어요.
답 ❶ 나 ❷ 이별

02 ㉠에 대한 설명으로 적절한 것은?

① 자연의 경이로움을 상징한다.
② 임에 대한 화자의 사랑을 의미한다.
③ 화자를 향한 임의 슬픔을 담은 소재이다.
④ 화자의 냉소적인 태도를 드러내는 소재이다.
⑤ 임의 헌신적이고 희생적인 태도를 드러내는 소재이다.

03 ㉡에 쓰인 표현 방법을 다음과 같이 정리할 때 ⓐ~ⓒ에 들어갈 알맞은 내용을 쓰시오.

표현		속마음
죽어도 아니 눈물 흘리우리다	↔	ⓐ

↓

표현 방법	ⓑ
효과	실제 속마음과 반대로 말함으로써 ⓒ.

[04~06] 다음 시를 읽고, 물음에 답하시오.

먼 훗날 당신이 찾으시면
그때에 내 말이 '잊었노라'

당신이 속으로 나무라면
'무척 그리다가 잊었노라'

그래도 당신이 나무라면
'믿기지 않아서 잊었노라'

오늘도 어제도 아니 잊고
먼 훗날 그때에 '잊었노라'

- 김소월, 〈먼 후일〉 천(박) 천(노) 비 지 교

04 이 시에 대한 독자의 반응으로 적절하지 않은 것은?

① '잊었노라'가 반복되면서 시의 의미가 강조되고 있어.
② 시를 읽을 때 리듬감이 느껴져 소리 내어 읽는 재미가 있어.
③ 결코 잊을 수 없는 '당신'을 향한 애달픈 심정을 노래하고 있어.
④ 표현에 담긴 화자의 속마음을 생각해 보게 되어서 그런지 화자의 마음이 더 안타깝게 느껴져.
⑤ '당신'의 무심하고 이기적인 태도가 직접 드러나다 보니 상처받은 화자의 아픔이 더 잘 느껴져.

05 이 시의 운율 형성 방법에 대한 설명으로 적절한 것끼리 짝지은 것은?

ㄱ. '당신이'라는 시어가 반복되고 있다.
ㄴ. '~면 / ~노라'라는 문장 구조가 반복되고 있다.
ㄷ. 각 행을 네 마디로 끊어 읽는 것이 반복되고 있다.
ㄹ. 각 연의 마지막에 '잊었노라'라는 시어가 반복되고 있다.

① ㄱ, ㄴ, ㄷ ② ㄱ, ㄴ, ㄹ ③ ㄱ, ㄷ, ㄹ
④ ㄴ, ㄷ, ㄹ ⑤ ㄱ, ㄴ, ㄷ, ㄹ

도움말

운율은 소리가 ❶ ( ) (으)로 반복될 때 형성돼요. 같은 시어나 문장 구조가 반복되는지, 일정한 수의 ❷ ( ) 의 반복이 나타나는지 등을 살펴보세요.

답 ❶ 규칙적 ❷ 음보

06 이 시와 〈보기〉에 공통적으로 사용된 표현 방법이 무엇인지 서술하시오.

보기

씹던 껌을 아무 데나 퉤, 뱉지 못하고
종이에 싸서 쓰레기통으로 달려가는
너는 참 바보다
개구멍으로 쏙 빠져나가면 금방일 것을
비잉 돌아 교문으로 다니는
너는 참 바보다 [중략]

—그럼, 난 뭐냐?
그런 네가 좋아서 그림자처럼
네 뒤를 졸졸 따라다니는 / 나는?

- 신형건, 〈넌 바보다〉 미

조건

1. 표현 방법의 뜻을 포함하여 쓸 것
2. '이 시와 〈보기〉에는 ~이/가 사용되었다.' 형식의 한 문장으로 쓸 것

[07~08] 다음 글을 읽고, 물음에 답하시오.

가 ㉠새침하게 흐린 품이 눈이 올 듯하더니 눈은 아니 오고 얼다가 만 비가 추적추적 내리는 날이었다.

이날이야말로 동소문 안에서 인력거꾼 노릇을 하는 김 첨지에게는 오래간만에도 닥친 운수 좋은 날이었다. 문안에(거기도 문밖은 아니지만) 들어간답시는 앞집 마마님을 전찻길까지 모셔다 드린 것을 비롯으로 행여나 손님이 있을까 하고 정류장에서 어정어정하며 내리는 사람 하나하나에게 거의 비는 듯한 눈결을 보내고 있다가 마침내 교원인 듯한 양복쟁이를 동광학교(東光學校)까지 태워다 주기로 되었다.

어정어정하며: 키가 큰 사람이나 짐승이 천천히 이리저리 걷다.

첫 번에 삼십 전, 둘째 번에 오십 전 — 아침 댓바람에 그리 흉치 않은 일이었다. 그야말로 재수가 옴 붙어서 근 열흘 동안 돈 구경도 못 한 김 첨지는 십 전짜리 백동화 서 푼, 또는 다섯 푼이 찰깍하고 손바닥에 떨어질 제 거의 눈물을 흘릴 만큼 기뻤었다. 더구나 이날 이때에 이 팔십 전이란 돈이 그에게 얼마나 유용한지 몰랐다. 컬컬한 목에 모주 한잔도 적실 수 있거니와 그보다도 앓는 아내에게 설렁탕 한 그릇도 사다 줄 수 있음이다.

모주: 술을 거르고 남은 찌꺼기에 물을 타서 뿌옇게 걸러 낸 탁주.

그의 아내가 기침으로 쿨룩거리기는 벌써 달포가 넘었다. 조밥도 굶기를 먹다시피 하는 형편이니 물론 약 한 첩 써 본 일이 없다.

달포: 한 달이 조금 넘는 기간.
조밥: 좁쌀로만 짓거나 입쌀에 좁쌀을 많이 두어서 지은 밥.

나 "남대문 정거장까지 말씀입니까?"

하고 김 첨지는 잠깐 주저하였다. 그는 이 우중(雨中)에 우장(雨裝)도 없이 그 먼 곳을 철벅거리고 가기가 싫었음일까? 처음 것, 둘째 것으로 그만 만족하였음일까? 아니다, 결코 아니다.

우장: 비를 맞지 않기 위해 차려 입은 복장.

이상하게도 꼬리를 맞물고 덤비는 이 행운 앞에 조금 겁이 났음이다. 그리고 집을 나올 제 아내의 부탁이 마음이 켕기었다. — 앞집 마마한테서 부르러 왔을 제 병인은 그 뼈만 남은 얼굴에 유일의 생물 같은, 유달리 크고 움푹한 눈에 애걸하는 빛을 띠며,

"오늘은 나가지 말아요. 제발 덕분에 집에 붙어 있어요. 내가 이렇게 아픈데……."

라고 모깃소리같이 중얼거리며 숨을 거르렁거르렁하였다.

거르렁거르렁하였다: 목구멍에 가래 따위가 걸려 숨을 쉴 때 자꾸 조금 거치적거리는 소리가 나다.

– 현진건, 〈운수 좋은 날〉 천(노)

07 이 글의 내용과 일치하지 않는 것은?

① 김 첨지는 인력거를 끄는 일을 한다.
② 김 첨지는 오랜만에 손님이 많아 기분이 좋다.
③ 김 첨지의 아내는 병세가 가벼워 약을 쓰지 않았다.
④ 김 첨지의 아내는 김 첨지에게 일을 나가지 말라고 애처롭게 말하였다.
⑤ 김 첨지는 계속되는 행운에 불안한 마음이 들어 손님을 받는 것을 잠깐 주저하였다.

08 (가)는 이 글의 첫 부분이다. ㉠과 같이 배경 묘사를 한 이유로 적절한 것은?

① 등장인물의 성격을 보여 주려고
② 암울하고 우울한 분위기를 형성하려고
③ 일제 강점기를 배경으로 하고 있음을 알려 주려고
④ 김 첨지와 아내와의 갈등이 심화될 것임을 암시하려고
⑤ 역사적으로 의미가 있는 날을 제시하여 사건에 사실성과 개연성을 부여하려고

도움말

소설의 ❶ [ ] 은/는 사건이 발생하는 구체적인 시간과 공간을 의미하는데, 글의 전체적인 ❷ [ ] 을/를 만들어 주기도 해요.

답 ❶ 배경 ❷ 분위기

[09~11] 다음 글을 읽고, 물음에 답하시오.

가 김 첨지는 취중에도 설렁탕을 사 가지고 집에 다다랐다. [중략] 만일 김 첨지가 주기(술에 취한 기운.)를 띠지 않았던들 한 발을 대문 안에 들여놓았을 제 그곳을 지배하는 무시무시한 정적 — 폭풍우가 지나간 뒤의 바다 같은 정적에 다리가 떨리었으리라. 쿨룩거리는 기침 소리도 들을 수 없다. 그르렁거리는 숨소리조차 들을 수 없다. 다만 이 무덤 같은 침묵을 깨뜨리는 — 깨뜨린다느니보다 한층 더 침묵을 깊게 하고 불길하게 하는 빡빡하는 그윽한 소리, 어린애의 젖 빠는 소리가 날 뿐이다. 만일 청각이 예민한 이 같으면 그 빡빡 소리는 빨 따름이요, 꿀떡꿀떡하고 젖 넘어가는 소리가 없으니, 빈 젖을 빤다는 것도 짐작할는지 모르리라.

나 방 안에 들어서며 설렁탕을 한구석에 놓을 사이도 없이 ㉠주정꾼은 목청을 있는 대로 다 내어 호통을 쳤다.

"이년, 주야장천(晝夜長川) 누워만 있으면 제일이야. 남편이 와도 일어나지를 못해!"

라고 소리와 함께 발길로 누운 이의 다리를 몹시 찼다. [중략]

발로 차도 그 보람이 없는 걸 보자 남편은 아내의 머리맡으로 달려들어 그야말로 까치집 같은 환자의 머리를 꺼들어 흔들며, / "이년아, 말을 해, 말을! 입이 붙었어? 이년!" / "……."

"으응, 이것 봐, 아무 말이 없네." / "……."

"이년아, 죽었단 말이냐, 왜 말이 없어?" / "……."

"으응, 또 대답이 없네. 정말 죽었나 버이."

이러다가 누운 이의 흰창이 검은창을 덮은, 위로 치뜬 눈을 알아보자마자,

㉡"이 눈깔! 이 눈깔! 왜 나를 바라보지 못하고 천장만 보느냐? 응." / 하는 말끝엔 목이 메었다. 그러자 산 사람의 눈에서 떨어진 닭똥 같은 눈물이 죽은 이의 뻣뻣한 얼굴을 어룽어룽 적신다. 문득 김 첨지는 미친 듯이 제 얼굴을 죽은 이의 얼굴에 한데 비비대며 중얼거렸다.

"설렁탕을 사다 놓았는데 왜 먹지를 못하니, 왜 먹지를 못하니? 괴상하게도 오늘은 운수가 좋더니만……."

– 현진건, 〈운수 좋은 날〉 천(노)

09 ㉠과 ㉡에 담긴 김 첨지의 심리로 적절한 것은?

	㉠	㉡
①	두려움	후련함
②	억울함	미안함
③	불안감	비통함
④	아쉬움	안타까움
⑤	안타까움	당황스러움

도움말

(가)의 '무시무시한 정적', '무덤 같은 침묵' 등 불길한 느낌이 드는 ❶ [ ] 묘사를 통해 ❷ [ ]의 죽음을 암시하고 있어요. 김 첨지는 이런 불길한 느낌을 떨쳐 내려고 호통을 치고 있지요.

답 ❶ 분위기 ❷ 아내

10 다음 대화에서 두 학생이 공통적으로 가리키는 소재가 무엇인지 쓰시오.

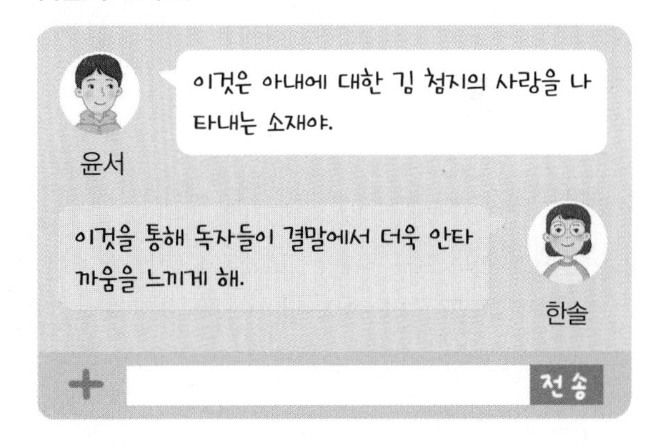

11 '운수 좋은 날'이라는 제목이 주는 효과를 서술하시오.

조건
1. 제목과 결말의 관계를 고려할 것
2. 어떤 표현 방법이 사용되었는지 밝힐 것

2주 3일 필수 체크 전략 1

[1] 다음 시를 읽고, 물음에 답하시오.

가야 할 때가 언제인가를
분명히 알고 가는 이의
뒷모습은 얼마나 아름다운가.

봄 한철
격정을 인내한
강렬하고 갑작스러워 누르기 어려운 감정.
나의 사랑은 지고 있다.

분분한 낙화……
여럿이 한데 뒤섞여 어수선하다.
㉠결별이 이룩하는 축복에 싸여
지금은 가야 할 때,

무성한 녹음과 그리고
머지않아 열매 맺는
가을을 향하여

나의 청춘은 꽃답게 죽는다.

헤어지자.
섬세한 손길을 흔들며
하롱하롱 꽃잎이 지는 어느 날
작고 가벼운 물체가 떨어지면서 잇따라 흔들리는 모양.

나의 사랑, 나의 결별,
샘터에 물 고이듯 성숙하는
내 영혼의 슬픈 눈.

– 이형기, 〈낙화〉 천(노)

이 작품은 사랑의 아픔을 통해 정신적인 성숙을 이룰 수 있다는 삶의 진리를 낙화라는 자연 현상을 통해 표현한 시입니다.

대표 유형 1 역설 이해하기

1 ㉠에 쓰인 표현 방법의 특징에 대한 대화의 내용으로 적절하지 않은 것은?

① 민규: '결별'은 슬프고 고통스러운 느낌이 들고, '축복'은 기쁘고 행복한 느낌이 드는 단어야.
② 승아: 맞아. 그런데 '결별이 이룩하는 축복'이라니 의미상 서로 어울리지 않는 말이 결합됐어.
③ 윤서: 서로 어울리지 않는 단어를 결합해서 어떤 진실이나 진리를 전달하려는 게 아닐까?
④ 한솔: 결별은 슬프고 고통스럽지만 이를 통해 영혼의 성숙을 이룰 수 있음을 말하고자 한 같아.
⑤ 준우: 이처럼 겉으로는 진실이지만, 속은 모순되고 이치가 맞지 않은 것을 '역설'이라고 해.

유형 해결 전략

역설은 ❶ (으)로 보기에는 표현이 이치에 어긋나 있다. 하지만 이치에 맞지 않은 표현 속에 어떤 ❷ (이)나 진리가 숨어 있어 그 의미를 강조하고 있다.

답 ❶ 겉 ❷ 진실

1-1 ㉠은 겉보기에는 모순된 표현이다. 어떤 점에서 그러한지 다음을 참고하여 서술하시오.

• **결별** 명사
기약 없는 이별을 함. 또는 그런 이별.
• **축복** 명사
행복을 빎. 또는 그 행복.

조건
1. 두 단어가 주는 느낌을 비교할 것
2. 한 문장으로 서술할 것

≫ 정답과 해설 19쪽

[2] 다음 시를 읽고, 물음에 답하시오.

은행나무 열매에서 구린내가 난다
㉠주의해 주세요 ㉡구린내가 향기롭다

밤톨이 여물면서 밤송이가 따가워진다
㉢날카롭게 찌르는 가시가 너그럽다

복어알을 먹으면 죽는다
㉣복어의 독이 복어의 사랑이다

자식을 낳고 술을 끊은 친구가 있다
㉤친구의 독한 마음이 아름답다

– 함민복, 〈독은 아름답다〉 천(박)

이 작품은 대상의 부정적 특성에서 발견한 가치를 역설을 써서 노래한 시입니다.

대표 유형 ② 역설의 효과 이해하기

2 이 시에서 역설을 사용하여 얻고 있는 효과로 가장 적절한 것은?

① 절망적인 상황에서도 희망이 있음을 나타내고 있다.
② 자연은 소중하게 보호하고 가꾸어야 하는 대상임을 전달하고 있다.
③ 자식을 위한 부모의 사랑은 아름답고 가치 있는 것임을 강조하고 있다.
④ 대상을 비꼬아 말함으로써 독자의 주의를 끌고 흥미와 웃음을 유발하고 있다.
⑤ 일반적으로 긍정적으로 여기는 것들에도 부정적인 면이 숨어 있음을 나타내고 있다.

유형 해결 전략

이 시의 화자는 은행나무 열매의 구린내, 밤송이의 ❶ [ ], 복어의 독이 각각 은행나무 열매, 밤톨, 복어알을 보호하는 역할을 한다고 역설을 써서 ❷ [ ](으)로 표현하고 있다.

답 ❶ 가시 ❷ 긍정적

2-1 ㉠~㉤에 대한 설명으로 적절하지 않은 것은?

① ㉠: 열매가 다치지 않게 조심하라는 의미이다.
② ㉡: 구린내가 은행나무 열매를 보호하기 때문에 향기롭다고 말하고 있다.
③ ㉢: 다 익은 밤톨을 수확하는 시기에는 밤송이의 가시가 무뎌진다는 의미이다.
④ ㉣: 복어의 독은 다른 동물이 알을 먹지 못하게 지켜 주므로 복어의 사랑이라고 말하고 있다.
⑤ ㉤: 자식을 소중히 여기는 마음이기 때문에 아름답다는 의미이다.

도움말

은행나무 열매의 ❶ [ ]와/과 밤송이의 가시, 복어의 독, 친구의 독한 마음이 각각 어떤 ❷ [ ]을/를 하고 있는지 생각해 보세요.

답 ❶ 구린내 ❷ 역할

[3] 다음 글을 읽고, 물음에 답하시오.

'양반'이란 사족(士族)을 높여 부르는 말이다.
선비나 무인의 집안. 또는 그 자손.

정선군에 어떤 양반이 살았다. 양반은 어질고 책 읽기를 좋아해서 고을에 군수가 새로 부임할 때마다 반드시 그 집에 찾아가 인사를 차렸다. 하지만 집이 가난해서 해마다 군(郡)에서 환자를 빌려다가 먹었는데, 몇 해가 지나고 보니 빌린 곡식이 일천 섬에 이르렀다.
조선 시대에, 각 고을에서 봄에 백성들에게 곡식을 꾸어 주고 가을에 이자를 붙여 거두던 곡식.

관찰사가 각 고을을 순시하다가 환자 장부를 살펴보고는 몹시 노하여 말했다.
돌아다니며 사정을 보살피다.

"어떤 놈의 양반이 관아 곡식을 이처럼 축냈단 말이냐!"

관찰사는 양반을 옥에 가두도록 명했다. 군수는 양반이 가난해서 빌린 곡식을 갚을 길이 없는 형편임을 딱하게 여겨 차마 가두지 못했지만, 그렇다고 해서 달리 뾰족한 방법을 찾을 수도 없었다. 양반은 밤낮으로 울기만 할 뿐 아무런 대책이 없었다. 그러자 양반의 아내가 나무랐다.

"평생 당신은 책 읽기를 좋아하더니만 환자 갚는 데는 아무 소용도 없구려. 쯧쯧, 양반! 양반은 한 푼어치도 안 되는구려!"

그 마을의 부자가 가족과 상의하며 이렇게 말했다. [중략]

"지금 양반 하나가 가난해서 환자를 갚지 못하다가 큰 곤욕을 치르게 생겼으니, 필시 양반 신분을 유지하지 못할 듯싶어. 내가 장차 그 양반 신분을 사서 가졌으면 해."

마침내 양반 집을 찾아가 환자를 대신 갚아 주겠다고 하니 양반은 몹시 기뻐하며 승낙했다.

– 박지원, 〈양반전〉 천(박) 천(노) 지 동

이 작품은 조선 시대 양반의 부정적인 모습을 비판하고 있는 고전 소설입니다.

대표 유형 3 풍자 이해하기

3 이 글에서 풍자하고 있는 양반의 모습으로 가장 적절한 것은?

① 학문을 게을리하며 유흥만 좇는 모습
② 아내와 자식을 함부로 대하는 가부장적인 모습
③ 부당한 특권을 누리고 백성들에게 횡포를 부리는 모습
④ 경제적으로 무능하여 현실 문제를 해결하지 못하는 모습
⑤ 지나치게 체면을 중요하게 여기며 허례허식에 얽매여 있는 모습

유형 해결 전략

풍자는 대상을 ❶ [ ] 하거나 우습게 그려 대상을 ❷ [ ] (으)로 비판하는 표현 방법이다. 이 글의 양반은 환자를 갚지 못해 밤낮으로 울기만 할 뿐 아무런 대책도 마련하지 못한다.

답 ❶ 조롱 ❷ 간접적

3-1 다음 대화에 나타난 풍자의 특징으로 적절한 것은?

문제가 생기면 그저 밤낮으로 울기만 하는 양반의 모습을 상상하니 웃음이 났어.

난 부인이 '한 푼어치도 안 된다.'라고 말한 것도 양반을 비웃는 것처럼 느껴졌어.

① 대상을 우스꽝스럽게 표현하여 독자의 웃음을 유발한다.
② 추상적인 관념을 구체적인 사물로 나타내서 독자의 이해를 돕는다.
③ 표현하려는 내용과 반대로 표현하여 독자에게 강한 인상을 전달한다.
④ 서로 비슷하거나 관련이 있는 표현을 늘어놓아 전체적인 의미를 강조한다.
⑤ 표현하고자 하는 대상을 다른 대상에 빗대어 전달하려는 바를 인상 깊게 표현한다.

[4] 다음 글을 읽고, 물음에 답하시오.

㉮ 우리 박 선생님은 참 이상한 선생님이었다.

박 선생님은 생긴 것부터 무척 이상하게 생긴 선생님이었다. 키가 한 뼘밖에 안 되어서 뼘생 또는 뼘박이라는 별명이 있는 것처럼, 박 선생님의 키는 키 작은 사람 가운데에서도 유난히 작은 키였다. 일본 정치 때에, 혈서로 지원병을 지원했다 체격 검사에 키가 제 척수에 차지 못해 낙방이 되었다면, 그래서 땅을 치고 울었다면, 얼마나 작은 키인지 알 일이다.

(혈서: 제 몸의 피를 내어 자기의 결심, 청원, 맹세 따위를 쓴 글.)
(척수: 치수. 길이에 대한 몇 자 몇 치의 셈.)

그런 작은 키에 몸집은 그저 한 줌만 하고, 이 한 줌만 한 몸집, 한 뼘만 한 키 위에 깜짝 놀랄 만큼 큰 머리통이 위태위태하게 올라앉아 있다. 그래서 박 선생님 또 하나의 별명은 대갈장군이라고도 했다.

중간 부분 줄거리 | 박 선생님은 일제에 동조하여 학생들에게도 일본말만 쓸 것을 강요한다. 그러나 일본이 전쟁에 지고 조선이 독립하자 일본을 적대시하고 미국을 찬양한다.

㉯ 우리는 뼘박 박 선생님더러 미국에도 덴노헤이까가 있느냐고 물었다. 미국에 덴노헤이까가 있지 않고서야 그렇게 일본의 덴노헤이까처럼 우리 조선 사람을 친아들과 같이 사랑하고, 우리 조선 사람들이 잘 살도록 근심을 하며, 온갖 물건을 가져다주고 할 이치가 없기 때문이었다(해방 전에 뼘박 박 선생님은, 덴노헤이까는 우리 조선 사람들을 일본 사람들과 같이 사랑하고, 우리 조선 사람들이 잘 살기를 근심하신다고 늘 가르쳐 주곤 했다.).

(덴노헤이까: 일본 말로 '천황 폐하'를 뜻함.)

뼘박 박 선생님은 미국에는 덴노헤이까는 없고, 덴노헤이까보다 훌륭한 '돌멩이'라는 양반이 있다고 대답했다.

('돌멩이'라는 양반: 미국의 대통령 트루먼(재임 1945~1953년)을 가리킴.)

우리는 그럼 이번에는 그 '돌멩이'라는 훌륭한 어른을 위하여 '미국 신민노 세이시(미국 신민 서사)'를 부르고, 기미가요(일본의 국가) 대신 돌멩이 가요를 부르고 해야 하나 보다고 생각했다.

아무튼 뼘박 박 선생님은 참 이상한 선생님이었다.

– 채만식, 〈이상한 선생님〉 비

이 작품은 해방 전후 혼란한 사회 상황 속에서 기회주의적으로 살아가는 '박 선생님'의 모습을 비판적으로 그리고 있는 소설입니다.

대표 유형 4 풍자의 효과 이해하기

4 〈보기〉는 박 선생님을 표현한 방법에 관한 설명이다. 이처럼 표현하여 얻은 효과로 적절하지 않은 것은?

보기

이 글에서는 박 선생님을 '뼘생', '뼘박', '대갈장군'과 같이 우스꽝스럽게 묘사한다. 그리고 어린 아이를 서술자로 내세워, 광복 전에는 일본을 찬양했다가 광복 후에는 미국을 찬양하는 박 선생님을 '이상한 선생님'이라고 비꼬고 있다.

① 독자의 웃음을 유발한다.
② 박 선생님의 기회주의적인 모습을 부각한다.
③ 박 선생님을 비판적으로 바라볼 수 있게 한다.
④ 박 선생님의 미묘한 심리를 효과적으로 전달한다.
⑤ 박 선생님처럼 행동하는 인물들을 비판하고자 한 작가의 의도가 드러난다.

유형 해결 전략

풍자를 쓰면 ❶ ______(으)로 하여금 읽는 재미를 느끼게 하고, 대상에 대한 ❷ ______인 의식을 갖게 한다.

답 ❶ 독자 ❷ 비판적

4-1 다음 대화를 참고하여 이 글의 주제를 서술하시오.

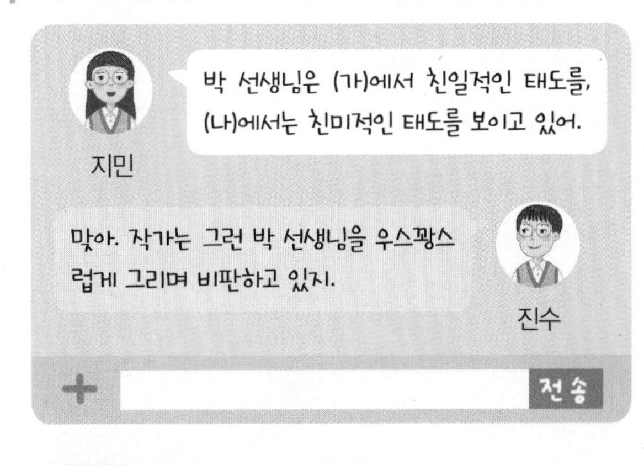

도움말

해방 직후의 ❶ ______을/를 고려해 보고, 박 선생님을 우스꽝스럽게 표현함으로써 ❷ ______하고자 한 대상이 누구일지 생각해 보세요.

답 ❶ 시대 상황 ❷ 비판

2주 3일 필수 체크 전략 2

[01~03] 다음 시를 읽고, 물음에 답하시오.

(가) 은행나무 열매에서 구린내가 난다
주의해 주세요 ㉠구린내가 향기롭다

밤톨이 여물면서 밤송이가 따가워진다
날카롭게 찌르는 가시가 너그럽다

복어알을 먹으면 죽는다
㉡복어의 독이 복어의 사랑이다

자식을 낳고 술을 끊은 친구가 있다
친구의 독한 마음이 아름답다

– 함민복, 〈독은 아름답다〉 천(박)

(나) 나뭇잎이 벌레 먹어서 예쁘다
귀족의 손처럼 상처 하나 없이
매끈한 것은
어쩐지 베풀 줄 모르는
손 같아서 밉다
떡갈나무잎에 벌레 구멍이 뚫려서
그 구멍으로 하늘이 보이는 것은 예쁘다
상처가 나서 예쁘다는 것은
잘못인 줄 안다
그러나 남을 먹여 가며
살았다는 흔적은
별처럼 아름답다.

– 이생진, 〈벌레 먹은 나뭇잎〉 천(노)

01 (가)와 (나)의 공통적인 특징으로 적절한 것은?

① 임에 대한 사랑을 자연에 빗대어 표현하고 있다.
② 사람과 자연의 교감을 통한 내면의 성숙을 노래하고 있다.
③ 대상에서 새로운 가치를 발견하여 긍정적으로 바라보고 있다.
④ 한 행을 일정한 간격으로 끊어 읽도록 하여 운율을 형성하고 있다.
⑤ 반어를 써서 화자의 심리를 강렬하게 드러내며 주제를 강조하고 있다.

02 ㉠에 사용된 표현 방법이 무엇인지 쓴 뒤, 같은 표현 방법이 사용된 시구를 (나)에서 찾아 쓰시오.

㉠에 사용된 표현 방법	
같은 표현 방법이 사용된 (나)의 시구	

도움말

'향기롭다'는 좋은 냄새가 있다는 뜻인데, '고약한 냄새'를 뜻하는 '❶ ____'을/를 향기롭다고 표현했으므로 ㉠은 ❷ ____된 표현이에요.

답 ❶ 구린내 ❷ 모순

03 ㉡이 지닌 의미를 서술하시오.

조건
1. '복어의 독'의 역할을 밝힐 것
2. '복어의 독이 사랑인 이유는 ~ 때문이다.' 형식의 한 문장으로 쓸 것

[04~06] 다음 시를 읽고, 물음에 답하시오.

가야 할 때가 언제인가를
분명히 알고 가는 이의
뒷모습은 얼마나 아름다운가.

봄 한철
격정을 인내한
나의 사랑은 지고 있다.

분분한 낙화……
㉠결별이 이룩하는 축복에 싸여
지금은 가야 할 때,

무성한 녹음과 그리고
머지않아 열매 맺는
가을을 향하여

나의 청춘은 꽃답게 죽는다.

헤어지자.
섬세한 손길을 흔들며
하롱하롱 꽃잎이 지는 어느 날

나의 사랑, 나의 결별,
샘터에 물 고이듯 성숙하는
내 영혼의 슬픈 눈.

– 이형기, 〈낙화〉 천(노)

04 이 시에 대한 설명으로 적절하지 않은 것은?

① 의문의 형식으로 의미를 강조하고 있다.
② 선경후정의 방식으로 시상을 전개하고 있다.
③ 사람이 아닌 대상을 사람처럼 표현하고 있다.
④ 시각적 심상을 활용하여 꽃이 지는 모습을 감각적으로 표현하고 있다.
⑤ 겉으로는 모순되지만 그 안에 삶의 진실을 담고 있는 표현 방법이 사용되었다.

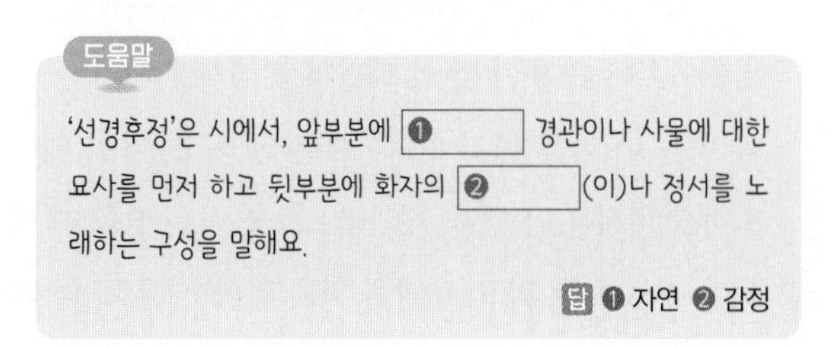
도움말

'선경후정'은 시에서, 앞부분에 ❶ [ ] 경관이나 사물에 대한 묘사를 먼저 하고 뒷부분에 화자의 ❷ [ ](이)나 정서를 노래하는 구성을 말해요.

답 ❶ 자연 ❷ 감정

05 이 시의 내용을 〈보기〉와 같이 정리할 때 ⓐ와 ⓑ에 들어갈 말이 바르게 짝지어진 것은?

보기

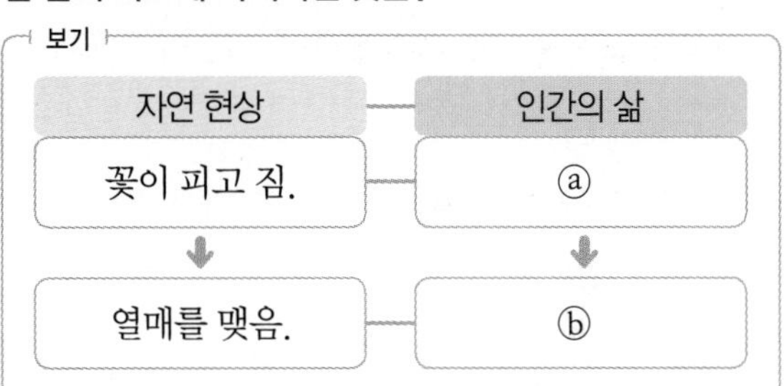

	ⓐ	ⓑ
①	사랑과 이별	영혼의 성숙
②	시련과 고통	고난의 극복
③	육체적 성장	정신적 성숙
④	내면의 성장	고난의 극복
⑤	화려한 젊은 날	여유로운 황혼

06 이 시의 화자가 ㉠에서 '결별'이 '축복'을 이룩한다고 표현한 이유를 서술하시오.

조건

• '결별은 ~(이)지만, 결별을 통해 ~ 수 있기 때문이다.' 형식의 한 문장으로 쓸 것

[07~08] 다음 글을 읽고, 물음에 답하시오.

가 "양반은 비천한 일은 일절 않고, 훌륭한 옛사람과 같이 되기를 바라며 뜻을 고상하게 가져야 한다. 언제나 오경이면 일어나 유황에 불을 붙여 등잔불을 켜고는 눈은 코끝을 보고 두 발꿈치는 모아서 엉덩이에 괴고 앉아 《동래박의》를 얼음에 박 밀듯 줄줄 외어야 한다. 굶주림을 참고 추위를 견디며 가난하단 소리는 입 밖에 꺼내지 말아야 한다. [중략] 손으로 돈을 만지지 말고 쌀값을 묻지 말아야 한다. 아무리 더워도 버선을 벗지 말고, 맨상투로 식사를 해서는 안 된다. 밥 먹을 때 국을 먼저 떠먹어서는 안 되고, 마실 때 후루룩 소리를 내서는 안 된다. 젓가락으로 음식을 집을 때 방아 찧듯이 해서는 안 되고, 생파를 먹지 말아야 한다. 술 마실 때 수염을 빨지 말고, 담배 피울 때 볼이 움푹 패도록 담배를 빨지 말아야 한다."

오경: 새벽 세 시에서 다섯 시 사이.

나 "양반이라는 게 겨우 이것뿐입니까? 저는 양반이 신선과 같다고 들었는데, 양반이라는 게 정말 이뿐이라면 너무 재미없는 일 아닙니까. 저에게 뭔가 이익이 되도록 증서를 고쳐 주십시오."

다 "양반은 농사도 짓지 않고 장사도 하지 않지만, 글공부 대충 해서 크게 되면 문과(文科) 급제요, 작게 되더라도 진사(進士) 급제다. 문과 홍패가 이 척에 불과하지만 그 안에 온갖 물건이 구비되어 있으니, 이것이 곧 돈 자루다. [중략]

척: 길이의 단위. 일 척은 약 30.3센티미터임.
홍패: 문과 급제자에게 주던 합격 증서.

곤궁한 사(士)는 시골에 살아도 제멋대로 횡포를 부릴 수 있다. 이웃집 소를 빼어다가 제 논을 먼저 갈고, 백성들을 끌어다가 제 밭 김을 매게 한들 누가 감히 대들쏘냐? 코에다가 잿물을 들이붓고, 머리끄덩이를 돌리며 귀밑머리를 뽑은들 감히 원망할 자 없을지어다."

라 증서를 작성하는 중간에 부자가 혀를 내두르며 말했다.

"그만두세요. 그만둬! 맹랑하기도 합니다! 장차 나를 도둑놈으로 만들 셈입니까?"

부자는 고개를 절레절레 흔들며 가더니 죽을 때까지 다시는 양반이 되겠다는 말을 하지 않았다.

– 박지원, 〈양반전〉 천(박) 천(노) 지 동

07 (가)와 (다)에서 풍자하고 있는 양반의 모습이 바르게 짝지어진 것은?

	(가)	(다)
①	경제적으로 무능력한 모습	나라에 충성하지 않는 모습
②	부당한 특권을 행사하는 모습	권력을 세습하고 일하지 않는 모습
③	백성들에게 횡포를 일삼는 모습	지나치게 체면을 중시하는 모습
④	허례허식에 얽매여 있는 모습	백성들에게 횡포를 일삼는 모습
⑤	지나치게 체면을 중시하는 모습	경제적으로 무능력한 모습

도움말

(가)와 (다)는 양반 매매 증서의 내용이에요. (가)의 증서에는 양반이 지켜야 할 ❶ [ ] 이/가, (다)의 증서에는 양반이 누릴 수 있는 ❷ [ ] 이/가 담겨 있어요.

답 ❶ 규범 ❷ 특권

08 (라)에서 부도덕한 양반에 대한 작가의 비판적 생각이 드러난 문장을 찾아 쓰시오.

도움말

작가는 ❶ [ ] 에 대한 비판적 생각을 ❷ [ ] 의 말을 통해 드러내고 있어요. 이를 단적으로 드러내는 말이 무엇인지 생각해 보세요.

답 ❶ 양반 ❷ 부자

>> 정답과 해설 21쪽

[09~10] 다음 글을 읽고, 물음에 답하시오.

가 다른 학교에서도 다 그랬을 테지만 우리 학교에서도 그때 말로 '국어'라던 일본 말, 그 일본 말로만 말을 하게 하고 엄마 아빠 할 적부터 배운 조선말은 아주 한 마디도 쓰지 못하게 했다. [중략]

학교에서고 학교 밖에서고 조선말로 말을 하다 선생님한테 들키는 날이면 경치는 판이었다. 선생님들 중에서도 제일 심하게 밝히는 선생님이 뼘박 박 선생님이었다. 교장 선생님이나 다른 일본 선생님은 나무라기만 하고 마는 수가 있어도, 뼘박 박 선생님만은 절대로 용서가 없었다.

경치다: 혹독하게 벌을 받다.

나 한번은 상준이 녀석과 어떡하다 쌈이 붙었는데 둘이 서로 부둥켜안고 구르면서 이 자식아, 저 자식아, 죽어 봐, 때려 봐, 하면서 한참 때리고 제기고 하는 참이었다.

제기다: 팔꿈치나 발꿈치 따위로 지르다.

그런데, 느닷없이

"고랏! 조셍고데 겡까 스루야쓰가 이루까(이놈아! 조선말로 쌈하는 녀석이 어딨어)."

하면서 구둣발길로 넓적다리를 걷어차는 건, 정신없는 중에도 뼘박 박 선생님이었다.

중간 부분 줄거리 | 일본에 충성하던 박 선생님은 일본이 패망하자 학생들에게 일본은 나쁜 나라라고 가르치면서 일본을 적대시한다.

다 뼘박 박 선생님은 한편으로 열심히 미국 말을 공부했다. 그러면서 우리더러 졸업을 하고 중학교에 가거들랑 미국 말을 무엇보다도 많이 공부하라고, 시방은 미국 말을 모르고는 훌륭한 사람이 되지 못한다고 했다.

뼘박 박 선생님은 한 일 년 그렇게 미국 말 공부를 하더니, 그다음부터는 미국 병정이 오든지 하면 일쑤 통역을 하고 했다. 중학교에 다닐 때에 조금 배운 것이 있어서 그렇게 쉽게 체득했다고 했다.

일쑤: 드물지 아니하게 흔히.

미국 병정은 벼 공출을 감독하러 와서 우리 뼘박 박 선생님을 그 꼬마 자동차에 태워 가지고 동네 동네 돌아다녔다. 뼘박 박 선생님은 미국 양복을 얻어 입고, 미국 통조림이랑 과자를 얻어먹고 했다.

공출: 국민들이 정부의 요구에 따라 물자나 식량 등을 의무적으로 내어놓음.

– 채만식, 〈이상한 선생님〉 비

09 (가)와 (나)에서 알 수 있는 박 선생님의 특징으로 알맞은 것을 모두 고르시오.

ㄱ. 일본 말이 서투르다.
ㄴ. 친일적인 태도를 지니고 있다.
ㄷ. 조선말을 쓰는 학생을 심하게 혼낸다.
ㄹ. 싸움을 하는 학생들은 절대 용서하지 않는다.

10 (다)에 나타난 박 선생님의 태도를 바르게 평가한 학생은?

① 새로운 언어에 관심이 많은 학구파로군.

② 얄팍한 지식을 활용해 사람들을 속이려는 사기꾼이로군.

③ 새로운 권력에 빌붙어 이득을 얻으려는 기회주의자로군.

④ 자신의 주관을 버리지 않고 쉽게 타협하지 않는 고집쟁이로군.

⑤ 전통을 중시하면서 변화를 잘 받아들이지 않는 보수주의자로군.

도움말
(가)와 (나)에서 박 선생님은 ❶ ______ 에 충성하는 모습을 보이는 반면, (다)에서는 ❷ ______ 에 협력하고 있어요. 이러한 모습에서 이끌어 낼 수 있는 박 선생님의 태도를 생각해 보세요.

답 ❶ 일본 ❷ 미국

2주 누구나 합격 전략

01 다음은 운율에 대한 설명이다. 빈칸에 들어갈 알맞은 말을 〈보기〉에서 찾아 순서대로 쓰시오.

- 운율은 시를 읽을 때 느껴지는 말의 가락으로, (   )(이)가 규칙적으로 반복될 때 형성된다.
- 운율은 시의 분위기를 형성하고, 주제를 전달하는 데 도움을 준다.
- 운율을 통해 화자의 (   )을/를 효과적으로 드러낼 수 있다.

보기

갈등 비유 소리 정서

02 다음 시의 운율 형성 방법을 〈보기〉에서 모두 고르시오.

나 보기가 역겨워
가실 때에는
말없이 고이 보내 드리우리다

영변에 약산
진달래꽃
아름 따다 가실 길에 뿌리우리다

가시는 걸음걸음
놓인 그 꽃을
사뿐히 즈려밟고 가시옵소서

나 보기가 역겨워
가실 때에는
죽어도 아니 눈물 흘리우리다

– 김소월, 〈진달래꽃〉 지 동

보기

㉠ 의성어의 사용 ㉡ 같은 어미의 반복
㉢ 같은 시구의 반복 ㉣ 일정한 음보의 반복

03 (가)와 (나)에 공통적으로 나타난 운율 형성 방법을 바르게 말한 학생을 쓰시오.

(가) 먼 훗날 당신이 찾으시면
그때에 내 말이 '잊었노라'

– 김소월, 〈먼 후일〉 천(박) 천(노) 비 지 교

(나) 산 너머 남촌에는 누가 살길래
해마다 봄바람이 남으로 오네.

– 김동환, 〈산 너머 남촌에는〉

연재: 같은 시어와 문장 구조를 반복하고 있어.

은호: 한 행을 세 마디로 끊어 읽는 것을 반복하고 있어.

진수: 각 행의 일정한 위치에서 비슷한 소리를 반복하고 있어.

04 (가)와 (나)의 밑줄 친 부분에 공통적으로 사용된 표현 방법을 〈보기〉에서 찾아 쓰시오.

(가) 오늘도 어제도 아니 잊고
먼 훗날 그때에 '<u>잊었노라</u>'

– 김소월, 〈먼 후일〉 천(박) 천(노) 비 지 교

(나) 씹던 껌을 아무 데나 퉤, 뱉지 못하고
종이에 싸서 쓰레기통으로 달려가는
<u>너는 참 바보다</u>.

– 신형건, 〈넌 바보다〉 미

보기

반어 역설 설의법 영탄법

05 다음 대화에서 반어에 대해 잘못 이해하고 있는 학생을 찾고, 내용을 바르게 고쳐 쓰시오.

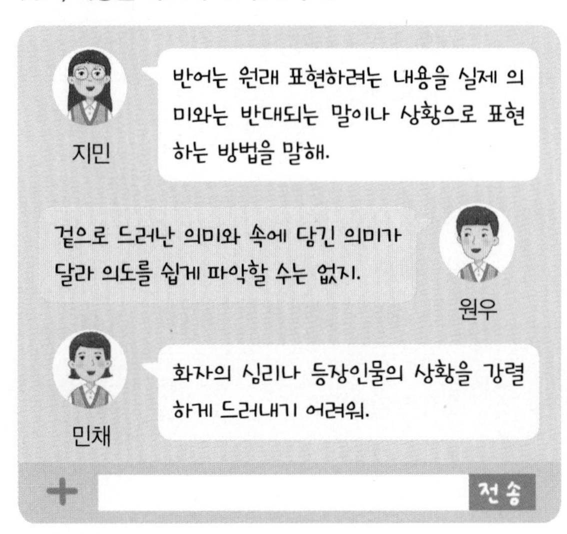

06 (가)~(다)에서 역설이 사용된 시구를 각각 찾아 쓰시오.

(가) 은행나무 열매에서 구린내가 난다
주의해 주세요 구린내가 향기롭다

– 함민복, 〈독은 아름답다〉 천(박)

(나) 분분한 낙화……
결별이 이룩하는 축복에 싸여
지금은 가야 할 때,

– 이형기, 〈낙화〉 천(노)

(다) 나뭇잎이 벌레 먹어서 예쁘다
귀족의 손처럼 상처 하나 없이
매끈한 것은
어쩐지 베풀 줄 모르는
손 같아서 밉다

– 이생진, 〈벌레 먹은 나뭇잎〉 천(노)

07 다음은 역설의 개념과 효과를 설명한 것이다. 괄호 안에서 알맞은 말을 골라 순서대로 쓰시오.

개념	겉보기에는 (모순/반어)(이)지만 대상에 관한 통찰을 통해 얻은 진실을 담고 있는 표현 방법
효과	• 표현 속에 담긴 (진실/배경)을 강조하여 나타낼 수 있음. • 표현에 어떤 (상황/의도)이/가 담겼는지 깊이 생각해 보게 함.

08 다음 글을 읽고 쓴 감상문에서 빈칸에 들어갈 알맞은 말을 순서대로 쓰시오.

우리 박 선생님은 참 이상한 선생님이었다.

박 선생님은 생긴 것부터가 무척 이상하게 생긴 선생님이었다. 키가 한 뼘밖에 안 되어서 뼘생 또는 뼘박이라는 별명이 있는 것처럼, 박 선생님의 키는 키 작은 사람 가운데에서도 유난히 작은 키였다. 일본 정치 때에, 혈서로 지원병을 지원했다 체격 검사에 키가 제 척수에 차지 못해 낙방이 되었다면, 그래서 땅을 치고 울었다면, 얼마나 작은 키인지 알 일이다.

그런 작은 키에 몸집은 그저 한 줌만 하고, 이 한 줌만 한 몸집, 한 뼘만 한 키 위에 깜짝 놀랄 만큼 큰 머리통이 위태위태하게 올라앉아 있다. 그래서 박 선생님 또 하나의 별명은 대갈장군이라고도 했다.

– 채만식, 〈이상한 선생님〉 비

이 글에 등장하는 '박 선생님'은 친일적인 태도를 보인다. 이 글은 (   )을/를 써서 '박 선생님'의 외양을 우스꽝스럽게 표현함으로써 독자의 (   )을/를 유발하고 있다. 또한 박 선생님에 대해 (   )인 의식을 갖게 한다.

2주 창의·융합·코딩 전략 1

01 다음 시를 읽은 독자의 감상으로 적절하지 않은 것은?

내를 건너서 숲으로 / 고개를 넘어서 마을로

어제도 가고 오늘도 갈
나의 길 새로운 길

민들레가 피고 까치가 날고
아가씨가 지나고 바람이 일고

나의 길은 언제나 새로운 길
오늘도…… 내일도……

내를 건너서 숲으로 / 고개를 넘어서 마을로

– 윤동주, 〈새로운 길〉 금

댓글 달기

수성 1연과 5연이 수미상관 구조를 취하고 있어 안정감이 느껴져요. ……………… ①

금성 '오늘도…… 내일도……'에는 말줄임표가 있어 여운이 느껴져요. ……………… ②

화성 3연을 중심으로 앞뒤 내용이 대조되어 주제가 더 인상적으로 전달돼요. …… ③

목성 2연과 4연에서 언제나 새로운 길을 가고자 하는 화자의 의지가 잘 드러난 것 같아요. …………………………………… ④

토성 '~를 ~(해)서 ~(으)로'가 반복되다 보니 읽을 때 리듬감이 느껴져서 소리 내어 읽는 재미가 있어요. ……………………… ⑤

도움말

이 시는 ❶ [　　] 을/를 중심으로 하여 1연과 5연, 2연과 4연이 ❷ [　　] 적 구조를 이루고 있어요.

답 ❶ 3연 ❷ 대칭

02 다음 시의 의미를 정리한 표에서 빈칸에 들어갈 알맞은 내용을 쓰시오.

나 보기가 역겨워
가실 때에는
말없이 고이 보내 드리우리다

영변에 약산
진달래꽃
아름 따다 가실 길에 뿌리우리다

가시는 걸음걸음
놓인 그 꽃을
사뿐히 즈려밟고 가시옵소서

나 보기가 역겨워
가실 때에는
죽어도 아니 눈물 흘리우리다

– 김소월, 〈진달래꽃〉 지 동

	표면적 의미	심층적 의미
1연	이별의 상황에 대한 체념	엄청난 고통의 반어적 표현
2연	떠나는 임에 대한 축복	임에 대한 원망과 절망
3연	원망을 뛰어넘은 희생적 사랑	죄책감을 유발하여 이별을 막는 마음
4연	슬픔의 극복과 승화	

도움말

4연의 '죽어도 아니 눈물 흘리우리다'는 겉으로는 ❶ [　　] 을/를 극복하겠다는 의미이지만, 시 전체 내용을 보면 이 표현에 담긴 화자의 속마음은 이와 ❷ [　　] 임을 짐작할 수 있어요.

답 ❶ 슬픔 ❷ 반대

>> 정답과 해설 23쪽

03 다음 시의 화자와 진행한 가상 면담에서 내용이 적절하지 않은 것은?

먼 훗날 당신이 찾으시면
그때에 내 말이 '잊었노라'

당신이 속으로 나무라면
'무척 그리다가 잊었노라'

그래도 당신이 나무라면
'믿기지 않아서 잊었노라'

오늘도 어제도 아니 잊고
먼 훗날 그때에 '잊었노라'

– 김소월, 〈먼 후일〉 천(박) 천(노) 비 지 교

성민: 안녕하세요, 반갑습니다. 지금 어떤 상황에 처해 계신지 말씀해 주실 수 있을까요?
화자: 네, ㉠전 지금 '당신'과 헤어진 상황입니다. ㉡'당신'을 몹시 그리워하고 있어요.
성민: 그런데 왜 '잊었노라'라고 말하고 있나요?
화자: ㉢제 속마음을 반대로 표현한 거예요.
성민: 다시 만난 '당신'이 나무라면 어떻게 반응하실 건가요?
화자: ㉣'당신'과 이별한 상황이 믿기지 않는다고 말하고 싶어요.
성민: 마지막으로 '당신'에게 하고 싶은 말을 속마음을 담아 진심으로 말해 주세요.
화자: ㉤어제까지도 '당신'을 잊지 못했지만 이제는 정말 '당신'을 잊었어요.

① ㉠ ② ㉡ ③ ㉢ ④ ㉣ ⑤ ㉤

도움말

화자가 처한 ❶ ____ 을/를 고려하여 먼 훗날에서야 '잊었노라' 라고 말하겠다는 것이 어떤 ❷ ____ 을/를 표현한 것인지 생각해 보세요.

답 ❶ 상황 ❷ (속)마음

04 다음 글을 읽고, 집과의 거리에 따른 김 첨지의 심리를 바르게 나타낸 그래프를 아래에서 고르시오.

앞부분 줄거리 | 아픈 아내와 굶주린 아이를 집에 두고 일을 나선 인력거꾼 김 첨지는 오랜만에 큰돈을 벌지만, 계속되는 행운에 불안해한다. 그러나 불안감을 누르며 학생 손님을 태우고 남대문 정거장으로 향한다.

이윽고 끄는 이의 다리는 무거워졌다. 자기 집 가까이 다다른 까닭이다. 새삼스러운 염려가 그의 가슴을 눌렀다.

"오늘은 나가지 말아요. 내가 이렇게 아픈데!"

이런 말이 잉잉 그의 귀에 울렸다. 그리고 병자의 움쑥 들어간 눈이 원망하는 듯이 자기를 노리는 듯하였다. 그러자 엉엉하고 우는 개똥이의 곡성을 들은 듯싶다. 딸꾹딸꾹하고 숨 모으는 소리도 나는 듯싶다…….

"왜 이러우? 기차 놓치겠구먼."

하고 탄 이의 초조한 부르짖음이 간신히 그의 귀에 들어왔다. 언뜻 깨닫으니 김 첨지는 인력거 채를 쥔 채 길 한복판에 엉거주춤 멈춰 있지 않은가.

"예예." / 하고 김 첨지는 또다시 달음질하였다. 집이 차차 멀어 갈수록 김 첨지의 걸음에는 다시금 신이 나기 시작하였다. 다리를 재게(동작이 재빠르다.) 놀려야만 쉴 새 없이 자기의 머리에 떠오르는 모든 근심과 걱정을 잊을 듯이.

– 현진건, 〈운수 좋은 날〉 천(노)

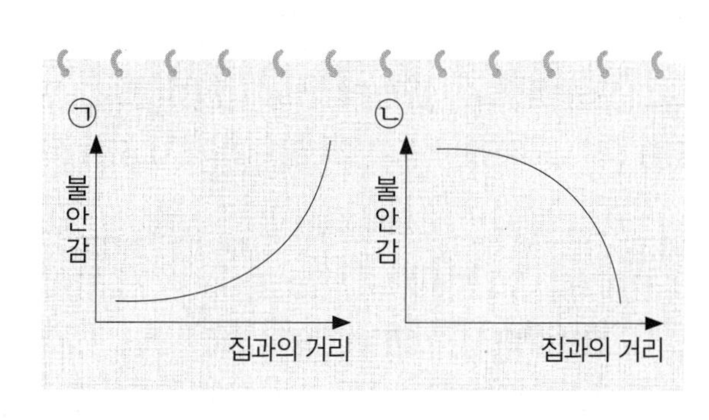

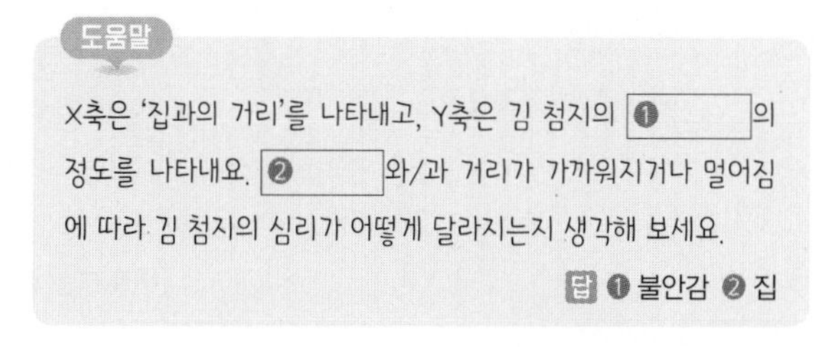
도움말

X축은 '집과의 거리'를 나타내고, Y축은 김 첨지의 ❶ ____ 의 정도를 나타내요. ❷ ____ 와/과 거리가 가까워지거나 멀어짐에 따라 김 첨지의 심리가 어떻게 달라지는지 생각해 보세요.

답 ❶ 불안감 ❷ 집

주 창의·융합·코딩 전략 2

05 다음 시의 ㉠~㉤을 〈보기〉처럼 분류할 때 ⓐ와 ⓑ에 들어갈 알맞은 기호를 쓰시오.

㉠은행나무 열매에서 구린내가 난다
주의해 주세요 ㉡구린내가 향기롭다

밤톨이 여물면서 밤송이가 따가워진다
㉢날카롭게 찌르는 가시가 너그럽다

㉣복어알을 먹으면 죽는다
복어의 독이 복어의 사랑이다

자식을 낳고 술을 끊은 친구가 있다
㉤친구의 독한 마음이 아름답다

– 함민복, 〈독은 아름답다〉 천(박)

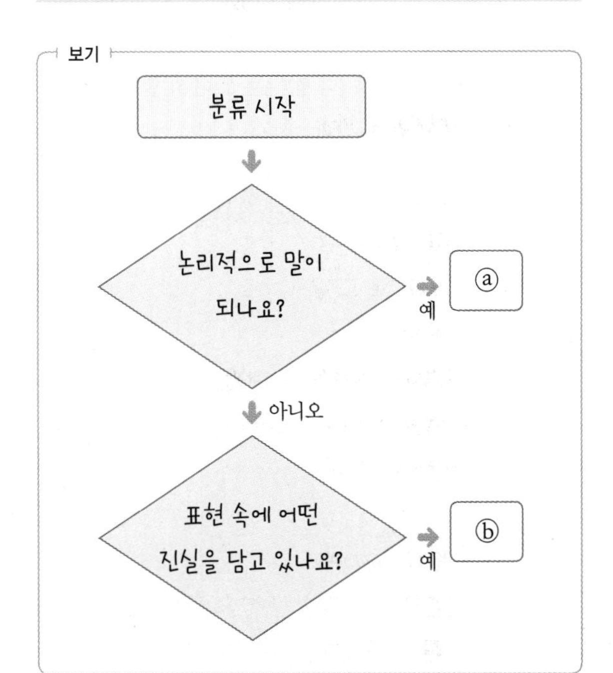

도움말

논리적으로 말이 되려면 ❶ [　　] 이/가 나타나면 안 돼요. 또 한 표현 속에 어떤 진실을 담고 있는지를 판단하려면 그 표현의 ❷ [　　] 에 어떤 다른 의미가 있는지 생각해 보면 돼요.

답 ❶ 모순 ❷ 이면

06 다음 시에서 '낙화'가 비유하고 있는 것(ⓐ)이 무엇인지 쓰고, 이별에 대한 긍정적 인식을 역설적으로 표현한 시구(ⓑ)를 찾아 쓰시오.

가야 할 때가 언제인가를
분명히 알고 가는 이의
뒷모습은 얼마나 아름다운가.

봄 한철 / 격정을 인내한
나의 사랑은 지고 있다.

분분한 낙화……
결별이 이룩하는 축복에 싸여
지금은 가야 할 때,

무성한 녹음과 그리고
머지않아 열매 맺는 / 가을을 향하여

나의 청춘은 꽃답게 죽는다.

헤어지자. / 섬세한 손길을 흔들며
하롱하롱 꽃잎이 지는 어느 날

나의 사랑, 나의 결별,
샘터에 물 고이듯 성숙하는
내 영혼의 슬픈 눈.

– 이형기, 〈낙화〉 천(노)

ⓐ	
ⓑ	

도움말

이 시는 ❶ [　　] 현상과 인간의 ❷ [　　] 을/를 연관 지어 시상을 전개하고 있어요. '낙화'에 대응하는 것이 무엇일지 생각해 보세요.

답 ❶ 자연 ❷ 삶

07 다음 글을 읽은 학생들의 대화에서 빈칸에 들어갈 알맞은 말을 순서대로 쓰시오.

"양반은 농사도 짓지 않고 장사도 하지 않지만, 글공부 대충 해서 크게 되면 문과(文科) 급제요, 작게 되더라도 진사(進士) 급제다. 문과 홍패가 이 척에 불과하지만 그 안에 온갖 물건이 구비되어 있으니, 이것이 곧 돈 자루다. [중략] 곤궁한 사(士)는 시골에 살아도 제멋대로 횡포를 부릴 수 있다. 이웃집 소를 빼어다가 제 논을 먼저 갈고, 백성들을 끌어다가 제 밭 김을 매게 한들 누가 감히 대들쏘냐? 코에다가 잿물을 들이붓고, 머리끄덩이를 돌리며 귀밑머리를 뽑은들 감히 원망할 자 없을지어다."

증서를 작성하는 중간에 부자가 혀를 내두르며 말했다.

"그만두세요. 그만둬! 맹랑하기도 합니다! 장차 나를 도둑놈으로 만들 셈입니까?"

부자는 고개를 절레절레 흔들며 가더니 죽을 때까지 다시는 양반이 되겠다는 말을 하지 않았다.

– 박지원, 〈양반전〉 천(박) 천(노) 지 동

도움말

증서에는 양반이 누릴 수 있는 ❶ [   ] 이/가 제시되어 있어요. 이를 통해 풍자하고 있는 양반의 ❷ [   ] 인 모습을 단적으로 드러낸 단어가 무엇인지 생각해 보세요.

답 ❶ 특권 ❷ 부정적

08 다음 글에 나타난 박 선생님의 태도 변화와 관련 있는 속담으로 적절한 것은?

(가) 선생님들이, 그중에서도 뼘박 박 선생님이 그렇게도 일본(우리 대일본 제국)은 결단코 전쟁에 지지 않는다고, 기어코 전쟁에 이기고 천하에 못된 미국, 영국을 거꾸러뜨려 천황 폐하의 위엄을 이 전 세계에 드날릴 날이 머지않았다고, 하루에도 몇 번씩 그런 말을 해 쌓던 그 일본이 도리어 지고 항복을 하다니, 도무지 모를 일이었다.

(나) 왜놈들은 천하의 불측한 인종이어서 남의 나라와 전쟁하기를 좋아하는 백성이라고 했다. [중략]

생각이나 행동 따위가 괘씸하고 엉큼하다.

뼘박 박 선생님은 미국을 침이 마르도록 칭찬했다. 이 세상에 미국같이 훌륭한 나라가 없고, 미국 사람같이 훌륭한 백성이 없다고 했다. 우리 조선은 미국 덕분에 해방이 되었으니까 미국을 누구보다도 고맙게 여기고, 미국이 시키는 대로 순종해야 하느니라고 했다.

– 채만식, 〈이상한 선생님〉 비

① 업은 아이 삼 년 찾는다
② 까마귀 날자 배 떨어진다
③ 참새가 방앗간을 그저 지나랴
④ 간에 붙었다 쓸개에 붙었다 한다
⑤ 감나무 밑에 누워서 홍시 떨어지기를 기다린다

도움말

(가)와 (나)에서 ❶ [   ] 와/과 미국에 대한 박 선생님의 태도가 각각 어떻게 다른지를 살펴보세요. 이를 통해 박 선생님의 ❷ [   ] 적인 태도를 엿볼 수 있어요.

답 ❶ 일본 ❷ 기회주의

3주 문학 작품의 재구성

재구성된 작품을 원작과 비교하며 감상하면 어떤 점이 좋을까?

공부할 내용

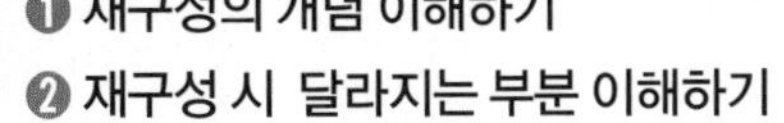

❶ 재구성의 개념 이해하기
❷ 재구성 시 달라지는 부분 이해하기
❸ 원작과 재구성된 작품을 비교하기

3주 1일 개념 돌파 전략 1

개념 01 문학 작품의 재구성

- **개념**: 문학 작품의 내용, 표현, 형식, ❶ ____, 맥락, 매체 등을 바꾸어 쓰는 것을 말함.
- **재구성된 작품을 감상하는 방법**
  - 재구성된 작품을 ❷ ____와/과 비교하며 내용과 표현의 변화 양상을 파악함.
  - 재구성된 작품에 나타난 관점의 변화나 그에 따른 형식과 맥락, 매체 등의 변화 양상을 파악함.
  - 재구성된 작품에 반영되어 있는 새로운 상상과 가치를 파악함.

답 ❶ 갈래 ❷ 원작

확인 01 다음 문장의 괄호에서 알맞은 말을 고르시오.

> 문학 작품의 내용, 표현, 형식, 갈래, 맥락, 매체 등을 바꾸어 쓰는 것을 문학 작품의 (재구성/재활용)이라고 한다.

개념 02 재구성 시 달라지는 부분 ❶

- **갈래의 변화**: 원작과 재구성된 작품의 갈래가 다름.
  - 예 • 소설 〈소나기〉와 드라마 대본 〈소나기〉
    - ➜ 소년과 소녀의 순수한 사랑을 다룬 원작 소설을 ❶ ____ 대본으로 재구성함.
  - • 소설 〈완득이〉와 뮤지컬 대본 〈완득이〉
    - ➜ 청소년 완득이의 도전과 성장을 다룬 원작 소설을 ❷ ____ 대본으로 재구성함.

답 ❶ 드라마 ❷ 뮤지컬

확인 02 다음 문장의 괄호에서 알맞은 말을 고르시오.

> 드라마 대본 〈소나기〉는 (시/소설) 〈소나기〉를 갈래를 바꾸어 재구성한 작품으로, 소년과 소녀의 순수한 사랑을 다루고 있다.

개념 03 재구성 시 달라지는 부분 ❷

- **주제의 변화**: 원작과 재구성된 작품의 주제가 다름.
  - 예 시 〈꽃〉과 시 〈'꽃'의 패러디〉
    - ➜ 원작의 주제는 '존재의 인식과 의미 있는 진정한 ❶ ____ 맺기에 관한 소망'이지만, 재구성하면서 '대상의 ❷ ____을/를 왜곡하는 명명(命名) 행위'로 주제가 바뀜.

답 ❶ 관계 ❷ 본질

확인 03 다음 시와 주제를 바르게 연결하시오.

(1) 〈꽃〉 •　　　　• ㉠ 대상의 본질을 왜곡하는 명명 행위

(2) 〈'꽃'의 패러디〉 •　　　　• ㉡ 존재의 인식과 의미 있는 진정한 관계 맺기에 관한 소망

패러디도 문학 작품을 재구성하는 방법이에요.

개념 04 재구성 시 달라지는 부분 ❸

- **맥락의 변화**: 원작과 재구성된 작품이 공간적 배경이나 시대적 배경 등 사회·문화적 ❶ ____이/가 다름.
  - 예 소설 〈개를 훔치는 완벽한 방법〉과 영화 대본 〈개를 훔치는 완벽한 방법〉
    - ➜ 미국을 배경으로 한 원작을 ❷ ____을/를 배경으로 하여 재구성함.

답 ❶ 맥락 ❷ 한국/우리나라

확인 04 다음 중 내용이 올바른 문장을 고르시오.

> ㉠ 영화 대본 〈개를 훔치는 완벽한 방법〉은 원작과 갈래가 다르다.
> ㉡ 소설 〈개를 훔치는 완벽한 방법〉과 영화 대본 〈개를 훔치는 완벽한 방법〉은 배경이 미국이다.

>> 정답과 해설 24쪽

개념 05 원작과 재구성된 작품 감상하기

- **원작과 재구성된 작품을 비교하며 감상하면 좋은 점**
  - 원작을 더욱 깊이 이해하는 계기가 될 수 있음.
  - 원작과 재구성된 작품의 ❶ [   ] 을/를 비교하면서 문학의 갈래를 더 잘 이해할 수 있음.
  - 다양한 관점과 ❷ [   ] 을/를 이해하고 존중하는 태도를 기를 수 있음.
  - 문학 작품을 재구성하는 방법을 알 수 있음.

답 ❶ 갈래 ❷ 가치

확인 05 다음 문장의 괄호에서 알맞은 말을 고르시오.

원작과 재구성된 작품을 비교하며 감상하면 다양한 관점과 가치를 이해하고 (배척하는/존중하는) 태도를 기를 수 있다.

원작과 재구성된 작품을 비교하면서 읽는 것은 깊이 있게 문학 작품을 감상하는 방법 가운데 하나예요.

개념 06 재구성할 때 고려해야 할 점

- **문학 작품을 재구성할 때 고려해야 할 점**
  - 어떤 ❶ [   ] (으)로 쓸 것인가?
  - 어떤 형식으로 쓸 것인가?
  - 어떤 주제나 내용을 담을 것인가?
  - 어떻게 표현할 것인가?
  - 어떤 매체로 표현할 것인가?
  - 사회·문화적 ❷ [   ] 을/를 바꾸어 쓸 것인가?

답 ❶ 갈래 ❷ 맥락

확인 06 다음 중 내용이 올바른 문장을 고르시오.

㉠ 문학 작품을 재구성해도 갈래는 달라지지 않는다.
㉡ 문학 작품을 재구성할 때 매체를 달리할 수 있다.

개념 07 문학 작품의 재구성 사례

- **시 〈사평역에서〉와 소설 〈사평역〉**
  - 시 〈사평역에서〉 작품 개관

갈래	현대시
주제	막차를 기다리는 사람들의 삶의 애환
특징	① 간결하고 절제된 어조로 표현함. ② 차가움과 따뜻함의 이미지 대조가 나타남.

  - 소설 〈사평역〉 작품 개관

갈래	현대 소설
주제	간이역 대합실에서 나누는 삶에 대한 교감
특징	① 시에 ❶ [ ] 상상력을 더하여 재구성함. ② 중심인물 없이 여러 인물의 내면이 서술됨.

  - 〈사평역에서〉와 〈사평역〉의 공통점과 차이점

공통점	• 시에 등장하는 '막차', '대합실', '눈', '톱밥' 등의 소재가 소설에도 등장함. • 작품의 분위기나 상황, 주제가 상당 부분 유사함.
차이점	• 시에는 화자 '나'의 정서가 주로 형상화되어 있음. • 소설에서는 전지적 ❷ [ ] 이/가 여러 인물의 삶과 각각의 내면을 구체적으로 서술하고 있음.

답 ❶ 서사적 ❷ 서술자

확인 07 다음 문장의 괄호에서 알맞은 말을 고르시오.

소설 〈사평역〉은 (시/연극 대본) 〈사평역에서〉를 갈래를 바꾸어 재구성한 작품으로, 중심인물 없이 여러 인물의 내면을 서술하고 있는 것이 특징이다.

원작과 재구성된 작품 각각이 지니고 있는 가치를 생각하며 감상해 보세요.

3주 1일 개념 돌파 전략 2

01 다음 빈칸에 공통으로 들어갈 알맞은 말을 쓰시오.

> 원작을 읽고 작품의 내용, 표현, 형식, 갈래, 맥락, 매체 등을 바꾸어 쓰는 것을 문학 작품의 (   )(이)라고 한다. 현진건의 소설 〈운수 좋은 날〉을 바탕으로 하여 창작한 애니메이션 대본 〈운수 좋은 날〉이 이와 같은 (   )의 예에 해당한다.

문제 해결 전략

- 문학 작품을 재구성할 때에는 내용, 표현, ❶ [ ], 갈래, 맥락, 매체 등을 바꾸어 쓸 수 있다.
- 애니메이션 대본 〈운수 좋은 날〉은 원작과 비교했을 때 ❷ [ ]을/를 바꾸어 창작한 작품이다.

답 ❶ 형식 ❷ 갈래

02 재구성된 작품을 감상하는 방법으로 적절하지 않은 것은?

① 내용과 표현의 변화 양상을 파악한다.
② 재구성된 작품에 반영된 새로운 가치를 파악한다.
③ 재구성된 작품에 나타난 관점의 변화를 파악한다.
④ 재구성된 작품에 나타난 형식과 맥락 등의 변화 양상을 파악한다.
⑤ 재구성된 작품은 별개의 작품이므로 절대 원작과 비교하지 않는다.

문제 해결 전략

- 재구성된 작품을 감상할 때에는 내용과 ❶ [ ]의 변화 양상을 파악할 수 있다.
- 재구성된 작품에 나타난 ❷ [ ]의 변화나 재구성에 따른 형식과 맥락, 매체 등의 변화 양상을 파악할 수 있다.

답 ❶ 표현 ❷ 관점

03 (나)는 (가)를 재구성한 작품이다. (나)에서 변화한 점으로 가장 적절한 것은?

> (가) "너무 갑갑해서 나왔다. …… 그날 참 재밌었어. …… 근데 그날 어디서 이런 물이 들었는지 잘 지지 않는다."
> 소녀가 분홍 스웨터 앞자락을 내려다본다.
>
> – 황순원, 〈소나기〉 천(박)
>
> (나) 〈S# 83〉 개울가
> 소녀 하두 답답해서 나왔어. (다시 기침한다.)
> 소년 (걱정스럽게 본다.)
> 소녀 괜찮대두. 참, 그날 재밌었어. 근데 그날 어디서 이런 물이 들었는지 잘 지지 않는다.
>
> 
>
> – 염일호, 〈소나기〉 천(박)

① 갈래　② 배경　③ 주제
④ 중심인물　⑤ 인물의 성격

문제 해결 전략

- (가)는 서술자에 의해 이야기가 전개되고 인물의 말이 나타나 있으므로 갈래는 ❶ [ ](이)다.
- (나)에는 장면 번호와 배경, 인물의 대사, 지시문이 나타나 있으므로 갈래는 드라마 ❷ [ ](이)다.

답 ❶ 소설 ❷ 대본

>> 정답과 해설 24쪽

04 (나)는 (가)를 재구성한 작품이다. (가)와 (나)에 대한 설명으로 적절하지 <u>않은</u> 것은?

(가) 내가 그의 이름을 불러 주기 전에는
그는 다만 / 하나의 몸짓에 지나지 않았다.

내가 그의 이름을 불러 주었을 때
그는 나에게로 와서 / 꽃이 되었다.

– 김춘수, 〈꽃〉

(나) 내가 그의 이름을 불러 주기 전에는
그는 다만 / 왜곡될 순간을 기다리는 기다림
그것에 지나지 않았다.

내가 그의 이름을 불렀을 때
그는 곧 나에게로 와서 / 내가 부른 이름대로 모습을 바꾸었다.

– 오규원, 〈'꽃'의 패러디〉

① (나)는 (가)를 재구성하면서 주제가 변화하였다.
② (가)와 (나) 모두 '이름 부르기'에 관해 노래하고 있다.
③ (나)는 '이름 부르기'가 대상의 본질을 왜곡한다고 보고 있다.
④ (가)는 '이름 부르기'로 진정한 관계를 맺을 수 있다고 보고 있다.
⑤ (가)는 '이름 부르기'를 부정적으로, (나)는 긍정적으로 바라보고 있다.

문제 해결 전략

- (가)는 '이름 부르기'라는 행위를 통해 서로의 ❶ [ ] 을/를 인식하고 진정한 관계를 맺을 수 있다고 보고 있다.
- (나)는 '❷ [ ] 부르기'가 대상의 본질을 왜곡하는 행위라고 보고 있다.

답 ❶ 존재 ❷ 이름

05 다음 대화를 보고, 빈칸에 들어갈 알맞은 말을 쓰시오.

어제 〈개를 훔치는 완벽한 방법〉이라는 영화를 봤어. 알고 보니 미국을 배경으로 한 소설이 원작이더라.

그런데 영화는 배경이 한국이라며? 우리나라 정서를 고려하여 사회·문화적 ( )을/를 달리해 재구성한 거지.

문제 해결 전략

- 원작과 재구성된 작품은 배경과 같은 ❶ [ ] · 문화적 맥락이 다를 수 있다.
- 영화 〈개를 훔치는 완벽한 방법〉은 소설을 재구성하면서 ❷ [ ] 에서 한국으로 배경을 바꾸었다.

답 ❶ 사회 ❷ 미국

06 다음은 재구성된 작품을 추천하는 글이다. (가)와 (나)의 공통점으로 적절한 것은?

(가)

#동화의_재구성 #강력_추천

소설 〈백설 공주를 사랑한 난장이〉를 추천합니다. 뮤지컬로 이미 알고 계신 분도 있을 것입니다. 동화 〈백설 공주〉를 재구성한 작품으로, 백설 공주를 사랑하는 막내 난쟁이 반달이의 이야기를 그리고 있습니다. 위기에 빠진 백설 공주를 구하려고 온갖 위험을 무릅쓰는 반달이의 모습이 인상적입니다. 누군가를 짝사랑해 본 경험이 있는 분이라면 공감하며 읽을 수 있을 거예요.

(나)

#고전_소설의_재구성 #완전_추천

소설 〈허생의 처〉를 추천합니다. 고전 소설 〈허생전〉을 아시나요? 〈허생의 처〉는 〈허생전〉에서 부수적 인물이었던 허생의 부인이 주인공이자 서술자가 되어 자신의 이야기를 전달하는 작품입니다. 허생의 부인은 사회적 체면과 대의명분만 중시하고 가정은 돌보지 않는 남편을 비판하며 적극적이고 주체적인 인물로 변화합니다. 허생이 비판의 대상이 된다는 점이 흥미롭지 않나요?

① 원작의 결말을 유지하며 재구성한 작품을 추천하고 있다.
② 원작과 중심인물을 달리하여 재구성한 작품을 추천하고 있다.
③ 원작과 시간적 배경을 달리하여 재구성한 작품을 추천하고 있다.
④ 원작과 공간적 배경을 달리하여 재구성한 작품을 추천하고 있다.
⑤ 원작에서 비판하는 대상을 유지하여 재구성한 작품을 추천하고 있다.

문제 해결 전략

- (가)에서 추천하는 소설 〈백설 공주를 사랑한 난장이〉는 원작에서 ❶ ______ 인물이었던 일곱 번째 난쟁이가 주인공이다.
- (나)에서 추천하는 소설 〈허생의 처〉는 허생이 주인공인 원작과는 달리 ❷ ______ 의 부인이 주인공이다.

답 ❶ 부수적 ❷ 허생

07 원작과 재구성된 작품을 비교하며 감상하면 좋은 점으로 적절하지 <u>않은</u> 것은?

① 원작을 더욱 깊이 이해할 수 있다.
② 문학의 갈래를 잘 이해할 수 있다.
③ 다양한 관점과 가치를 이해할 수 있다.
④ 문학 작품을 재구성하는 방법을 알 수 있다.
⑤ 재구성된 작품보다 원작이 더 훌륭함을 알 수 있다.

문제 해결 전략

- 재구성된 작품도 독립된 별개의 작품이므로 각 작품이 지니고 있는 ❶ ______ 을/를 생각하며 감상하는 것이 좋다.
- 원작과 재구성된 작품을 비교하며 읽으면 다양한 ❷ ______ 와/과 가치를 이해하고 존중하는 태도를 기를 수 있다.

답 ❶ 가치 ❷ 관점

>> 정답과 해설 24쪽

08 문학 작품을 재구성할 때 고려해야 할 점으로 거리가 가장 먼 것은?

① 어떤 갈래로 쓸 것인가?
② 어떤 주제를 담을 것인가?
③ 어떤 매체로 표현할 것인가?
④ 원작이 서점에서 많이 판매되었는가?
⑤ 사회·문화적 맥락을 바꾸어 쓸 것인가?

문제 해결 전략

- 문학 작품을 재구성할 때에는 어떤 갈래로 쓸지, 어떤 주제를 담을지, 어떤 매체로 표현할지, 사회·❶ [ ] 맥락을 바꾸어 쓸지 등을 고려해야 한다.
- 이 과정에서 ❷ [ ]의 특성이 유지될 수도 있고, 변화할 수도 있다.

답 ❶ 문화적 ❷ 원작

09 (가)와 (나)를 감상한 학생들의 대화를 보고, 괄호에서 알맞은 말을 고르시오.

(가) 막차는 좀처럼 오지 않았다
　　대합실 밖에는 밤새 송이눈이 쌓이고
　　흰 보라 수수꽃 눈 시린 유리창마다 / 톱밥 난로가 지펴지고 있었다
　　그믐처럼 몇은 졸고 / 몇은 감기에 쿨럭이고
　　그리웠던 순간들을 생각하며 나는
　　한 줌의 톱밥을 불빛 속에 던져 주었다

– 곽재구, 〈사평역에서〉

(나) 막차는 좀처럼 오지 않았다.
　별로 복잡한 내용이랄 것도 없는 장부를 마저 꼼꼼히 확인해 보고 나서야 늙은 역장은 돋보기안경을 벗어 책상 위에 놓고 일어선다.
　벌써 삼십 분이나 지났군.
[중략]
　건널목 옆 외눈박이 수은등이 껑충하게 서서 홀로 눈을 맞으며 희뿌연 얼굴로 땅바닥을 내려다보고 있다. 송이눈이다.

– 임철우, 〈사평역〉

(나)는 (가)의 시를 재구성하여 쓴 소설이야. (가)에는 화자 '나'가, (나)에는 전지적 서술자가 나타나 있어.

(나)는 계절적 배경을 (여름/겨울)(으)로, 공간적 배경을 간이역 대합실로 원작과 동일하게 설정하였어.

문제 해결 전략

- (가)의 갈래는 시이고, (나)의 갈래는 소설이다.
- (가)에는 화자 '❶ [ ]'이/가 나타나 있지만, (나)에서는 전지적 서술자가 인물의 내면까지 서술하고 있다.
- (가)와 (나)는 계절적 배경이 겨울이고, 공간적 배경이 ❷ [ ] 대합실이다.

답 ❶ 나 ❷ 간이역

3주 2일 필수 체크 전략 1

[1] 다음 글을 읽고, 물음에 답하시오.

㉮ 모진 소리를 들으면
내 입에서 나온 소리가 아니더라도
내 귀를 겨냥한 소리가 아니더라도
모진 소리를 들으면 / 가슴이 쩌엉한다.
온몸이 쿡쿡 아파 온다
누군가의 온몸을
가슴속부터 쩡 금 가게 했을 / 모진 소리

– 황인숙, 〈모진 소리〉 천(박)

이 작품은 모진 소리가 나와 타인과 세상을 아프게 한다는 것을 노래한 시입니다.

㉯ 교실 앞에 다다르자, 아이들 몇이 옹기종기 모여 있는 모습이 보였다. [중략]

"그런데 이제 와서 갑자기 그러면 어떻게 해? 너는 늘 너만 생각해. 참 이기적이다. 짜증 나, 정말."

민아는 현우가 당황해서 어쩔 줄 몰라 하는데도 아랑곳하지 않고 마구 말을 내뱉었다. 민아의 말은 화살이 되고 만다. 현우에게 날카로운 화살이 꽂혔다. 현우의 얼굴이 하얘졌다. 내 가슴 한구석이 쿡쿡 쑤셨다. 아, 아프다. 상대방을 할퀴는 저 모진 소리. 왜지. 왜 이리 아플까. 애써 부정해 본다. 나한테 하는 말도 아닌데, 뭐. 문득, 민아의 말이 어딘가 낯설지 않다는 것을 느꼈다.

– 학생 작품, 〈거울〉 천(박)

이 작품은 시 〈모진 소리〉를 재구성한 소설로, 친구들의 모습을 통해 모진 소리를 했던 자신을 반성하는 주인공이 나타나 있습니다.

대표 유형 1 시를 재구성할 때 고려한 점 파악하기

1 (나)는 (가)를 재구성한 작품이다. (가)를 (나)로 재구성할 때 고려한 점으로 적절하지 않은 것은?

① 원작과 갈래를 다르게 하여 재구성해야지.
② '모진 소리'의 예를 구체적으로 드러내야지.
③ 주인공 '나'를 서술자로 설정하고 이야기를 구성해야지.
④ 원작의 주제를 담지 않고 완전히 새로운 주제를 전달해야지.
⑤ 모진 소리를 한 사람과 들은 사람을 구체적으로 설정해야지.

유형 해결 전략

(가)의 갈래는 ❶ [   ], (나)의 갈래는 소설이다. 시를 ❷ [   ](으)로 재구성할 때에는 인물, 배경, 사건 등을 구체적으로 설정해야 한다.

답 ❶ 시 ❷ 소설

1-1 다음은 (나)의 글쓴이가 재구성할 때 떠올린 생각이다. 빈칸에 들어갈 말로 적절하지 않은 것은?

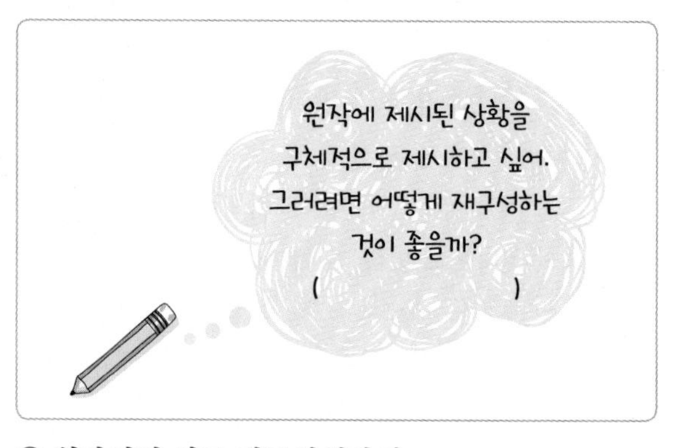

① 원작처럼 시로 재구성해야지.
② 구체적인 공간적 배경을 설정해야지.
③ 원작의 시구가 나타내는 장면을 구체화해야지.
④ 주인공이 모진 소리를 듣는 상황을 설정해야지.
⑤ 모진 소리를 하는 사람과 듣는 사람을 정해야지.

[2] 다음을 보고, 물음에 답하시오.

가 비가 오면 생기던 웅덩이에 씨앗 하나가 떨어졌지.

바람은 나뭇잎을 데려와 슬그머니 덮어 주고
겨울 내내 나뭇잎
온몸이 꽁꽁 얼 만큼 추웠지만
가만히 있어 주었지.

– 경종호, 〈새싹 하나가 나기까지는〉 천(박)

이 작품은 새싹 하나가 나기까지 주변의 여러 도움이 필요함을 노래한 시입니다.

– 한국문화예술위원회, 〈새싹 하나가 나기까지는〉 천(박)

이 작품은 시 〈새싹 하나가 나기까지는〉을 재구성한 영상 시로, 시각적·청각적 요소를 종합적으로 활용하여 시의 내용을 전달하고 있습니다.

대표 유형 2 재구성하면서 달라진 부분 파악하기

2 **(나)는 (가)를 재구성한 작품이다. (가)와 (나)를 비교한 내용으로 적절하지 않은 것은?**

① (가)의 갈래는 시, (나)의 갈래는 영상 시이다.
② (나)는 (가)의 내용을 시각화하여 전달하고 있다.
③ (나)는 (가)와 내용과 주제를 동일하게 유지하고 있다.
④ (나)는 (가)와 달리 전달 매체로 소리를 활용하고 있다.
⑤ (나)는 (가)와 달리 전달 매체로 문자를 활용하고 있지 않다.

유형 해결 전략

(나)의 갈래는 ❶ (으)로, (가)의 시구 내용과 어울리는 그림, 시의 ❷ 에 어울리는 배경 음악, 낭송자의 음성 등을 활용하여 재구성하였다.

답 ❶ 영상 시 ❷ 분위기

2-1 **(가)와 (나)를 비교하여 이해한 독자의 반응으로 적절하지 않은 것은?**

① (가)를 (나)로 재구성하면서 갈래가 달라졌어.
② (가)를 (나)로 재구성하면서 시와 어울리는 음악을 추가하였어.
③ (가)를 (나)로 재구성하면서 시구가 자막으로 제시되도록 구성하였어.
④ (가)를 (나)로 재구성하면서 한 연마다 하나의 장면으로 재구성하였어.
⑤ (가)를 (나)로 재구성하면서 시구의 내용을 나타내는 그림을 추가하였어.

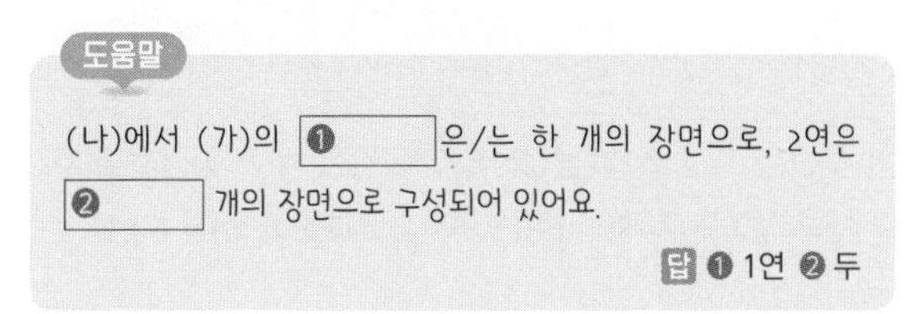
도움말

(나)에서 (가)의 ❶ 은/는 한 개의 장면으로, 2연은 ❷ 개의 장면으로 구성되어 있어요.

답 ❶ 1연 ❷ 두

[3] 다음 시를 읽고, 물음에 답하시오.

인당수에 빠질 수는 없습니다
어머니, / 저는 살아서 시를 짓겠습니다

공양미 삼백 석을 구하지 못하여
당신이 평생을 어둡더라도
결코 인당수에 빠지지는 않겠습니다
어머니, / 저는 여기 남아 책을 보겠습니다

나비여, / 나비여,
애벌레가 나비로 날기 위하여
누에고치를 버리는 것이 / 죄입니까?
하나의 알이 새가 되기 위하여
껍질을 부수는 것이 / 죄일까요?

그 대신 점자책을 사 드리겠습니다
시각 장애인이 읽을 수 있도록 점자로 만든 책.
어머니, / 점자 읽는 법도 가르쳐 드리지요

우리의 삶은 모두 이와 같습니다
우리들 각자가 배우지 않으면 안 되는
외국어와 같은 것—
어디에도 인당수는 없습니다
어머니, / 우리는 스스로 눈을 떠야 합니다

– 김승희, 〈배꼽을 위한 연가 5〉 금

이 작품은 고전 소설 〈심청전〉을 재구성한 시로, '심청'을 화자로 설정하고 삶을 스스로 개척해 나가는 의지를 노래하고 있습니다.

대표 유형 3 재구성된 작품에 반영된 관점 및 가치 파악하기

3 〈보기〉는 이 시의 원작 〈심청전〉의 줄거리이다. 이 시에 반영된 관점을 파악한 내용으로 적절하지 않은 것은?

보기

심청은 아버지 심 봉사의 눈을 뜨게 하려고 공양미 삼백 석을 얻기 위해 인당수에 몸을 던진다. 심청의 효심에 감동한 용왕은 심청을 연꽃에 태워 인당수로 돌려보내고, 뱃사람들이 이를 발견하고 임금님께 바쳐 심청은 왕비가 된다. 심청은 맹인 잔치를 열어 아버지를 찾고, 잔치에서 심청을 만난 심 봉사는 반가움과 놀라움에 눈을 뜬다.

① 전통적인 효도관에 의문을 제기하고 있다.
② 자신의 삶을 개척하는 태도를 강조하고 있다.
③ 부모를 위한 무조건적인 희생을 거부하고 있다.
④ 다른 사람의 희생으로 살 수 없다는 생각을 드러내고 있다.
⑤ 장애를 인정하고 사회의 도움을 받아야 한다고 말하고 있다.

유형 해결 전략

이 시의 화자는 ❶ ______(으)로, 자신의 삶을 개척해 나가겠다는 의지를 드러내고 있다. 원작 〈심청전〉에서 중시하고 있는 전통적인 ❷ ______을/를 거부하고 새로운 가치관을 제시하고 있다.

답 ❶ 심청 ❷ 효도관

3-1 이 시의 내용을 바탕으로 할 때 다음 질문의 답으로 가장 적절한 것은?

원작 〈심청전〉에 대한 시인의 태도는 어떠한가요?

① 객관적 ② 비판적 ③ 예찬적
④ 순응적 ⑤ 희망적

[4] 다음 글을 읽고, 물음에 답하시오.

가 당콩밥에 가지냉국의 저녁을 먹고 나서
강낭콩을 넣어 지은 밥.
바가지꽃 하이얀 지붕에 박각시 주락시 붕붕 날아오면
나방의 종류
집은 안팎 문을 횅하니 열젖기고

인간들은 모두 뒷등성으로 올라 멍석자리를 하고 바람을 쐬이는데

풀밭에는 어느새 하이얀 대림질감들이 한불 널리고
일정한 범위나 공간에 사람이나 물건 등이 쭉 널려 있는 모양.
돌우래며 팟중이 산 옆이 들썩하니 울어 댄다.
땅강아지. 메뚜깃과의 곤충.
이리하여 한울에 별이 잔콩 마당 같고
하늘. 팥.
강낭밭에 이슬이 비 오듯 하는 밤이 된다.
옥수수를 심은 밭.

– 백석, 〈박각시 오는 저녁〉 동

이 작품은 시골의 여름 저녁 풍경을 아름답고 섬세하게 묘사한 시로, 인간과 자연이 조화를 이루며 살아가는 모습을 노래하고 있습니다.

나 이제는 고마도 알 것 같았습니다. 이날 모임이 여느 잔치가 아니고 제사라는 것을요. 그러니까 살던 곳을 떠나는 이들이 조상에게 보내는 인사였어요. [중략] 제사의 끝은 모두 같이 잔을 기울이는 것이었어요. 잔을 높이 들고 한마디씩 했습니다.

"자, 고향 땅에 마지막 인사를 하세!" / "할머니를 위하여!"

고마도 잔 하나를 얻어 같이 마셨어요. 그건 한 번도 맛본 적 없는, 아주 달콤하고 상쾌한 그런 맛이었습니다.

이제 돌아갈 시간이 되었어요.

"안녕히 계세요." / 고마가 인사를 했을 때, 땅지 영감과 박각시와 모인 이들은 고마에게 따뜻한 눈길을 보냈습니다. 마치 살가운 식구를 떠나보내듯이요.

– 김기정, 〈박각시와 주락시〉 동

이 작품은 시 〈박각시 오는 저녁〉을 재구성한 동화입니다. 풀벌레들과 고마의 신비로운 만남을 통해 소중한 것을 잊고 사는 현대 사회의 각박한 삶에 대한 성찰과 안타까움을 드러내고 있습니다.

대표 유형 4 원작과 재구성된 작품 감상의 의의 이해하기

4 (나)는 (가)를 재구성한 작품이다. (가)와 (나)를 비교하여 감상할 때 얻을 수 있는 효과로 적절하지 않은 것은?

① 원작을 더욱 깊이 있게 이해하는 계기가 될 수 있다.
② 다양한 관점을 이해하고 존중하는 태도를 기를 수 있다.
③ 재구성된 작품보다 원작이 더 가치 있음을 깨달을 수 있다.
④ 새로운 내용을 상상하여 표현하는 즐거움을 깨달을 수 있다.
⑤ 원작의 내용이 재구성된 작품에 어떻게 반영되었는지 살펴보는 재미를 얻을 수 있다.

유형 해결 전략

(가)는 시이고, (나)는 (가)를 바탕으로 하여 재구성한 ❶ ______(이)다. 두 작품을 비교하며 감상하면 재구성 과정에서 추가된 새로운 상상이나 ❷ ______을/를 발견하는 즐거움을 얻을 수 있다.

답 ❶ 동화 ❷ 가치

4-1 (가)와 (나)를 비교하며 감상한 독자의 반응으로 가장 적절한 것은?

① (가)의 풀벌레들을 (나)에서 의인화하여 환상적인 분위기를 형성하고 있어.
② (가)와 달리 (나)에서는 제사드리는 풍경을 묘사하며 허례허식을 비판하고 있어.
③ (가)의 음식들이 (나)에서도 등장하여 소박한 삶에서 얻는 행복을 강조하고 있어.
④ (가)는 인간들의 대화를 통해, (나)는 풀벌레들의 대화를 통해 갈등과 화해를 드러내고 있어.
⑤ (가)와 달리 (나)에서는 고향을 떠나야 하는 상황을 통해 도전하는 태도의 필요성을 드러내고 있어.

3주 2일 필수 체크 전략 2

[01~03] 다음 글을 읽고, 물음에 답하시오.

가 모진 소리를 들으면

내 입에서 나온 소리가 아니더라도
내 귀를 겨냥한 소리가 아니더라도
모진 소리를 들으면 / 가슴이 쩌엉한다.
㉠온몸이 쿡쿡 아파 온다 / 누군가의 온몸을
가슴속부터 쩡 금 가게 했을 / 모진 소리

- 황인숙, 〈모진 소리〉 천(박)

나 따뜻한 말을 들으면

내 입에서 나온 말이 아니더라도
내 귀를 향한 말이 아니더라도
따뜻한 말을 들으면 / 가슴이 따뜻하다.
미소가 사르르 번진다 / 누군가의 온몸을
가슴속부터 활짝 꽃 피게 했을 / 따뜻한 말

- 학생 작품, 〈따뜻한 말〉 천(박)

다 힘겹게 고개를 들어 내 얼굴과 마주한다. 아무 생각도 나지 않았다. 마음이 '쩡' 하고 무너진다. ㉡'쩌엉' 하고 거울에 금이 간다. 조각난 얼굴 뒤로 선미의 얼굴이 겹쳤다. 착각일까. 선미의 얼굴이 점점 다가와 내 옆에서 멈췄다. 고개를 돌렸다. 내 옆에는 당황한 얼굴을 한 선미가 서 있었다. 진짜 선미였다. 나는 엉거주춤 서서 입을 뗐다. 마음속에 꾹 눌러 담았던 말이 불쑥 튀어나왔다.

"미안해." / "뭐가?"

"저번에 전화로 심한 말 했던 거. 진심은 아니었어. 그때 너무 화가 나서 막말을 했던 것 같아. 미안해."

나는 고개를 푹 숙이고 말았다. 내 사과를 받아 줄까. 우리는 침묵을 지켰다.

"아니야, 지하철을 타고 가는 동안 네 말이 머릿속에 맴돌아서 속상하기도 했지만, 네 심정이 이해되기도 했어. 힘들었을 텐데 너한테 너무 떠맡겨서 미안해."

- 학생 작품, 〈거울〉 천(박)

01 (나)는 (가)를 재구성한 작품이다. (가)와 (나)를 비교한 내용으로 적절하지 않은 것은?

① (나)는 (가)와 제재와 주제를 달리하였다.
② (나)는 (가)의 형식을 그대로 따르고 있다.
③ (가)와 (나) 모두 화자가 의인화된 존재이다.
④ (가)와 (나)는 작품의 분위기가 서로 다르다.
⑤ (가)와 (나) 모두 말의 영향을 노래하고 있다.

02 (가)의 ㉠에 대응하는 (나)의 시구를 찾아 쓰시오.

도움말
(나)에서는 따뜻한 말을 들으면 마음이 따뜻해진다는 것을 '❶ ______', '활짝'과 같은 ❷ ______을/를 사용하여 생생하게 표현하고 있어요.
답 ❶ 사르르 ❷ 의태어

03 〈보기〉를 참고하여 (다)의 ㉡을 바르게 이해한 학생은?

보기
'거울'은 자신의 모습을 비추어 보는 물건으로, 문학 작품에서 인물의 심리를 나타내는 소재로 자주 활용된다.

① '나'와 선미의 관계가 악화된다는 의미구나.
② '나'가 모진 소리 때문에 상처받았다는 의미구나.
③ '나'가 모진 소리를 하기로 다짐했다는 의미구나.
④ '나'가 모진 소리를 하는 사람에게 맞설 것이라는 의미구나.
⑤ '나'가 모진 소리를 하는 사람과 거리를 둘 것이라는 의미구나.

[04~05] 다음을 보고, 물음에 답하시오.

(가) 비가 오면 생기던 웅덩이에 씨앗 하나가 떨어졌지.

바람은 나뭇잎을 데려와 슬그머니 덮어 주고
겨울 내내 나뭇잎
온몸이 꽁꽁 얼 만큼 추웠지만
가만히 있어 주었지.

봄이 되고
벽돌담을 돌던 햇살이 스윽 손을 내밀었어.
그때, 땅강아지는 엉덩이를 들어
뿌리가 지나갈 길을 열어 주었지.
비가 오지 않은 날엔 지렁이도
물 한 모금 우물우물 나눠 주었지.

물론 오늘 아침 학교 가는 길
연두색 점 하나를 피해 네가 '팔딱' 뛰었던 것이
가장 중요한 일이긴 하지만 말이야.

- 경종호, 〈새싹 하나가 나기까지는〉 천(박)

(나)

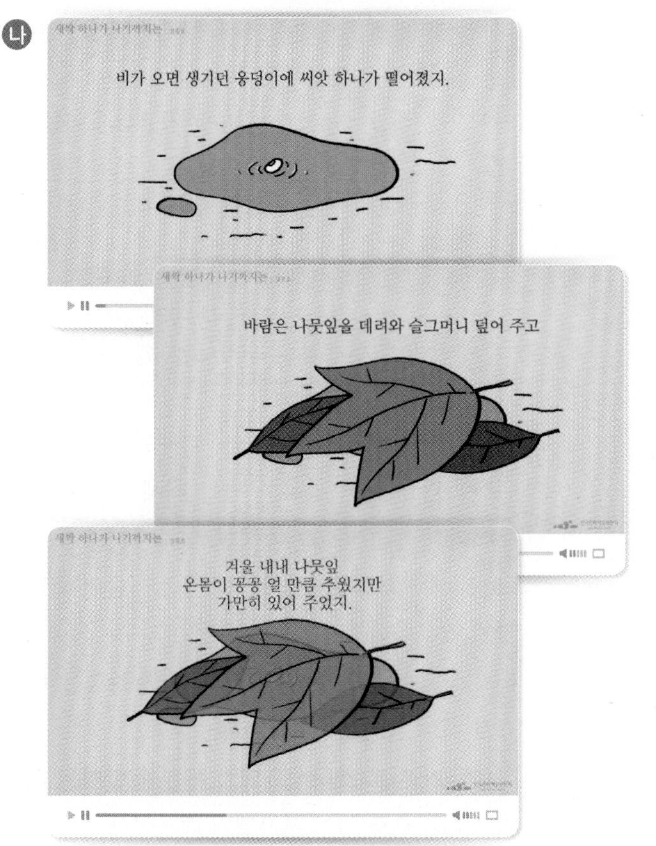

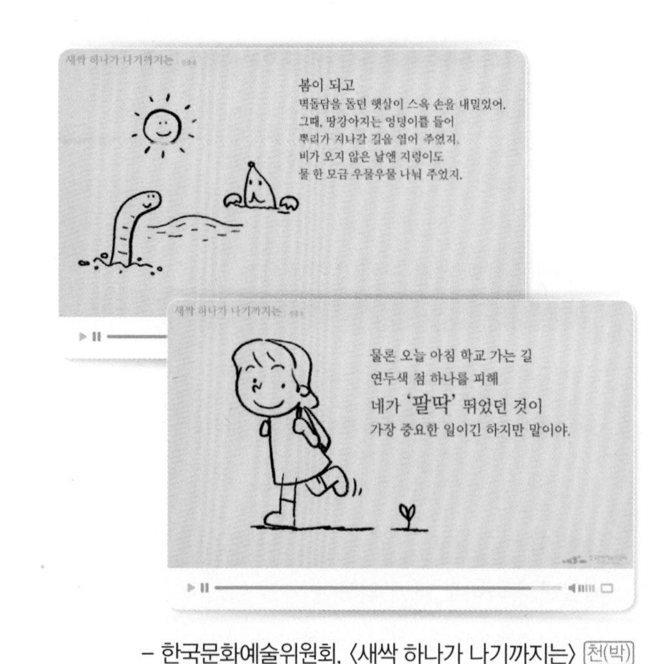

- 한국문화예술위원회, 〈새싹 하나가 나기까지는〉 천(박)

04 (나)는 (가)를 재구성한 영상 시이다. (나)에 대한 설명으로 적절하지 않은 것은?

① 새싹이 나기까지의 과정을 보여 주고 있다.
② 글씨 크기와 굵기의 변화로 내용을 강조하고 있다.
③ 원작과 달리 전달 매체로 소리를 사용하지 않았다.
④ 하나의 연을 두 개의 장면으로 구성한 부분이 있다.
⑤ 시구와 어울리는 그림을 제시하여 이해를 돕고 있다.

05 〈보기〉에 제시된 존재의 공통적인 역할을 서술하시오.

보기
바람, 나뭇잎, 햇살, 땅강아지, 지렁이, '너'

조건
1. 씨앗에 미친 영향을 중심으로 하여 쓸 것
2. '~(하)는 역할을 하였다.' 형식의 한 문장으로 쓸 것

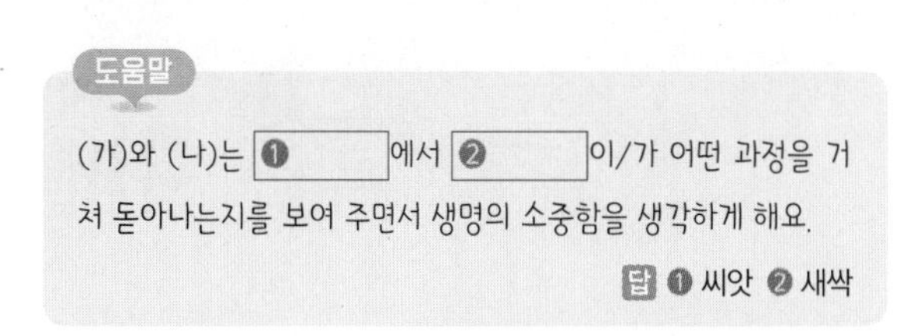

필수 체크 전략 2

[06~07] 다음 시를 읽고, 물음에 답하시오.

인당수에 빠질 수는 없습니다
어머니, / 저는 살아서 시를 짓겠습니다

㉠공양미 삼백 석을 구하지 못하여
당신이 평생을 어둡더라도
결코 ㉡인당수에 빠지지는 않겠습니다
어머니, / 저는 여기 남아 책을 보겠습니다

나비여, / ㉢나비여,
애벌레가 나비로 날기 위하여
누에고치를 버리는 것이 / 죄입니까?
하나의 알이 ㉣새가 되기 위하여
㉤껍질을 부수는 것이 / 죄일까요?

그 대신 점자책을 사 드리겠습니다
어머니, / 점자 읽는 법도 가르쳐 드리지요

우리의 삶은 모두 이와 같습니다
우리들 각자가 배우지 않으면 안 되는
외국어와 같은 것—
어디에도 인당수는 없습니다
어머니, / 우리는 스스로 눈을 떠야 합니다

– 김승희, 〈배꼽을 위한 연가 5〉 금

06 ㉠~㉤의 의미로 적절하지 않은 것은?

① ㉠: 화자의 희생을 통해 얻게 될 이익
② ㉡: 부모를 위해 희생하는 공간
③ ㉢: 성숙한 존재
④ ㉣: 미성숙한 존재
⑤ ㉤: 어려움에 부딪히고 도전하는 삶

도움말
화자는 애벌레가 ❶ ______(으)로 날기 위해 누에고치를 버리는 것, 알이 ❷ ______이/가 되기 위해 껍질을 부수는 것을 통해 자신의 삶을 개척하는 것은 죄가 아니라고 말하고 있어요.

답 ❶ 나비 ❷ 새

07 이 시를 감상한 독자가 〈보기〉의 심청을 아래처럼 평가하였을 때 그 이유로 가장 적절한 것은?

보기
심청이 여쭙기를,
"제가 못난 딸자식으로 아버지를 속였어요. 공양미 삼백 석을 누가 저에게 주겠어요. 남경 뱃사람들에게 인당수 제물로 몸을 팔아 오늘이 떠나는 날이니 저를 마지막 보셔요."
– 작자 미상, 〈심청전〉

부모를 위한 무조건적인 희생은 효도가 아니라고 생각해. 그러므로 죽음을 선택한 〈보기〉의 심청의 행동은 바람직하지 않아.

① 〈보기〉와 시의 갈래적 특성이 다르기 때문이다.
② 〈보기〉와 시에서 활용한 전달 매체가 다르기 때문이다.
③ 〈보기〉가 시로 재구성되면서 심청의 나이가 달라졌기 때문이다.
④ 독자가 〈보기〉와 비슷한 일을 겪은 경험을 바탕으로 하여 평가했기 때문이다.
⑤ 〈보기〉가 시로 재구성되면서 새롭게 반영된 가치관을 바탕으로 하여 평가했기 때문이다.

[08~09] 다음 글을 읽고, 물음에 답하시오.

㉮ 당콩밥에 가지냉국의 저녁을 먹고 나서
바가지꽃 하이얀 지붕에 박각시 주락시 붕붕 날아오면
집은 안팎 문을 횅하니 열젖기고
인간들은 모두 뒷등성으로 올라 멍석자리를 하고 바람을 쐬이는데
풀밭에는 어느새 하이얀 대림질감들이 한불 널리고
돌우래며 팟중이 산 옆이 들썩하니 울어 댄다.
이리하여 한울에 별이 잔콩 마당 같고
강낭밭에 이슬이 비 오듯 하는 밤이 된다.

– 백석, 〈박각시 오는 저녁〉 동

㉯ 아빠가 할머니 집을 팔려고 내놓았을 때 아들 고마는 그닥 놀라지 않았어요. 할머니는 돌아가셨고 이제 집주인은 아빠 구만 씨였으니까요.

구만 씨는 전에도 여러 번 할머니를 닦달하곤 했습니다.
(닦달하다: 남을 단단히 윽박질러서 혼을 내다.)
"어서 팔아 버리세요!" / 그럴 때마다 할머니는 말렸어요.
"얘야, 집은 함부로 파는 게 아니란다. 여긴 네가 나고 자란 곳이잖니?" [중략]

주락시를 등에 업었을 때, 고마는 손끝에 뭔가 잡히는 걸 느꼈어요. 주락시의 가느다란 다리뼈였죠. 부러졌다는 그 뼈였습니다. / 고마가 고개를 돌려 주락시를 슬쩍 보았는데, 주락시는 그냥 웃어 줄 뿐이었어요.

"많이 아팠어요?" / "아니, 일부러 그런 것도 아닌데."

고마는 어쩌다 그랬는지 묻지 않았습니다. ㉠다만 눈물이 자꾸 나는 건 어쩔 수 없었습니다.

– 김기정, 〈박각시와 주락시〉 동

08 다음은 (가)의 화자와 (나)의 아빠가 집을 바라보는 관점을 비교하여 정리한 내용이다. 빈칸에 들어갈 알맞은 말을 쓰시오.

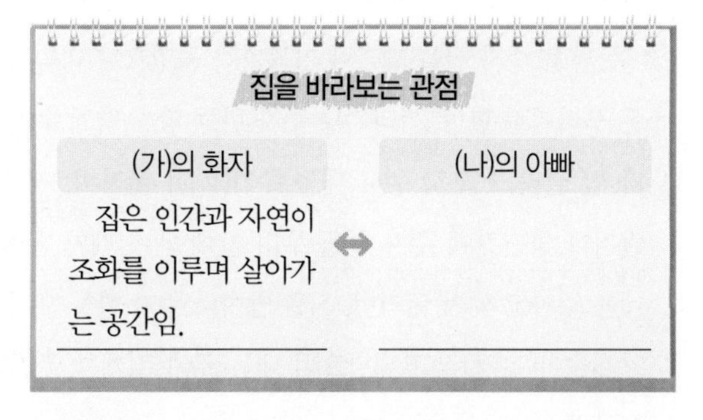

도움말
(나)에서 아빠는 집을 팔자며 ❶ [　　] 을/를 닦달하였다는 것을 알 수 있어요. 이를 참고하여 ❷ [　　] 에 대한 아빠의 관점이 어떠한지를 파악해 보세요.

답 ❶ 할머니 ❷ 집

09 〈보기〉는 (나)의 다른 부분이다. 이를 참고할 때 ㉠에 나타난 고마의 깨달음으로 가장 적절한 것은?

보기

무심코…… 맞아요. 별생각이 아니었을 거예요.
어쩌면 예뻐서 그랬는지도 모르죠.
고마는 막 날개를 펼쳐 든 벌레를 잡았다고 생각했습니다.
대문 쪽에서 누군가 헛기침을 하는 소리가 들린 건 바로 그 순간이었습니다.
고마는 깜짝 놀랐고 그 바람에 엄지와 검지 사이에 끼여 있던 벌레는 어디론가 사라졌어요.

① 슬픔을 참고 견뎌야 성숙해진다.
② 모든 생명은 소중하고 가치 있다.
③ 외면보다 내면의 아름다움이 중요하다.
④ 어려움에 처한 이웃을 기꺼이 도와야 한다.
⑤ 빠르게 변화하는 현대 사회에 적응해야 한다.

[1] 다음 글을 읽고, 물음에 답하시오.

가 "돈냥을 주자 한들 궤짝에 가득가득 들었으니 네놈 주자고 돈 꾸러미를 헐며, 싸라기나 주자 한들 황계 백계 수백 마리가 밥 달라고 꼬꼬 우니 네놈 주자고 닭 굶기며, 지게미나 쌀겨나 양단간에 주자 한들 우리 안에 돼지 떼가 꿀꿀대니 네놈 주자고 돼지 굶기며, 식은 밥이나 주자 한들 새끼 낳은 암캐들이 컹컹 짖고 내달으니 네놈 주자고 개를 굶긴단 말이냐?"

(싸라기: 부스러진 쌀알. / 지게미: 술지게미. 모주를 짜내고 남은 찌꺼기. / 양단간: 이렇게 되든지 저렇게 되든지 두 가지 가운데.)

놀부는 말을 마치자마자 몽둥이를 들어 메더니 좁은 골에 벼락 치듯 후닥닥 뚝딱 동생을 두드려 패기 시작했다.

– 작자 미상, 〈흥부전〉 미

이 작품은 판소리계 소설이자 고전 소설로, 형제 간의 우애를 다루고 있습니다.

나 옛날에 흥부와 놀부라는 형제가 살았어요. [중략]

"여보, 이제 흥부네 가족이 찾아오면 절대 도와주지 마시오. 도와주는 것도 한두 번이지 자꾸 도와주니까 의지만 하고 스스로 일할 생각을 하지 않는 것 같구려."

"그러다 굶어 죽으면 어떡해요?"

"내게 다 생각이 있으니 당신은 절대 도와주면 안 돼요. 마음이 아파도 냉정하게 대하시오."

그때 흥부가 도움을 청하러 왔어요.

"형님, 좀 도와주십시오. 아내와 아이들이 굶고 있습니다."

"이제부터 네 가족은 네가 책임져라. 네가 열심히 벌어서 아이들을 먹이고 공부도 시키란 말이다."

"형님, 다시는 손 벌리지 않을 테니 한 번만 도와주세요."

"아버지로부터 물려받은 재산을 다 까먹고 또 내가 얼마나 도와주었느냐? 이제부터 너와 나는 형제도 아니니 썩 물러가거라."

– 류일윤, 〈놀부전〉 미

이 작품은 〈흥부전〉을 재구성하여 쓴 동화입니다. 원작과 달리 흥부는 게으르며 의존적이고, 놀부는 지혜롭고 배려심이 있습니다.

대표 유형 1 소설을 재구성할 때 고려한 점 파악하기

1 (나)는 (가)를 재구성한 작품이다. (가)를 (나)로 재구성할 때 고려한 점으로 적절하지 않은 것은?

① 등장인물의 이름을 그대로 유지하였다.
② 흥부를 의존적인 성격의 인물로 바꾸었다.
③ 놀부의 아내를 인정 많은 인물로 바꾸었다.
④ 시간적·공간적 배경을 달리하여 재구성하였다.
⑤ 흥부와 놀부의 경제적 관념과 능력이 대비되도록 하였다.

유형 해결 전략

소설을 재구성할 때에는 ❶ ______ 의 이름이나 성격, 시간적·공간적 ❷ ______ 등을 바꿀 수도, 유지할 수도 있다.

답 ❶ 등장인물 ❷ 배경

1-1 (가)를 (나)로 재구성하기 위해 (나)의 글쓴이가 메모한 내용 가운데 적절하지 않은 것은?

원작을 어떻게 재구성할까?

- 고전 소설을 동화로 재구성하기 ·················· ①
- 원작과 마찬가지로 문자로 표현하기 ············ ②
- 원작의 등장인물 흥부와 놀부가 그대로 등장하게 하기 ························ ③
- 등장인물의 성격을 원작 속의 성격과 동일하게 설정하기 ························ ④
- '형제간의 우애'라는 원작의 주제를 그대로 유지하기 ························ ⑤

도움말

(가)의 ❶ ______ 은/는 욕심이 많고 인색하여 흥부를 내쫓지만 (나)의 놀부는 물려받은 재산을 날리고 자신에게 의지만 하는 ❷ ______ 이/가 자립하게 하려고 꾸짖고 있어요.

답 ❶ 놀부 ❷ 흥부

>> 정답과 해설 28쪽

[2] 다음 글을 읽고, 물음에 답하시오.

가 그 흔한 아들이니 엄마니 하는 말은 없었다. 옆에 있어 본 적이 없어서, 어머니라고 불러 본 적이 없어서, 내가 어머니라는 말 대신 그분이라고 하는 것과 같은 걸지도 모른다. 다른 건 있다. 그분은 나를 보고 싶어 했다는 것이다. 하긴, 그분은 내 존재를 알고 있었으니까. 나는 편지를 봉투에 도로 넣고 방바닥에 휙 던졌다. 무슨 모자 상봉이 이렇게 허무한지. 그분이든 나든 눈물 한 방울은 흘려 줘야 하는 거 아닌가? 삼팔선만 안 그어졌지 남북 이산가족 상봉하고 뭐가 달라. 십칠 년 만에 나타난 어머니라는 분하고 고작 라면이나 끓여 먹고 헤어지다니.

- 김려령, 〈완득이〉 천(노)

이 작품은 완득이의 성장을 그린 소설입니다. 다문화 가정, 장애인 가정, 청소년의 방황 등 다양한 사회 모습을 담고 있습니다.

나 8. 엄마 향기 – 완득, 어머니

[완득]
그 흔한 아들이니 엄마라는 말은 없어.
난 보고 싶었던 적
없었는데, 그냥 궁금하기만 했었는데
언제 다시 만날 수 있을까.

[어머니]
내게는 부질없는 이야기
난 잊었던 적
그저 난

[완득]
뭐가 이래, 뭐가 이렇게 허무해,
뭐가 이렇게 허무해.

- 김명환, 〈완득이〉 천(노)

이 작품은 소설 〈완득이〉를 재구성한 작품으로, 소설의 내용을 등장인물의 연기, 노래, 춤으로 표현한 뮤지컬 대본입니다.

대표 유형 2 재구성하면서 달라진 부분 파악하기

2 (나)는 (가)를 재구성한 작품이다. (가)와 (나)를 비교한 내용으로 적절하지 않은 것은?

① (가)의 갈래는 소설, (나)의 갈래는 뮤지컬 대본이다.
② (나)는 (가)와 달리 공연을 염두에 두고 구성되어 있다.
③ (나)는 (가)와 달리 서술자 없이 이야기가 진행되고 있다.
④ (나)는 (가)와 달리 노래로 표현하는 부분이 구성되어 있다.
⑤ (나)는 (가)와 달리 인물의 심리를 다른 인물이 관찰하여 전달하고 있다.

유형 해결 전략

(나)의 갈래는 ❶ [ ] 대본이다. (나)에서는 (가)와 달리 등장인물의 심리가 ❷ [ ]을/를 통해 드러나고 있다.

답 ❶ 뮤지컬 ❷ 노래

2-1 다음은 (가)와 (나)를 감상한 학생들의 대화이다. ㉠~㉢ 중 잘못된 것을 찾고, 바르게 고쳐 쓰시오.

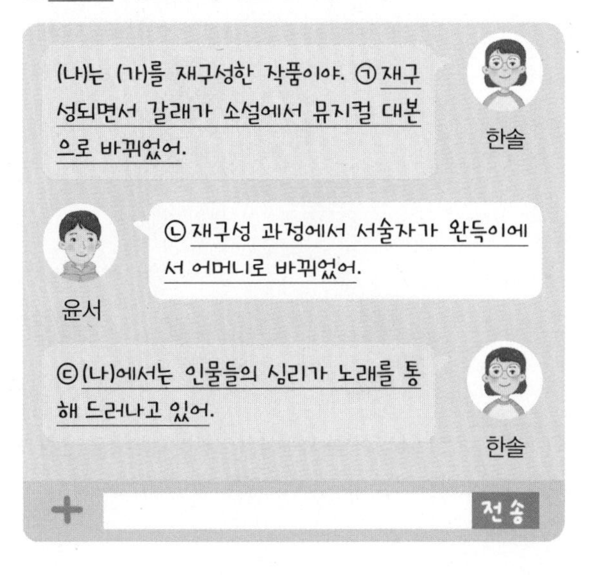

[3] 다음 글을 읽고, 물음에 답하시오.

㉮ 그날도 소년은 주머니 속 흰 조약돌만 만지작거리며 개울가로 나왔다. 그랬더니 이쪽 개울둑에 소녀가 앉아 있는 게 아닌가. / 소년은 가슴부터 두근거렸다.

"그동안 앓았다."

알아보게 소녀의 얼굴이 해쓱해져 있었다.
(해쓱해져: 얼굴에 핏기나 생기가 없어 파리하다.)

"그날, 소나기 맞은 것 땜에?"

소녀가 가만히 고개를 끄덕이었다.

[A] "인제 다 났냐?" / "아직두……."
"그럼 누워 있어야지."

– 황순원, 〈소나기〉 천(박)

이 작품은 소년과 소녀의 순수한 사랑, 그리고 소녀의 죽음으로 인한 안타까운 이별을 그린 소설입니다.

㉯ 〈S# 83〉 개울가

흰 조약돌만 만지작거리며 오던 소년, 멈칫 서서 마른침을 삼킨다. / 핼쑥한 얼굴로 나무 아래 앉아 돌을 쌓고 있는 소녀.

소년 (반가우면서도 어색하고 부끄러운 듯) 학교에 왜 안 나왔니?
소녀 좀 아팠어. / **소년** 그날, 소나기 맞아서?
소녀 (가만히 고개를 끄덕인다.)
소년 인제 다 나은 거야? / **소녀** (기침하며) 아직…….
소년 그럼 누워 있어야지.

– 염일호, 〈소나기〉 천(박)

이 작품은 소설 〈소나기〉를 재구성한 드라마 대본으로, 인물과 사건이 추가되고 소녀의 죽음 이후의 이야기를 그리고 있습니다.

대표 유형 3 갈래 변화에 따른 표현의 차이 이해하기

3 (나)는 (가)를 재구성한 작품이다. 표현 방식의 차이에 대한 설명으로 적절하지 않은 것은?

① (나)는 장면에 번호를 붙이고 있다.
② (나)는 등장인물의 말이 대사로 표현되고 있다.
③ (나)는 등장인물의 행동을 서술자가 서술하여 전달하고 있다.
④ (나)는 각 장면의 공간적 배경이 되는 장소를 제시하고 있다.
⑤ (나)는 등장인물의 대사와 지시문으로 이야기가 진행되고 있다.

유형 해결 전략

(나)의 갈래는 ❶ [ ] 대본이다. 장면 번호, 배경, ❷ [ ], 대사 등으로 표현되고, 촬영과 편집 등을 고려한 전문 용어가 쓰이는 것이 갈래적 특징이다.

답 ❶ 드라마 ❷ 지시문

3-1 다음 질문의 답을 서술하시오.

(가)의 [A]는 (나)에서 어떻게 표현되어 있나요?

조건
- '~이/가 ~(으)로 표현되어 있다.' 형식의 한 문장으로 쓸 것

도움말

(가)의 [A]는 소년과 ❶ [ ]이/가 나눈 대화의 일부예요. 소설에서는 등장인물의 ❷ [ ](으)로 제시되는 부분이 드라마 대본에서는 어떻게 표현되어 있는지 살펴보세요.

답 ❶ 소녀 ❷ 대화

[4] 다음 글을 읽고, 물음에 답하시오.

㉮ 몇 달 후 왕비는 공주를 낳았다. 그런데 놀랍게도 공주는 굴뚝에서 빼내 온 아이처럼 온몸이 새까맸다. 시녀들은 어쩔 줄 몰라 비명을 질렀지만 왕비만은 그 새까만 공주를 품에 안으며 기쁨의 눈물을 흘렸다.

"오, 정말로 검은 눈처럼 아름다운 아기가 태어났구나. 이 아기를 흑설 공주라고 부르도록 하여라."

흑설은 검은 눈이란 뜻이었다. 왕비는 흑설 공주에게 하얀 망토를 입히고 몹시 사랑했지만 안타깝게도 흑설 공주가 첫돌이 되기 전에 그만 병에 걸려 세상을 떠나고 말았다.

㉯ 슬픔에 젖은 나무꾼의 눈에서 눈물이 줄줄 흘러내렸다. 눈물은 책장 위를 지나 아래로 뚝뚝 떨어져 공주의 입안으로 흘러 들어갔다. / 그때였다. 공주가 "아!" 하고 작은 한숨을 내쉬더니 눈을 떴다. 나무꾼의 눈물에 책장에 묻어 있던 해독제가 공주의 입안으로 녹아 들어간 것이었다.

눈을 뜬 공주는 나무꾼의 눈 속에 비친 자신의 모습을 바라보았다. 공주는 그 모습이 아름답게 느껴졌다. 자기도 아름다운 사람이라는 것을 깨달은 공주는 나무꾼을 바라보며 환하게 미소를 지었다. 숲속에 검은 태양이 뜬 듯 그 모습은 눈부시게 아름다웠다.

㉰ "거울아 거울아, 세상에서 가장 못생긴 사람이 누구니?"

그러면 거울은 그때마다 정직하게 대답했다.

"저 바닷가 마을 오두막에 사는 메리라는 처녀입니다."

그러면 공주는 그 사람을 불러다 자신의 아름다움을 깨달을 수 있도록 도와주었다. [중략] 자신만이 가지고 있는 아름다움을 찾아내어 바라볼 수 있는 눈을 키워 주었던 것이다. 그리하여 흑설 공주의 나라에는 아름답지 않은 사람이 하나도 없게 되었다.

이제 거울은 "거울아 거울아, 세상에서 가장 아름다운 사람이 누구지?" 하는 공주의 질문에 대답할 수 없게 되었다.

– 이경혜, 〈흑설 공주〉 지

이 작품은 동화 〈백설 공주〉를 재구성하여 쓴 동화로, 인간은 모두 자신만의 아름다움을 가지고 있음을 전달하고 있습니다.

대표 유형 4 재구성된 작품에 반영된 관점 및 가치 파악하기

4 이 글의 글쓴이가 전달하고 있는 가치로 적절하지 <u>않은</u> 것은?

① 아름다움을 판단하는 기준은 상대적이다.
② 사람들은 누구나 자신만의 아름다움을 가지고 있다.
③ 자신이 가지고 있는 아름다움을 스스로 깨달아야 한다.
④ 아름다움의 기준은 시간이 아무리 흘러도 변하지 않는다.
⑤ 자신의 아름다움을 알고 자신을 사랑하면 다른 사람들에게도 아름답게 보인다.

유형 해결 전략

원작인 〈백설 공주〉는 ❶ ______ 와/과 공주가 결혼하여 행복하게 사는 것으로 마무리되지만, 재구성된 작품인 〈흑설 공주〉는 흑설 공주가 사람들이 저마다 ❷ ______ 을/를 가지고 있음을 깨닫도록 도와 모두 아름다워진다는 내용으로 마무리된다.

답 ❶ 왕자 ❷ 아름다움

4-1 〈보기〉는 글쓴이의 인터뷰이다. 〈보기〉를 참고하여 글쓴이가 이 글을 통해 전달하려는 바를 서술하시오.

보기

아름다움이란 것은 우리 모두에게 깃들어 있는 것이란 이야기를 하고 싶었습니다. 단지 각자 가진 그 아름다움을 찾아내서 그것에 자신감을 갖는 것이 중요할 뿐이지요.

조건

1. 아름다움에 관한 가치를 중심으로 하여 쓸 것
2. 한 문장으로 쓸 것

3주 3일 필수 체크 전략 2

[01~02] 다음 글을 읽고, 물음에 답하시오.

가 "여보, 이제 흥부네 가족이 찾아오면 절대 도와주지 마시오. 도와주는 것도 한두 번이지 자꾸 도와주니까 의지만 하고 스스로 일할 생각을 하지 않는 것 같구려."

"그러다 굶어 죽으면 어떡해요?"

"내게 다 생각이 있으니 당신은 절대 도와주면 안 돼요. 마음이 아파도 냉정하게 대하시오."

나 "주인장, 계시오?" / 흥부가 방문을 열고 나갔어요.

"내가 이 집 주인인데, 누구시오?"

"나는 바가지 장수올시다. 당신 지붕 위에 열린 박이 하도 탐스러워서 말이오. 저 박을 타서 바가지를 만들어 내게 팔지 않겠소? 값을 후하게 쳐 드리리다." [중략]

(후하게: 마음 씀씀이나 태도가 너그럽다.)

흥부는 박을 전부 타서 열심히 바가지를 만들었어요. 그리고 직접 바가지 장수로 나섰지요. 흥부가 만든 바가지는 불티나게 팔렸어요. '흥부 표' 바가지는 곧 온 나라에 유명해졌답니다. 그래서 흥부네 가족은 큰 부자가 되었지요.

다 흥부는 놀부 집으로 달려가 몰래 곳간을 열어 봤어요. 그런데 곳간에 곡식은 없고 바가지만 가득했지요. 바로 흥부가 바가지 장수에게 팔았던 바가지였어요.

'아, 형님이 나를 위해서 이렇게 했던 거구나.'

흥부는 그제야 놀부의 마음을 알아차렸어요.

– 류일윤, 〈놀부전〉 미

01 다음은 등장인물의 성격을 원작과 비교하여 정리한 것이다. 글쓴이가 인물의 성격을 바꾸어 재구성한 까닭으로 가장 적절한 것은?

	〈흥부전〉	〈놀부전〉
흥부	착함.	놀부에게 의존함.
놀부	심술궂고 욕심이 많음.	지혜롭고 동생을 배려함.

① 개인의 노력으로 성공하기 어려움을 보여 주려고
② 정신적 가치보다 물질적 가치가 더 중요함을 보여 주려고
③ 다른 사람에게 의지하지 않고 개척하는 삶의 가치를 보여 주려고
④ 형제 사이에서 우애를 지키려면 동생이 노력해야 함을 보여 주려고
⑤ 상대방이 원하지 않는 배려는 부정적인 영향을 가져올 수 있음을 보여 주려고

02 〈보기〉는 원작에서 흥부가 부자가 된 과정이다. 〈보기〉와 비교하여 (나)에서 흥부가 부자가 된 과정의 특징을 한 문장으로 서술하시오.

보기

흥부는 구렁이를 피하려다 다리가 부러진 제비를 정성껏 치료해 준다. 그 인연으로 제비가 박씨를 물어다 주고 그것이 잘 자라 큰 박이 된다. 흥부가 박을 타자 그 속에서 재물이 나와 큰 부자가 된다.

도움말

〈흥부전〉의 흥부는 ❶ [ ] 안에서 재물이 나와 부자가 되었는데, 사실 이러한 일은 ❷ [ ]에서는 일어날 수 없는 일이지요.

답 ❶ 박 ❷ 현실

[03~05] 다음 글을 읽고, 물음에 답하시오.

가 "말로는 잘 못 하겠어서…… 너무 미안해서……."

"필요 없으니까, 가져가세요."

그분은 기어이 봉투를 내려놓고 방을 나갔다. 교회로 가는 걸까. / 방에서 이상한 냄새가 나는 것 같다. 무슨 냄새인지는 모르겠다. 어쨌든 나 혼자 있을 때와는 다른 냄새다. 화장도 안 했던데 무슨 냄새일까. 이런 게 어머니 냄새라는 걸까. 그분이 먹었던 라면 그릇이 전과 달라 보였다. 나는 그분이 두고 간 봉투를 뜯었다. 돈인 줄 알았는데 편지였다.

- 김려령, 〈완득이〉 천(노)

나 〈4장〉

[A]

어머니 이거……. (포장을 뜯으며) 요즘 남자아이들한테 제일 인기 있는 거래요.

어머니가 상자를 뜯으면 운동화가 나타난다.

어머니 신어 봐요……. 신어 보세요.

완득 필요 없으니까, 가져가세요.

어머니 (품 안에서 흰 봉투를 꺼내 건네며) 이거…… 말로는 잘 못 하겠어서…… 너무 미안해서…….

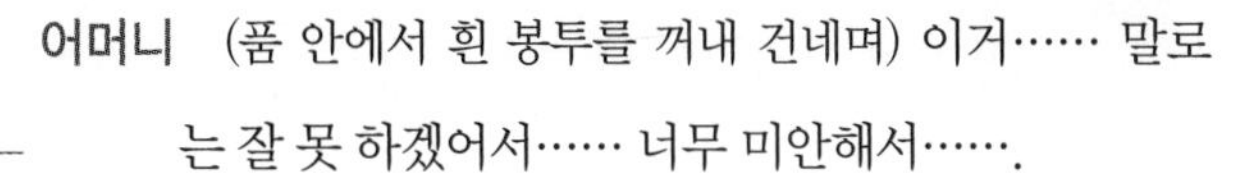

〈11장〉

[B]

완득 (도내 챔피언에게) 야, 난 시합에서 져도 상관없어.

도내 챔피언 ?

완득 네가 내 갈비뼈를 박살 내도 상관없고 네가 날 케이오(KO)로 이기든, 판정으로 이기든 난 상관없어. 극적인 역전승 따위를 바라는 게 아니야. 난 내가 버틸 수 있는 그 순간까지 최선을 다해 버틸 테니까, (가드를 올리고서는) 봐주지 마라. 날 이겨 봐!

도내 챔피언이 완득이에게 달려든다. 두 선수의 합이 계속된다. / 완득이의 옆구리에 다시금 킥이 꽂히고 다운. 심판의 카운트가 시작된다.

- 김명환, 〈완득이〉 천(노)

03 (나)와 같은 글의 특징으로 적절하지 않은 것은?

① 소설과 달리 서술자가 없다.
② 작품의 주제가 직접적으로 서술된다.
③ 등장인물의 행동이 지시문으로 표현된다.
④ 등장인물의 대사를 통해 사건이 전개된다.
⑤ 대사를 통해 등장인물의 심리가 전달된다.

04 [A]는 (가)를 재구성한 부분이다. 재구성하면서 달라진 내용을 한 문장으로 서술하시오.

> 도움말
>
> (가)와 [A]는 완득이와 ❶ ______ 이/가 만났다 헤어지는 장면이에요. 어머니가 ❷ ______ 에게 무엇을 건네고 있는지에 주목하여 달라진 내용을 찾아보세요.
>
> 답 ❶ 어머니 ❷ 완득이

05 다음은 [B]에 해당하는 원작 부분이다. [B]를 이해한 내용으로 적절한 것은?

> 내 인생의 정식 첫 시합 날. 1라운드에서 또다시 티케이오(TKO)로 패한 날, 관장님이 떠났다.
>
> - 김려령, 〈완득이〉 천(노)

① 원작과 달리 [B]에서는 완득이가 졌다.
② 원작과 달리 [B]에는 완득이와 시합하는 선수의 이름이 나온다.
③ 원작과 달리 [B]는 완득이의 독백으로 이야기가 전개되고 있다.
④ 원작과 달리 [B]에는 시합에 임하는 완득이의 태도가 드러나지 않는다.
⑤ 원작과 달리 [B]에는 완득이가 시합하는 모습이 구체적으로 제시되고 있다.

[06~07] 다음 글을 읽고, 물음에 답하시오.

㉮ <S# 95> 소년의 집

엄마 어쩌면 그렇게 자식 복이 없을까? 완전히 대가 끊긴 셈이네.

소년 (눈을 반짝 뜬다.)

아버지 (소리) 그러게나 말이야. 이젠 증손녀까지 죽어 가슴에 묻어야 하니…….

소년 (불안정하게 돌아가는 눈동자.)

엄마 (소리) 양평댁한테 들었는데 계집애가 여간 잔망스럽지 않더라구요.

얄밉도록 맹랑한 데가 있다.

아버지 (소리, 조심스럽지 않다는 듯) 허, 참…….

엄마 (소리) 자기가 죽거든 입던 옷을 꼭 그대로 입혀서 묻어 달랬다니 하는 말이에요.

소년 (숨이 제대로 쉬어지지 않는다.)

㉯ <S# 96> 소년의 집 마당

벌컥 문을 열고 뛰쳐나가는 소년.

아버지와 엄마, 뒤따라 나와 황망한 표정으로 마주 본다.

마음이 몹시 급하여 당황하고 허둥지둥하는 면이 있다.

㉰ <S# 97> 윤 초시 집

새벽녘. 숨이 턱에 차서 뛰어온 소년은 문가에 걸린 조등을 보고 인정할 수 없다는 듯 고개를 흔들더니 뒷걸음질 쳐 뛰어간다.

장례를 치른다는 것을 알리는 등.

㉱ <S# 98> 개울가

무릎을 모아 고개를 박은 채 서럽게 우는 소년.

㉠원경으로 잡아 커다란 나무 아래 아주 작고 외롭게 보이는 소년.

– 염일호, <소나기> 천(박)

06 <보기>는 원작의 마지막 부분이다. <보기>와 이 글을 비교하여 감상한 내용으로 적절하지 않은 것은?

> 보기
>
> 남폿불 밑에서 바느질감을 안고 있던 어머니가
> "증손이라곤 계집애 그 애 하나뿐이었지요?"
> "그렇지, 사내애 둘 있던 건 어려서 잃구……."
> "어쩌믄 그렇게 자식 복이 없을까."
> "글쎄 말이지. 이번 앤 꽤 여러 날 앓는 걸 약두 변변히 못 써 봤다더군. 지금 같애서는 윤 초시네두 대가 끊긴 셈이지. 그런데 참, 이번 계집애는 어린 것이 여간 잔망스럽지가 않어. 글쎄, 죽기 전에 이런 말을 했다지 않어? 자기가 죽거든 자기 입던 옷을 꼭 그대루 입혀서 묻어 달라구……."
>
> – 황순원, <소나기> 천(박)

① 원작과 달리 소녀가 남긴 유언을 어머니가 말하는구나.

② 원작처럼 소녀의 죽음을 직접적으로 보여 주지 않는구나.

③ 원작과 달리 소년이 양평댁에게 소녀의 죽음을 전해 듣는구나.

④ 원작과 달리 소녀의 죽음을 알게 된 후 소년의 모습이 나타나는구나.

⑤ 원작처럼 소녀는 입던 옷을 그대로 입혀서 묻어 달라고 유언을 남겼구나.

07 이 글을 영상으로 옮겼을 때 ㉠의 효과를 서술하시오.

> 조건
>
> 1. 강조할 수 있는 소년의 감정을 포함할 것
> 2. 한 문장으로 쓸 것

도움말

원경을 잡으면 커다란 ❶ [ ] 와/과 작은 ❷ [ ] 의 모습이 대비를 이루게 되는데, 이를 통해 얻을 수 있는 효과가 무엇일지 생각해 보세요.

답 ❶ 나무 ❷ 소년

[08~09] 다음 글을 읽고, 물음에 답하시오.

㉮ 왕비는 하얀색을 유난히 좋아해서 커튼도 침대보도 아기가 입을 옷도 모두 하얀색으로 만들었다. 이 왕비가 바로 눈처럼 하얀 피부에 피처럼 붉은 입술, 흑단처럼 검은 머리칼을 지닌 그 유명한 '백설 공주'였다.

흑단: 흑단나무에서 얻는 단단하고 검은 목재.

㉯ "오, 정말로 검은 눈처럼 아름다운 아기가 태어났구나. 이 아기를 흑설 공주라고 부르도록 하여라."

흑설은 검은 눈이란 뜻이었다. 왕비는 흑설 공주에게 하얀 망토를 입히고 몹시 사랑했지만 안타깝게도 흑설 공주가 첫돌이 되기 전에 그만 병에 걸려 세상을 떠나고 말았다.

㉰ 그사이 왕비는 공주가 펼쳐 둔 페이지에 재빨리 독을 발랐다. 그리고 다음 페이지에는 그 독을 풀 수 있는 해독제도 발랐다. [중략] 하지만 책을 읽는 사람은 독이 입에 들어가는 순간 숨이 끊어지니 다음 장에 해독제가 발라져 있어도 별달리 소용이 없었다.

왕비: 새 왕비

㉱ 드레스를 입고 누워 있는 검은 여인의 모습을 보자 나무꾼은 한눈에 그가 흑설 공주란 것을 알아보았다.

"아, 공주님이 돌아가시다니!"

나무꾼은 너무나 슬펐다. 고개를 숙인 채 화려한 왕비에게 끌려다니던 검은 공주를 나무꾼은 오래전부터 사모하고 있었다. [중략] 슬픔에 젖은 나무꾼의 눈에서 눈물이 줄줄 흘러내렸다. 눈물은 책장 위를 지나 아래로 뚝뚝 떨어져 공주의 입안으로 흘러 들어갔다.

사모하고: 애틋하게 생각하고 그리워하다.

그때였다. 공주가 "아!" 하고 작은 한숨을 내쉬더니 눈을 떴다. 나무꾼의 눈물에 책장에 묻어 있던 해독제가 공주의 입안으로 녹아 들어간 것이었다.

㉲ 나무꾼과 공주의 결혼식이 성대하게 거행되었다.

거행되었다: 의식이나 행사 따위가 치러지다.

[A] 검게 빛나는 공주가 어찌나 아름다운지 숯검정을 얼굴에 칠하는 게 유행이 되었다. 더 아름다워지고 싶은 여자들은 아예 굴뚝 속에 들어갔다 나오기도 하였다.

- 이경혜, 〈흑설 공주〉 지

08 이 글을 구성하는 과정에서 글쓴이가 쓴 메모로 적절하지 않은 것은?

〈백설 공주〉를 재구성하기

- 원작의 주인공 백설 공주를 흑설 공주의 어머니로 설정함. ········ ①
- 신분 제도가 사라진 현대 사회를 시대적 배경으로 설정함. ········ ②
- 공주가 사과가 아닌 책장에 발린 독을 먹는 것으로 설정함. ········ ③
- 공주를 살리는 사람을 왕자가 아닌 평범한 나무꾼으로 설정함. ········ ④
- 눈물에 녹아 흐른 해독제 덕분에 공주가 살아나는 것으로 설정함. ········ ⑤

09 다음 대화의 빈칸에 들어갈 알맞은 말을 쓰시오.

조건
- 아름다움의 기준과 관련하여 한 문장으로 쓸 것

도움말
흑설 공주가 왕궁으로 돌아온 뒤로 사람들이 아름답다고 생각하는 피부는 ❶ ______ 에서 ❷ ______ 이/가 되었어요.

답 ❶ 흰 피부 ❷ 검은 피부

3주 누구나 합격 전략

01 재구성된 문학 작품을 감상하는 방법에 대해 잘못 말한 학생을 쓰시오.

미주: 원작과 비교하며 읽으면 작품을 더욱 깊이 있게 감상할 수 있어.

준우: 재구성된 작품에 담긴 새로운 상상과 가치를 파악하며 감상하면 좋아.

한솔: 재구성된 작품은 원작보다 무조건 더 좋은 작품이므로 장점을 찾아야 해.

02 〈모진 소리〉의 시구에 대응하는 〈따뜻한 말〉의 시구를 바르게 연결하시오.

(1) 가슴이 쩌엉 한다. • • ㉠ 화알짝 세상에 꽃이 핀다

(2) 온몸이 쿡쿡 아파 온다 • • ㉡ 미소가 사르르 번진다

(3) 쩌어엉 세상에 금이 간다 • • ㉢ 가슴이 따뜻하다.

03 다음을 바탕으로 하여 〈거울〉의 글쓴이가 〈모진 소리〉를 재구성할 때 고려한 점을 한 문장으로 쓰시오.

〈모진 소리〉와 〈거울〉의 주제

〈모진 소리〉	모진 소리는 나와 타인과 세상을 아프게 한다.
〈거울〉	모진 소리를 한 자신에 대한 반성

04 (가)를 (나)로 재구성하면서 달라진 점을 고려하여 빈칸에 들어갈 알맞은 말을 순서대로 쓰시오.

(가) 물론 오늘 아침 학교 가는 길
　연두색 점 하나를 피해 네가 '팔딱' 뛰었던 것이
　가장 중요한 일이긴 하지만 말이야.
　　　　　– 경종호, 〈새싹 하나가 나기까지는〉 천(박)

(나)

– 한국문화예술위원회, 〈새싹 하나가 나기까지는〉 천(박)

(나)는 문자, 그림, (　　　) 등 다양한 전달 (　　　)을/를 종합적으로 활용하였어.

05 다음은 뮤지컬 대본 〈완득이〉의 일부이다. 이에 대한 설명으로 적절하지 않은 것은?

15. 왜 – 완득
　킥복싱이든 내 인생이든.
　누가 뭐라든 누가 욕하든, 누가 뭐라든 누가 욕하든
　나 이기고 말 거야,
　나 반드시, 나 반드시.
　나 반드시 이기고 말 거야.
　난 반드시 세상을 이긴다.

– 김명환, 〈완득이〉 천(노)

① 소설 〈완득이〉에는 없는 표현 방법이다.
② 등장인물의 심리를 제시하는 표현 방법이다.
③ 뮤지컬 대본의 요소 가운데 노래에 해당한다.
④ 맞서 싸우겠다는 완득이의 의지가 드러나 있다.
⑤ 서술자가 등장인물의 심리를 직접 서술하고 있다.

06 다음은 드라마 대본 〈소나기〉의 일부이다. 이 글의 표현상 특징으로 적절하지 않은 것은?

> 〈S# 90〉 산마루
> 봉순이가 가고 허탈해서 주저앉는 소년, 근처에 있는 도라지를 본다.
> 인서트. 꽃묶음을 들고 좋아하던 소녀.
> 화면에 다른 화면을 끼워 넣는 일.
>
> 소녀 도라지 꽃이 이렇게 예쁜 줄은 몰랐네. 난 보랏빛이 좋거든!
>
> – 염일호, 〈소나기〉 천(박)

① 장면의 공간적 배경이 제시되어 있다.
② 등장인물의 말을 대사로 표현하고 있다.
③ 촬영과 편집을 고려한 용어가 사용되고 있다.
④ 장면이 구분되지 않고 하나로 이어지고 있다.
⑤ 등장인물의 행동을 나타내는 지시문이 나타나 있다.

07 〈보기〉는 〈놀부전〉의 내용을 정리한 것이다. 사건이 일어난 순서대로 나열하시오.

> 보기
> ㉠ 흥부와 놀부가 더욱 사이좋게 지냄.
> ㉡ 놀부는 도와 달라는 흥부의 요청을 거절함.
> ㉢ 놀부는 게으른 동생 흥부를 깨우쳐 주기로 마음먹음.
> ㉣ '흥부 표' 바가지가 유명해져서 흥부가 큰돈을 벌게 됨.
> ㉤ 흥부는 놀부가 자신을 배려하여 도왔다는 사실을 깨닫고 용서를 구함.
> ㉥ 돈벌이를 고민하던 흥부는 박으로 바가지를 만들어 팔라는 요청을 받음.

08 다음은 〈심청전〉을 재구성한 시이다. 시를 읽고, 빈칸에 들어갈 알맞은 말을 쓰시오.

> 공양미 삼백 석을 구하지 못하여
> 당신이 평생을 어둡더라도
> 결코 인당수에 빠지지는 않겠습니다
> 어머니,
> 저는 여기 남아 책을 보겠습니다
>
> – 김승희, 〈배꼽을 위한 연가 5〉 금

(1) 이 시의 화자가 '심청'임을 알 수 있게 하는 시어는 '(　　　　) 삼백 석', '인당수'이다.
(2) 이 시는 원작과 달리 눈이 먼 대상을 (　　　　)(으)로 설정하였다.

09 (가)와 (나)를 읽고 쓴 감상문의 빈칸에 들어갈 알맞은 말을 찾아 쓰시오.

> (가) 돌우래며 팟중이 산 옆이 들썩하니 울어 댄다.
> 이리하여 한울에 별이 잔콩 마당 같고
> 강낭밭에 이슬이 비 오듯 하는 밤이 된다.
>
> – 백석, 〈박각시 오는 저녁〉 동
>
> (나) 그날 저녁, 고마는 아빠 구만 씨와 할머니네 마루에 앉았습니다. 그러고 보니 단둘이 있는 일도 아주 오랜만이었습니다. 밤하늘에는 별이 총총 반짝였고, 숲에는 벌레 우는 소리로 가득했습니다. 고마는 그날 낮에 보고 듣고 한 것들을 이야기했습니다. 아빠에게 말이죠.
>
> – 김기정, 〈박각시와 주락시〉 동

> 동화 〈박각시와 주락시〉는 시 〈박각시 오는 저녁〉을 원작으로 하여 재구성한 작품이다. 시에 풀벌레가 울고 별이 가득한 밤 풍경이 묘사되어 있는데, 동화의 '(　　　　　　　　　　)'라는 구절에 비슷한 풍경이 드러나 있었다.

3주 창의·융합·코딩 전략 1

01 다음 글의 주인공이 쓴 가상의 일기에서 내용이 적절하지 않은 것은?

현우의 얼굴이 더 일그러지며 곧 울음을 터뜨릴 것만 같았다. 민아는 현우가 말이 없자,

"솔직히 너 여태껏 한 거 하나도 없잖아! 그럼 이거라도 열심히 하라고! 왜 쓸데없이 방해를 하려고 해?"

라고 소리쳤다. 아무래도 이건 좀 심한 것 같은데? 민아는 여전히 분이 풀리지 않는 듯 현우를 노려보다가 다시 촬영을 시작했다. 모둠원들은 현우 눈치를 보며 민아를 따르기 시작했다. 나는 안다, 현우가 상처받았다는 것을. 그래서일까. 아까처럼 마음이 욱신거렸다. [중략] 양심, 양심이 나를 자꾸 찌른다.

"너 참 이기적이다.", "짜증 나.", "한 거 없잖아." 그제야 내가 내뱉었던 말이 하나둘 떠올랐다. 민아의 말은 나를 향한 말이 아니었지만, 내가 뱉은 말이었다. 그것도 모진 소리. 낯설지 않게 느낀 것은 그 때문이었다. 아, 다시 아프다. 이번에는 온몸이 쿡쿡 쑤신다. 그냥 듣기만 해도 이렇게 아픈데……. 선미는, 선미는 어땠을까.

– 학생 작품, 〈거울〉 천(박)

나는 오늘 교실에서 민아가 모진 소리를 하는 모습을 보았다. ①민아의 모진 소리에 현우는 마음에 상처를 받은 듯해 보였다. ②곧 울 것만 같았던 현우의 얼굴이 아직도 생생하게 떠오른다.

"너 참 이기적이다.", "짜증 나.", "한 거 없잖아." ③나를 향한 민아의 모진 소리는 내가 선미에게 한 말이었다. ④모진 소리를 들은 내 마음이 이렇게 아픈데, 선미는 얼마나 아팠을까? ⑤마음도 몸도 쿡쿡 쑤시는 느낌이었다.

도움말

'나'는 ❶ ______ 이/가 모둠 촬영과 관련하여 ❷ ______ 에게 모진 소리를 하며 화를 내는 모습을 보았어요.

답 ❶ 민아 ❷ 현우

02 다음 시를 감상한 학생들의 대화에서 빈칸에 들어갈 알맞은 말을 한 문장으로 쓰시오.

비가 오면 생기던 웅덩이에 씨앗 하나가 떨어졌지.

바람은 나뭇잎을 데려와 슬그머니 덮어 주고
겨울 내내 나뭇잎
온몸이 꽁꽁 얼 만큼 추웠지만
가만히 있어 주었지.

봄이 되고
벽돌담을 돌던 햇살이 스윽 손을 내밀었어.
그때, 땅강아지는 엉덩이를 들어
뿌리가 지나갈 길을 열어 주었지.
비가 오지 않은 날엔 지렁이도
물 한 모금 우물우물 나눠 주었지.

물론 오늘 아침 학교 가는 길
연두색 점 하나를 피해 네가 '팔딱' 뛰었던 것이
가장 중요한 일이긴 하지만 말이야.

– 경종호, 〈새싹 하나가 나기까지는〉 천(박)

>> 정답과 해설 33쪽

03 다음 글을 읽고 만든 독서 신문에서 지적하고 있는 문제점으로 적절한 것은?

할머니 집은 아주 오래되었어요. [중략] 게다가 나무 기둥은 썩어서 기울었고 지붕은 박 덩굴이 어지럽게 뒤엉켰으며 마당은 풀밭이나 다름없습니다.

그곳은 조용했어요. 해 질 녘 간간이 켜지던 불빛이 아니었다면 버려진 집으로 여길 만도 했습니다.

'저 집엔 누가 살까?'

지나는 이들도 그뿐이었어요.

언제부터인가 저녁이 되어도 집은 깜깜했습니다. 집주인 할머니가 없다는 것을 아무도 알지 못했습니다. 도시의 병원 침대에서 외로이 돌아가셨다는 것을요.

– 김기정, 〈박각시와 주락시〉 동

20○○년 ○월 ○일 제○호

집주인 할머니의 쓸쓸한 마지막

마을에 있는 오래된 집. 집주인 할머니가 도시의 병원 침대에서 외로이 돌아가셨다는 사실이 알려졌다. 저녁이 되어도 집이 깜깜하였으나 집주인 할머니가 없다는 것을 아무도 알지 못했다고 한다.

① 생태계를 보전하지 않고 파괴하는 상황
② 전통문화를 계승하거나 존중하지 않는 상황
③ 다른 사람과 인간적으로 교류하지 않고 무관심하게 지내는 상황
④ 기술 발전의 혜택을 받지 못하고 소외되는 사람들이 발생하는 상황
⑤ 일자리를 얻기 위해 사람들이 도시로 떠나 시골의 인구가 줄어드는 상황

도움말

할머니의 집이 언제부터인가 ❶ [　　] 이/가 되어도 깜깜했지만 이를 아무도 알지 못했다는 사실을 통해 이끌어 낼 수 있는 ❷ [　　] 문제가 무엇인지 생각해 보세요.

답 ❶ 저녁 ❷ 사회

04 〈보기〉는 (가)와 (나)에 나타난 심청의 선택을 비교하여 정리한 것이다. 빈칸에 들어갈 알맞은 내용을 서술하시오.

(가) 심청이 여쭙기를,
"제가 못난 딸자식으로 아버지를 속였어요. 공양미 삼백 석을 누가 저에게 주겠어요. 남경 뱃사람들에게 인당수 제물로 몸을 팔아 오늘이 떠나는 날이니 저를 마지막 보셔요."

– 작자 미상, 〈심청전〉

(나) 공양미 삼백 석을 구하지 못하여
당신이 평생을 어둡더라도
결코 인당수에 빠지지는 않겠습니다
어머니, / 저는 여기 남아 책을 보겠습니다 [중략]

그 대신 점자책을 사 드리겠습니다.
어머니, / 점자 읽는 법도 가르쳐 드리지요

– 김승희, 〈배꼽을 위한 연가 5〉 금

보기

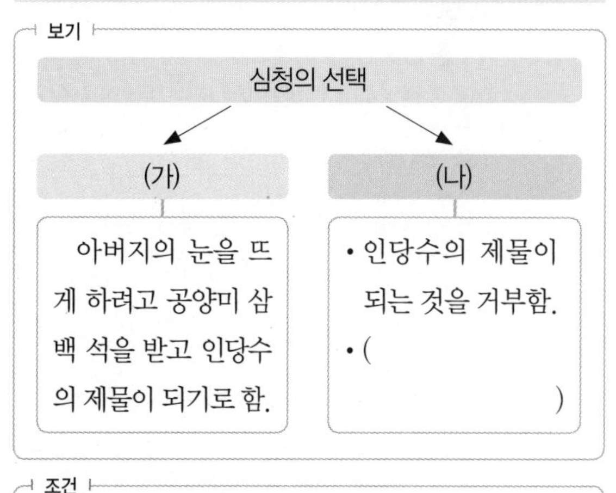

조건
• 어머니를 위한 행동이 무엇인지 쓸 것

도움말

(나)의 심청은 ❶ [　　] 이/가 되는 것을 거부하고 어머니가 자신의 힘으로 ❷ [　　] 을/를 극복하도록 돕겠다고 말하고 있어요.

답 ❶ 제물 ❷ 장애

주 창의·융합·코딩 전략 2

05 다음 글을 읽은 학생의 답변으로 가장 적절한 것은?

"주인장, 계시오?"
흥부가 방문을 열고 나갔어요.
"내가 이 집 주인인데, 누구시오?"
"나는 바가지 장수올시다. 당신 지붕 위에 열린 박이 하도 탐스러워서 말이오. 저 박을 타서 바가지를 만들어 내게 팔지 않겠소? 값을 후하게 쳐 드리리다."
"아무렴, 팔고말고요!"
흥부네 가족은 얼른 박을 타서 바가지를 만들었어요. 그리고 바가지를 팔아서 많은 돈을 벌었지요. [중략] 흥부는 박을 전부 타서 열심히 바가지를 만들었어요. 그리고 직접 바가지 장수로 나섰지요. 흥부가 만든 바가지는 불티나게 팔렸어요. '흥부 표' 바가지는 곧 온 나라에 유명해졌답니다. 그래서 흥부네 가족은 큰 부자가 되었지요.

– 류일윤, 〈놀부전〉 미

도움말
이 글에서 흥부는 원작처럼 ❶ [ ]의 도움으로 부자가 된 것이 아니라 ❷ [ ]을/를 만들어 팔아 부자가 되었어요.
답 ❶ 제비 ❷ 바가지

06 다음 글의 글쓴이와 진행한 가상 면담에서 빈칸에 들어갈 내용으로 가장 적절한 것은?

(가) 고개를 숙인 채 화려한 왕비에게 끌려다니던 검은 공주를 나무꾼은 오래전부터 사모하고 있었다. 공주가 마녀라고 사람들이 수군댈 때도 나무꾼은 공주 편이었다. 나무꾼 역시 혼자 있기를 좋아하고, 책을 좋아하는 청년이라 공주의 괴로움을 잘 알 수 있었다.
(나) 슬픔에 젖은 나무꾼의 눈에서 눈물이 줄줄 흘러내렸다. 눈물은 책장 위를 지나 아래로 뚝뚝 떨어져 공주의 입안으로 흘러 들어갔다.
그때였다. 공주가 "아!" 하고 작은 한숨을 내쉬더니 눈을 떴다. 나무꾼의 눈물에 책장에 묻어 있던 해독제가 공주의 입안으로 녹아 들어간 것이었다.

– 이경혜, 〈흑설 공주〉 지

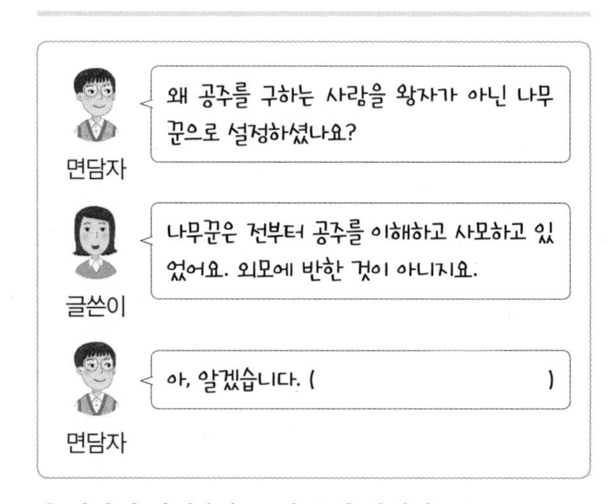

① 사랑의 어려움을 보여 주기 위해서군요.
② 사랑의 힘은 강함을 보여 주기 위해서군요.
③ 사랑은 가까이에 있음을 보여 주기 위해서군요.
④ 사랑의 완성에는 시간이 필요함을 보여 주기 위해서군요.
⑤ 사랑은 내면의 아름다움을 발견하는 것임을 보여 주기 위해서군요.

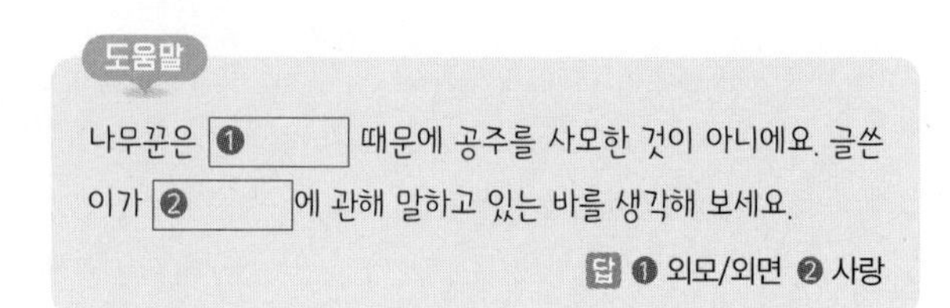

도움말
나무꾼은 ❶ [ ] 때문에 공주를 사모한 것이 아니에요. 글쓴이가 ❷ [ ]에 관해 말하고 있는 바를 생각해 보세요.
답 ❶ 외모/외면 ❷ 사랑

>> 정답과 해설 33쪽

07 다음 글을 바탕으로 한 뮤지컬 공연을 홍보하는 문구로 가장 적절한 것은?

19. 괜찮아 (완득아, 괜찮아) – 완득, 전체

관장 완득아! 정신 차려! 완득아! 완득아! 눈 좀 떠 봐, 인마!

심판의 카운트가 모두 끝나고 관중석에서는 환호성이 터져 나온다. 심판이 쓰러진 완득이의 상태를 살핀다.
완득이의 눈앞이 흐려진다. 완득이가 웃는다.

[완득]
나약한 나를 때려눕힌 속 시원한 케이오(KO).
괜찮아, 도전했으니, 언젠가는 챔피언.

짜증만 가득했던 내 작은 세상
이겨 내야만 해, 질 수는 없어, 더 이상.

온 세상이 짜증이 나 미칠 것만 같았지.
다들 웃고 사는데 왜 나만 이러는지.

쓰러져 보니 알겠어, 소중한 존재들.
날 일으켜 줘, 내 아픔과 소원을.

– 김명환, 〈완득이〉 천(노)

뮤지컬 공연 홍보 문구 후보

① 꿈을 향한 완득이의 도전과 성장
② 챔피언의 자리를 지키기는 쉽지 않아
③ 킥복싱으로 정상에 오른 완득이의 이야기
④ 시합에서 연승을 이루어 낸 완득이의 노력
⑤ 소중한 존재들이 떠날 때 얻게 되는 깨달음

도움말

완득이는 시합에서 ❶ ____ 을/를 당했지만 웃고 있어요. 포기하지 않고 ❷ ____ 을/를 다한 것에 만족하고 있지요.

답 ❶ 케이오 ❷ 최선

08 다음 글의 내용을 〈보기〉처럼 정리할 때 빈칸에 들어갈 알맞은 내용을 서술하시오.

〈S# 79〉 윤 초시 집

장 씨 (둘러보며) 어릴 적 제 소원이 뭔 줄 아십니까? 이 대청마루에 대자루 누워 보는 겁니다. 이렇게요. (벌렁 누우며) 아하. [중략]

소녀 (노려본다.)

장 씨 반가(양반의 집안.)의 예의도 별거 없군요. 어른을 보고 인사도 없으니…….

윤 초시 그만 돌아가게.

장 씨 니 덕분에 아저씨가 소원을 이뤘다. 서울 가서 병 낫거들랑…….

윤 초시 (버럭 화를 내며) 그 입 다물지 못하겠나!

장 씨 아니, 자꾸 이 집에서 사람이 죽어 나가니까 집을 사는 입장에선 께름칙한 일 아니겠습니까? 그러니까 걔라두 꼭 살아서…….

윤 초시 네 이놈! (벌떡 일어서다 쓰러지고 만다.)

– 염일호, 〈소나기〉 천(박)

보기

소녀의 병을 치료하기 위한 돈이 필요함.
↓
윤 초시가 집을 팔려고 내놓음.
↓
( )
↓
장 씨가 거만하고 예의 없게 행동함.
↓
화가 난 윤 초시가 쓰러짐.

권말 정리 마무리 전략

핵심 한눈에 보기

1주_화자와 서술자

화자

- 시에서 말하는 이로, 시적 화자라고도 함.
- 시를 감상할 때에는 화자의 시적 상황과 정서, 태도 등을 파악하며 감상함.

서술자

- 소설에서 이야기를 전달하는 이로, 인물의 행동과 심리, 사건 등을 서술함.
- 이야기 안의 등장인물일 수도 있고 이야기 밖의 존재일 수도 있음.

시점의 종류

1인칭 주인공 시점

1인칭 관찰자 시점

3인칭 관찰자 시점

3인칭 전지적 시점

2주_개성적인 발상과 표현

운율

- 운율은 시를 읽을 때 느껴지는 말의 가락으로, 소리가 규칙적으로 반복될 때 형성됨.

반어

• 원래 표현하려는 내용을 실제 의미와는 반대되는 말이나 상황으로 표현하는 방법

역설

• 겉보기에는 모순이지만 대상에 관한 통찰을 통해 얻은 진실을 담고 있는 표현 방법

풍자

• 개인 또는 사회의 부조리 등을 간접적으로 비판하며 웃음을 유발하는 표현 방법

3주_문학 작품의 재구성

문학 작품의 재구성

• 문학 작품을 읽고 작품의 내용, 표현, 형식, 갈래, 맥락, 매체 등을 바꾸어 쓰는 것을 말함.

신유형·신경향·서술형 전략

[01~02] 다음 시를 읽고, 물음에 답하시오.

(가) 열무 삼십 단을 이고
시장에 간 우리 엄마
안 오시네, 해는 시든 지 오래
나는 찬밥처럼 방에 담겨
아무리 천천히 숙제를 해도
엄마 안 오시네, 배춧잎 같은 발소리 타박타박
안 들리네, 어둡고 무서워
금 간 창틈으로 고요히 빗소리
빈방에 혼자 엎드려 훌쩍거리던

아주 먼 옛날
지금도 내 눈시울을 뜨겁게 하는
그 시절, ㉠내 유년의 윗목

– 기형도, 〈엄마 걱정〉 천(박) 천(노)

(나) 높은 가지를 흔드는 매미 소리에 묻혀
내 울음 아직은 노래 아니다.

차가운 바닥 위에 토하는 울음,
풀잎 없고 이슬 한 방울 내리지 않는
지하도 콘크리트 벽 좁은 틈에서
숨 막힐 듯, 그러나 나 여기 살아 있다
귀뚜르르 뚜르르 보내는 타전 소리가
누구의 마음 하나 울릴 수 있을까.

지금은 매미 떼가 하늘을 찌르는 시절
그 소리 건히고 맑은 가을이
어린 풀숲 위에 내려와 뒤척이기도 하고
계단을 타고 이 땅 밑까지 내려오는 날
발길에 눌려 우는 내 울음도
누군가의 가슴에 실려 가는 노래일 수 있을까.

– 나희덕, 〈귀뚜라미〉 미

01 다음을 참고할 때, (가)의 ㉠의 의미로 가장 적절한 것은?

> **윗목**[윈–] 명사
> 온돌방에서 아궁이로부터 먼 쪽의 방바닥. 불길이 잘 닿지 않아 아랫목보다 상대적으로 차가운 쪽이다.

① 유년 시절이 화자에게 아직 오지 않았다.
② 유년 시절에 화자의 방이 윗목에 있었다.
③ 유년 시절이 화자에게 외롭고 힘든 때였다.
④ 유년 시절에 화자의 가정 형편이 가장 여유로웠다.
⑤ 유년 시절을 화자는 두 번 다시 떠올리고 싶지 않다.

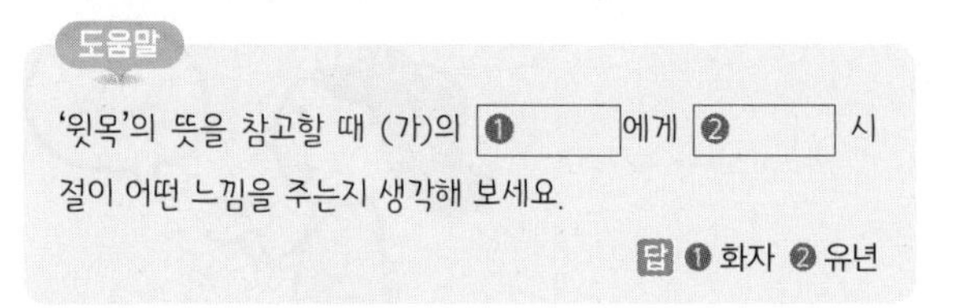

도움말
'윗목'의 뜻을 참고할 때 (가)의 ❶ ______에게 ❷ ______ 시절이 어떤 느낌을 주는지 생각해 보세요.

답 ❶ 화자 ❷ 유년

서술형
02 다음 중 (나)를 잘못 이해한 학생이 누구인지 쓰고, 내용을 바르게 고쳐 쓰시오.

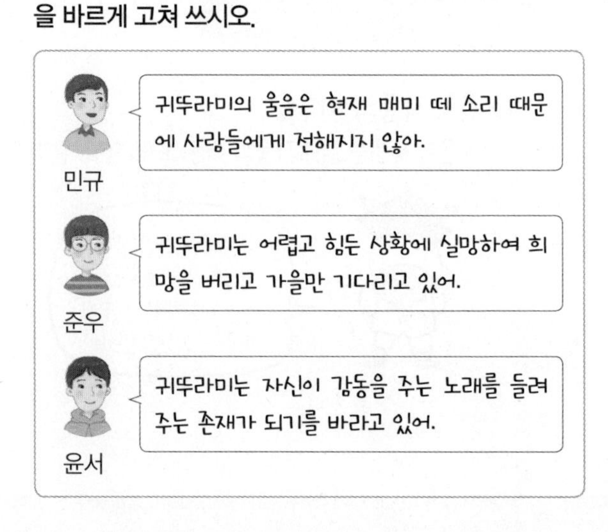

>> 정답과 해설 34쪽

[03~05] 다음 글을 읽고, 물음에 답하시오.

가 "너 봄 감자가 맛있단다."

"난 감자 안 먹는다. 니나 먹어라."

나는 고개도 돌리려 하지 않고 일하던 손으로 그 감자를 도로 어깨 너머로 쑥 밀어 버렸다.

그랬더니 그래도 가는 기색이 없고, 그뿐만 아니라 쌔근쌔근하고 심상치 않게 숨소리가 점점 거칠어진다.

나 "이놈아! 너 왜 남의 닭을 때려죽이니?"

"그럼 어때?" 하고 일어나다가

"뭐 이 자식아! 누 집 닭인데?" 하고 복장을 떼미는 바람에 다시 벌렁 자빠졌다. 그러고 나서 가만히 생각을 하니 분하기도 하고 무안도 스럽고, 또 한편 일을 저질렀으니 인젠 땅이 떨어지고 집도 내쫓기고 해야 될는지 모른다.

(복장: 가슴의 한복판.)

다 나는 비슬비슬 일어나며 소맷자락으로 눈을 가리고는 얼김에 엉 하고 울음을 놓았다. 그러다 점순이가 앞으로 다가와서

(얼김: 어떤 일이 벌어지는 바람에 자기도 모르게 정신이 얼떨떨한 상태.)

㉠"그럼 너 이담부텀 안 그럴 터냐?" 하고 물을 때에야 비로소 살길을 찾은 듯싶었다. 나는 눈물을 우선 씻고 뭘 안 그러는지 명색도 모르건만 / "그래!" 하고 무턱대고 대답하였다.

"요담부터 또 그래 봐라. 내 자꾸 못살게 굴 터니?"

"그래그래, 인젠 안 그럴 테야!"

"닭 죽은 건 염려 마라. 내 안 이를 테니."

그리고 뭣에 떠다밀렸는지 나의 어깨를 짚은 채 그대로 픽 쓰러진다. 그 바람에 나의 몸뚱이도 겹쳐서 쓰러지며 한창 피어 퍼드러진 노란 동백꽃 속으로 폭 파묻혀 버렸다.

– 김유정, 〈동백꽃〉 천(박) 천(노) 미 금 교

03 다음은 이 글을 읽고 시점의 특징을 정리한 메모이다. 표시한 내용이 잘못된 것은?

	시점의 특징	옳음	그름
①	서술자가 이야기 안에 등장인물로 나타나 있다.	☑	☐
②	서술자는 부수적 인물로 주인공을 관찰하고 있다.	☐	☑
③	서술자가 '나'의 심리를 구체적으로 전달하고 있다.	☑	☐
④	서술자는 '나'가 겪은 일을 객관적으로 전달하고 있다.	☑	☐
⑤	서술자는 모든 인물의 심리를 정확하게 파악하고 있다.	☐	☑

04 '나'와 점순이의 특성을 바르게 파악한 것은?

① '나'는 냉정하고, 점순이는 정이 많다.
② '나'는 낙천적이고, 점순이는 비관적이다.
③ '나'는 비열하고, 점순이는 순하고 너그럽다.
④ '나'는 눈치가 빠르고, 점순이는 눈치가 없다.
⑤ '나'는 어수룩하고, 점순이는 적극적이고 영악하다.

서술형

05 ㉠에 담긴 점순이의 속마음을 서술하시오.

조건
• '~(하)지 않을 거지?' 형식의 한 문장으로 쓸 것

도움말
점순이는 '나'가 ❶ [ ]을/를 거절한 뒤로 ❷ [ ]을/를 붙이며 '나'를 괴롭혔어요. 이를 고려하여 속마음을 생각해 보세요.
답 ❶ 감자 ❷ 닭싸움

[06~07] 다음 시를 읽고, 물음에 답하시오.

(가) 가야 할 때가 언제인가를 / 분명히 알고 가는 이의
뒷모습은 얼마나 아름다운가.

봄 한철 / 격정을 인내한
나의 사랑은 지고 있다.

분분한 낙화……
결별이 이룩하는 축복에 싸여
지금은 가야 할 때,

무성한 녹음과 그리고
머지않아 열매 맺는
가을을 향하여

나의 청춘은 꽃답게 죽는다.

헤어지자. / 섬세한 손길을 흔들며
하롱하롱 꽃잎이 지는 어느 날

나의 사랑, 나의 결별,
샘터에 물 고이듯 성숙하는
내 영혼의 슬픈 눈.

– 이형기, 〈낙화〉 천(노)

(나) 길이 끝나는 곳에서도 / 길이 있다
길이 끝나는 곳에서도 / ㉠길이 되는 사람이 있다
스스로 봄 길이 되어 / 끝없이 걸어가는 사람이 있다
강물은 흐르다가 멈추고
새들은 날아가 돌아오지 않고
하늘과 땅 사이의 모든 꽃잎은 흩어져도
보라 / 사랑이 끝나는 곳에서도
사랑으로 남아 있는 사람이 있다
스스로 사랑이 되어
한없이 봄 길을 걸어가는 사람이 있다

– 정호승, 〈봄 길〉 비

06 다음은 (가)와 (나)의 화자가 나눈 대화이다. 이어질 (가)의 화자의 말로 적절한 것은? (정답 2개)

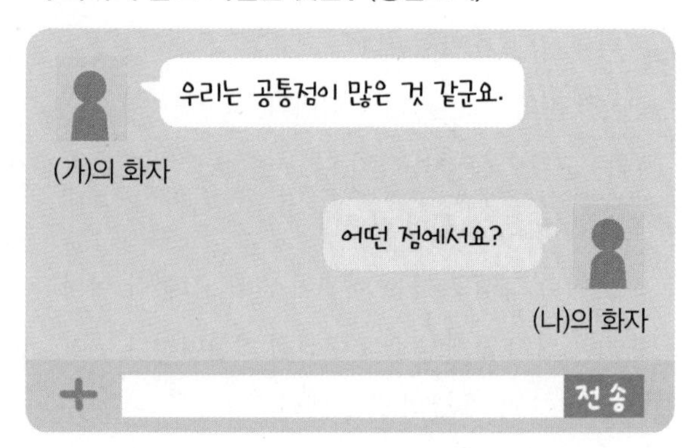

① 겉보기에 앞뒤가 맞지 않는 모순된 표현을 활용하고 있어요.
② 비슷한 시구를 반복하여 운율을 형성하고 주제를 강조하고 있어요.
③ 말하고자 하는 바를 자연물이나 자연 현상에 빗대어 표현하고 있어요.
④ 시 전체를 일정한 간격으로 끊어 읽게 하면서 시의 분위기를 형성하고 있지요.
⑤ 사랑하는 사람을 잊지 못하는 그리운 마음을 반대로 표현하여 더욱 강렬하게 드러내고 있지요.

서술형

07 ㉠이 가리키는 사람이 어떤 사람인지 서술하시오.

조건
• (나)의 1~2행에 담긴 참뜻을 고려하여 서술할 것

도움말
길이 끝나는 곳은 보통 ❶ ______ 인 상황을 가리키죠. '길이 끝나는 곳에서도 길이 있다'라는 이치에 맞지 않는 표현을 통해 어떤 ❷ ______ 을/를 강조하려고 하는지 생각해 보세요.

답 ❶ 절망적 ❷ 진실

[08~10] 다음 글을 읽고, 물음에 답하시오.

(가) 날이 밝자 남원 관아는 변 사또의 생일을 준비하느라 분주하였다. 소 잡고 돼지 잡고 음식 장만 분주한데 각 읍 수령 도착 알리는 나팔 소리 드높았다.

수령: 각 고을을 맡아 다스리던 지방관들을 통틀어 이르는 말.

수령들이 자리를 잡고 앉자 좌우로 늘어선 기생들이 옥빛 소맷자락 휘날리며 풍악 소리에 맞춰 춤을 추기 시작하였다. 술이 몇 잔 돌고 손님들 흥이 거나하게 돋았을 무렵, 대문간이 시끄러웠다. [중략] 다른 사람들이 붓을 들기도 전에 어사또는 순식간에 몇 자 끼적이고는 자리에서 일어났다.

어사또: 조선 시대에, 왕의 명령을 받고 몰래 파견되어 지방 관리의 통치와 백성의 생활을 살피던 벼슬.

"㉠먼 데서 온 거지가 오랜만에 술과 고기를 포식하였으니 이 은혜 잊지 않겠소. 나중에 다시 봅시다."

(나) 남문에서 "출또요.", 북문에서 "출또요.", 출또 소리 천지에 진동하고, 좌수, 별감 넋을 잃고, 각 읍 수령 도망칠 때 그 거동이 장관이었다. 임실 현감은 하도 급해서 갓을 거꾸로 뒤집어 쓰고는, / "여보아라, 어느 놈이 갓 구멍을 막았구나."

좌수, 별감: 조선 시대 지방에서 수령을 보좌하던 관리.
현감: 조선 시대 작은 행정 구역의 수령.

소리치자 누군가, / "갓을 뒤집어 썼소."

"아따, 언제 바로 쓸 새 있더냐. 좀 눌러 다오."

하여 그대로 꽉 누르니 갓이 벌컥 뒤집혔다. 겨우 갓을 쓰고 나서 오줌을 눈다는 것이 그만 칼집을 쥐고 누니, 오줌 맞은 하인들이 / "허, 요새는 하늘이 비를 따뜻하게 덥혀서 내리는 모양일세." / 하며 갈팡질팡하였다.

구례 현감은 말을 거꾸로 타고 채찍질을 하니 말이 뒤로 달아났다.

"허, 이 말이 웬일이냐? 본래 목이 없느냐?"

"거꾸로 타셨소. 내려서 바로 타시오."

"어느 겨를에 바로 타겠느냐! 목을 빼어다가 말 똥구멍에 박아라."

변 사또는 정신이 아득하여 바지에 똥을 싸서 엉겁결에 내실로 뛰어들며 소리쳤다.

㉡"어, 춥다. 문 들어온다. 바람 닫아라. 물 마르다, 목 들여라."

– 작자 미상, 〈춘향전〉 창

서술형

08 다음은 (가)에서 어사또가 쓴 시이다. 이를 참고하여 ㉠에 담긴 어사또의 속마음을 서술하시오.

> 금동이의 맛있는 술은 만백성의 피요,
> 옥소반의 좋은 안주는 만백성의 기름이라.
> 촛불 눈물 떨어질 때 백성 눈물 떨어지고,
> 노랫소리 높은 곳에 원망 소리 드높다.

조건
- '~을/를 잊지 않겠다.' 형식의 한 문장으로 쓸 것

09 (나)에 나타난 각 읍 수령들의 행동을 표현한 사자성어로 가장 적절한 것은?

① 가렴주구(苛斂誅求) ② 고진감래(苦盡甘來)
③ 수어지교(水魚之交) ④ 위편삼절(韋編三絶)
⑤ 혼비백산(魂飛魄散)

10 ㉡에 대한 설명으로 적절하지 않은 것은?

① 도치에 의한 언어유희가 나타나 있다.
② 변 사또의 당황스러운 심리가 드러나 있다.
③ 어사출또로 인한 변 사또의 두려움이 나타나 있다.
④ 변 사또를 우스꽝스럽게 표현하여 웃음을 유발하고 있다.
⑤ 어사출또에 대응할 방안을 모색하는 변 사또의 태도가 드러나 있다.

도움말
언어유희는 말이나 ❶ ___ 을/를 소재로 하는 놀이예요. 동음이의어 사용하기, 비슷한 소리 반복하기, ❷ ___ 안에서 정상적인 어순 뒤바꾸기 등으로 표현할 수 있어요.

답 ❶ 글자 ❷ 문장

신유형·신경향·서술형 전략

[11~13] 다음 글을 읽고, 물음에 답하시오.

(가) 흥부는 박을 전부 타서 열심히 바가지를 만들었어요. 그리고 직접 바가지 장수로 나섰지요. / 흥부가 만든 바가지는 불티나게 팔렸어요. '흥부 표' 바가지는 곧 온 나라에 유명해졌답니다. 그래서 흥부네 가족은 큰 부자가 되었지요.

부자가 된 흥부는 자기 집 곳간을 들여다보았어요.

'이만하면 내가 형님보다 더 부자겠지. 형님 집에 가서 누가 더 부자인지 가려봐야겠다!'

흥부는 놀부 집으로 달려가 몰래 곳간을 열어 봤어요. 그런데 곳간에 곡식은 없고 바가지만 가득했지요. 바로 흥부가 바가지 장수에게 팔았던 바가지였어요.

'아, 형님이 나를 위해서 이렇게 했던 거구나.'

흥부는 그제야 놀부의 마음을 알아차렸어요. 흥부는 방으로 뛰어 들어갔어요.

"형님, 이 못난 동생을 용서해 주세요. 형님의 깊은 뜻도 모르고 지금껏 형님만 원망하며 살았어요."

"아니다. 이렇게 성공을 했으니 네가 정말 자랑스럽구나."

- 류일윤, 〈놀부전〉 미

(나) 눈을 뜬 공주는 나무꾼의 눈 속에 비친 자신의 모습을 바라보았다. 공주는 그 모습이 아름답게 느껴졌다. 자기도 아름다운 사람이라는 것을 깨달은 공주는 나무꾼을 바라보며 환하게 미소를 지었다. 숲속에 검은 태양이 뜬 듯 그 모습은 눈부시게 아름다웠다.

흑설 공주가 돌아오자 왕궁은 발칵 뒤집어졌다. 무엇보다도 조금도 달라진 것이 없는 여전히 새까만 공주가 어째서 이토록 아름답게 여겨지는지 사람들은 당황하고 말았다. 왕비의 사악한 음모도 드러났다. 아름답게만 여겨졌던 왕비의 모습은 이제 징그러운 껍질처럼만 느껴졌다. [중략] 그리하여 흑설 공주의 나라에는 아름답지 않은 사람이 하나도 없게 되었다.

이제 거울은 "거울아 거울아, 세상에서 가장 아름다운 사람이 누구지?" 하는 공주의 질문에 대답할 수 없게 되었다.

- 이경혜, 〈흑설 공주〉 지

11 (가)와 (나)의 공통점으로 적절한 것은?

① 원작과 전달 매체를 달리하여 재구성하였다.
② 원작에 등장하는 인물들이 등장하지 않는다.
③ 원작과 시대적 배경을 달리하여 재구성하였다.
④ 원작을 재구성하여 새로운 가치를 전달하고 있다.
⑤ 원작의 주인공이 부정적인 인물로 나타나고 있다.

12 (가)의 '놀부'를 표현할 수 있는 문구로 적절한 것은?

① 게으르고 의존적인 놀부
② 불의를 보면 맞서는 놀부
③ 지혜롭고 배려 깊은 놀부
④ 금전적 이익만 추구하는 놀부
⑤ 세속적인 삶에 관심이 없는 놀부

서술형

13 다음은 (나)를 읽고 만든 독서 신문이다. 빈칸에 들어갈 알맞은 말을 쓰시오.

20○○년 ○월 ○일 제○호

왕비를 향한 백성들의 말말말

백성 1: 왕비가 그렇게 사악한 음모를 꾸몄다니 충격입니다.
백성 2: 왕비의 모습은 이제 징그러운 껍질처럼 느껴집니다.
백성 3: 맞습니다. (   )

조건
• 왕비의 모습을 징그러운 껍질처럼 느끼는 이유를 한 문장으로 쓸 것

도움말
사람들은 왕비가 ❶ [   ]을/를 죽이려 했다는 사실이 밝혀진 뒤에 ❷ [   ]을/를 아름답다고 생각하지 않아요.

답 ❶ 흑설 공주 ❷ 왕비

[14~15] 다음 글을 읽고, 물음에 답하시오.

(가) 나와 헤어져
덜컹거리는 지하철에서
고개를 수그리고 [A]
내 모진 소리를 자꾸 생각했을
내 모진 소리에 무수히 정 맞았을
누군가를 생각하면
모진 소리,
늑골에 정을 친다 / 쩌어엉 세상에 금이 간다.

정: 돌에 구멍을 뚫거나 돌을 쪼아서 다듬는 데 쓰는 쇠로 만든 연장.

– 황인숙, 〈모진 소리〉 천(박)

(나) 나와 헤어져
초록빛 가득한 가로수 길에서
미소 지으며
내 따뜻한 말을 종종 떠올렸을
내 따뜻한 말에 살며시 꽃 피웠을
누군가를 생각하면
따뜻한 말,
가슴에 빛이 든다 / 화알짝 세상에 꽃이 핀다.

– 학생 작품, 〈따뜻한 말〉 천(박)

(다) 나는 엉거주춤 서서 입을 뗐다. 마음속에 꾹 눌러 담았던 말이 불쑥 튀어나왔다. / "미안해." / "뭐가?"

"저번에 전화로 심한 말 했던 거. 진심은 아니었어. 그때 너무 화가 나서 막말을 했던 것 같아. 미안해."

나는 고개를 푹 숙이고 말았다. 내 사과를 받아 줄까. 우리는 침묵을 지켰다.

"아니야, 지하철을 타고 가는 동안 네 말이 머릿속에 맴돌아서 속상하기도 했지만, 네 심정이 이해되기도 했어. 힘들었을 텐데 너한테 너무 떠맡겨서 미안해."

잠시 어색한 공기가 흘렀다. 순간, 선미가 '풋' 하고 웃음을 터뜨렸다. 나도 모르게 '풋' 소리를 내며 같이 웃었다. 거울 속에 비친 우리는 서로를 마주 보며 웃고 있었다.

– 학생 작품, 〈거울〉 천(박)

14 (나), (다)는 (가)를 재구성한 작품이다. (가)~(다)를 바르게 이해한 학생끼리 짝지은 것은?

원우: (나)는 (가)와 같은 갈래인 시로 재구성한 작품이야.

민채: (나)는 (가)와 제재가 같지만, 형식을 다르게 하였어.

연재: (다)는 (가)와 다른 갈래인 시나리오로 재구성한 작품이야.

지민: (다)는 (가)의 내용을 바탕으로, 구체적인 인물을 설정하여 재구성했어.

① 원우, 민채　② 원우, 지민
③ 민채, 연재　④ 민채, 지민
⑤ 연재, 지민

서술형
15 다음 질문의 답을 한 문장으로 서술하시오.

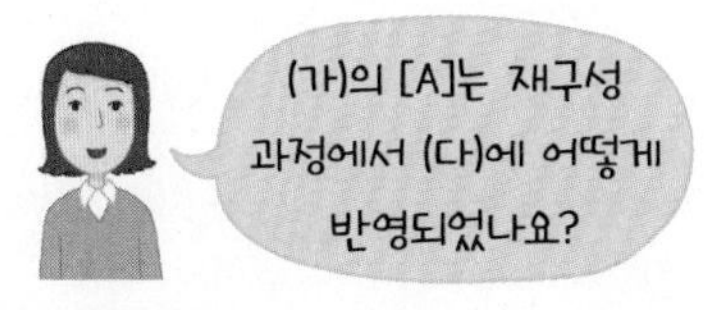

도움말
(다)에는 ❶ ______ 에서 누군가가 ❷ ______ 을/를 생각하는 (가)의 시구 내용이 구체화되어 나타나 있어요.
답 ❶ 지하철 ❷ 모진 소리

고난도 해결 전략 1회

[01~02] 다음 시를 읽고, 물음에 답하시오.

(가) 나는 북관(北關)에 혼자 앓어누워서
어느 아츰 의원을 뵈이었다
의원은 여래(如來) 같은 상을 하고 관공(關公)의 수염을 드리워서 / 먼 옛적 어느 나라 신선 같은데
새끼손톱 길게 돋은 손을 내어 / 묵묵하니 한참 맥을 집더니
문득 물어 고향이 어데냐 한다
평안도 정주라는 곳이라 한즉
그러면 아무개 씨 고향이란다
그러면 아무개 씰 아느냐 한즉 / 의원은 빙긋이 웃음을 띠고
막역지간(莫逆之間)이라며 수염을 쓴다
나는 아버지로 섬기는 이라 한즉
의원은 또다시 넌즈시 웃고
말없이 팔을 잡어 맥을 보는데 / 손길은 따스하고 부드러워
고향도 아버지도 아버지의 친구도 다 있었다

– 백석, 〈고향〉 천(노)

(나) 열무 삼십 단을 이고
시장에 간 우리 엄마 / 안 오시네, 해는 시든 지 오래
나는 찬밥처럼 방에 담겨 / 아무리 천천히 숙제를 해도
엄마 안 오시네, 배춧잎 같은 발소리 타박타박
안 들리네, 어둡고 무서워 / 금 간 창틈으로 고요히 빗소리
빈방에 혼자 엎드려 훌쩍거리던

아주 먼 옛날 / 지금도 내 눈시울을 뜨겁게 하는
그 시절, 내 유년의 윗목

– 기형도, 〈엄마 걱정〉 천(박) 천(노)

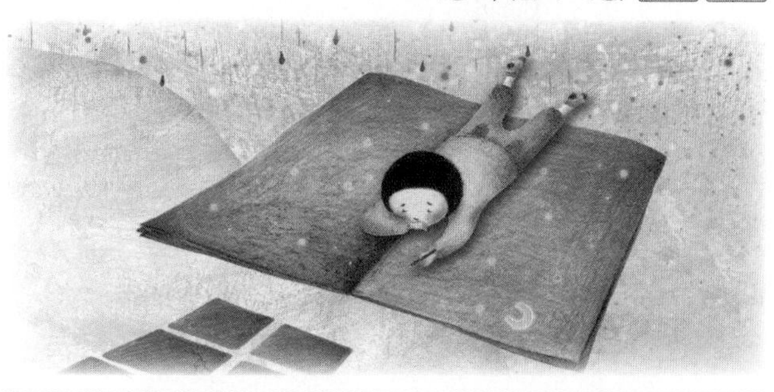

01 (가)와 (나)의 화자의 대화 내용으로 적절하지 않은 것은?

① (가)의 화자: 당신은 유년 시절에 홀로 방에서 엄마를 기다리곤 했군요.
② (나)의 화자: 당신은 고향을 떠나서 혼자 지내고 있군요.
③ (가)의 화자: 유년 시절 창틈으로 들리는 빗소리가 당신의 외로움을 달래 주었군요.
④ (나)의 화자: 당신은 의원의 손길에서 고향을 떠올리며 친근감과 그리움을 느꼈군요.
⑤ (가)의 화자: 당신은 유년 시절을 떠올렸을 때 안타까움을 느끼는군요.

02 다음은 (나)를 감상한 학생이 화자를 달리하여 쓴 시이다. 이에 대한 설명으로 적절하지 않은 것은?

> 열무 삼십 단을 이고
> 시장에 갔었지
>
> 빈방에 홀로 있는 아이는
> 훌쩍거리며 숙제를 하고 있겠지?
>
> 어서 집에 가야 하는데
> 남은 열무 몇 단이 발목을 잡던
>
> 아주 먼 옛날 / 지금도 내 눈시울을 붉히는
> 그 시절, 내 마음의 빚

① (나)와 달리 엄마를 화자로 설정하였다.
② 시장에서 열무를 팔던 화자의 경험이 나타나 있다.
③ 아이가 걱정되지만 빨리 갈 수 없었던 상황이 나타나 있다.
④ 빈방에서 아이가 외로움을 극복하고 성장하는 모습을 표현하고 있다.
⑤ 아이를 혼자 둔 것이 미안했던 화자의 마음을 비유적으로 표현하고 있다.

[03~05] 다음 시를 읽고, 물음에 답하시오.

(가) 높은 가지를 흔드는 매미 소리에 묻혀
내 울음 아직은 노래 아니다.

차가운 바닥 위에 토하는 울음,
풀잎 없고 이슬 한 방울 내리지 않는
지하도 콘크리트 벽 좁은 틈에서
숨 막힐 듯, 그러나 나 여기 살아 있다
귀뚜르르 뚜르르 보내는 타전 소리가
누구의 마음 하나 울릴 수 있을까.

지금은 매미 떼가 하늘을 찌르는 시절
그 소리 걷히고 맑은 가을이
어린 풀숲 위에 내려와 뒤척이기도 하고
계단을 타고 이 땅 밑까지 내려오는 날
발길에 눌려 우는 내 울음도
누군가의 가슴에 실려 가는 노래일 수 있을까.

– 나희덕, 〈귀뚜라미〉 미

(나) 만일 당신이 아니 오시면 나는 바람을 쐬고 ㉠눈비를 맞으며 밤에서 낮까지 당신을 기다리고 있습니다.
당신은 물만 건너면 나를 돌아보지도 않고 가십니다그려.
그러나 당신이 언제든지 오실 줄만은 알아요.
나는 당신을 기다리면서 날마다 날마다 낡아 갑니다.

나는 나룻배 / 당신은 행인.

– 한용운, 〈나룻배와 행인〉 천(박) 교

03 (가)와 (나)에 나타난 화자의 공통적 태도로 적절한 것은?

① 자신의 현재 상황에 불만을 토로하고 있다.
② 주변을 소중하게 여기며 바라는 바 없이 도움을 주고 있다.
③ 자신이 소망하는 바가 이루어지기를 간절히 기다리고 있다.
④ 자신에게 도움을 줄 존재가 나타날 것이라고 굳게 믿고 있다.
⑤ 자신보다 더 뛰어난 능력을 가진 존재를 바라보며 좌절하고 있다.

04 (가)의 화자와 상황이 비슷한 사람으로 거리가 먼 것은?

① 희망을 갖고 자작곡으로 버스킹을 하는 혜나
② 그리던 웹툰과 자료를 삭제하고 포기한 건희
③ 꾸준히 글을 써서 극본 공모에 도전하는 선우
④ 힘든 처지에 있지만 아름다운 시를 쓰는 민서
⑤ 어려움을 극복하며 사건의 진실을 추적하는 지훈

고난도 서술형

05 (나)의 ㉠과 〈보기〉의 밑줄 친 소재의 공통점을 한 문장으로 서술하시오.

보기

더우면 꽃 피고 추우면 잎 지거늘
솔아 너는 어찌 눈서리를 모르는다.
구천(九泉)에 뿌리 곧은 줄을 그로 하여 아노라.

– 윤선도, 〈오우가〉

〈보기〉에서 '눈서리'는 나무가 시들거나 죽게 만드는 외부의 힘으로, 상징적 의미를 지닌 소재예요.

고난도 해결 전략 1회

[06~08] 다음 글을 읽고, 물음에 답하시오.

㉮ "옥희야." / 하고 부드럽게 부르는 어머니 목소리가 들리었습니다. 나는 얼른 안으로 뛰어 들어오면서 돌아다보니까, 아저씨는 또 얼굴이 빨갛게 성이 났겠지요. 내 원, 참으로 무슨 일로 요새는 아저씨가 그렇게 성을 잘 내는지 알 수 없었습니다.

㉯ 예배당에 가서 찬미하고 기도하다가 기도하는 중간에 갑자기 나는, '혹시 아저씨두 예배당에 오지 않았나?' 하는 생각이 나서 ㉠눈을 뜨고 고개를 들어 남자석을 바라다보았습니다. 그랬더니 하, 바로 거기에 아저씨가 와 앉아 있겠지요. [중략] 그래 나는 손을 흔들었지요. 그러니까 ㉡아저씨는 얼른 고개를 숙이고 말더군요. 그때에 ㉢어머니가 내가 팔 흔드는 것을 깨닫고 두 손으로 나를 붙들고 끌어당기더군요. 나는 어머니 귀에다 입을 대고, / "저기 아저씨두 왔어."
하고 속삭이니까 ㉣어머니는 흠칫하면서 내 입을 손으로 막고 막 끌어잡아다가 앞에 앉히고 고개를 누르더군요.

찬미하고: 아름답고 훌륭한 것이나 위대한 것 따위를 기리어 칭송하다.

㉰ 그날 예배는 아주 젬병이었어요. 웬일인지 예배 다 끝날 때까지 어머니는 성이 나서 강대만 향하여 앞으로 바라보고 앉았고, 이전 모양으로 가끔 나를 내려다보고 웃는 일이 없었어요. 그리고 아저씨를 보려고 남자석을 바라다보아도 아저씨도 한 번도 바라다보아 주지 않고 성이 나서 앉아 있고, ㉤어머니는 나를 보지도 않고 공연히 꽉꽉 잡아당기지요. 왜 모두들 그리 성이 났는지! 나는 그만 으아 하고 한번 울고 싶었어요.

젬병: 형편없는 것을 속되게 이르는 말.
강대: 책 따위를 올려놓고 강의나 설교를 할 수 있도록 만든 도구.

– 주요섭, 〈사랑손님과 어머니〉 창 동

고난도

06 〈보기〉를 참고하여 이 글을 이해한 내용으로 적절하지 않은 것은?

> 보기
> 신빙성 없는 화자란 서술하는 일들에 관한 인식과 해석이 미성숙하거나 무지한 화자이다.

① 어른들의 모습을 옥희를 통해 전달해.
② 서술자인 옥희는 신빙성이 없는 화자야.
③ 옥희가 파악하지 못하는 내용을 상상하며 읽게 돼.
④ 옥희가 어린아이라서 어른들의 심리 파악에 한계가 있어.
⑤ 옥희의 인식과 해석이 부족해서 독자가 어머니와 아저씨의 심리를 전혀 알 수 없어.

07 〈보기〉는 이 글의 시대적 배경에 관한 설명이다. ㉠~㉤ 중 이와 관련된 구절로 거리가 먼 것은?

> 보기
> 1930년대는 봉건적 가치관에서 개방적 가치관으로 전환되는 과도기였다. 남녀가 서로 내외하는 등 보수적인 관습이 아직 남아 있었고 여성의 재혼을 부정적으로 보는 사람들이 많았다.

① ㉠ ② ㉡ ③ ㉢ ④ ㉣ ⑤ ㉤

예배당에 '남자석'과 '여자석'이 있다는 것은 남녀가 내외하는 사회적 분위기가 있었음을 보여 줘요.

서술형

08 다음 질문의 답을 한 문장으로 서술하시오.

옥희가 '성이 났다'고 생각한 어른들의 실제 속마음은 무엇일까요?

[09~10] 다음 글을 읽고, 물음에 답하시오.

(가) 1

그렇지만 단 한 번 상을 받을 뻔한 적은 있지. 나 자신의 ㉠실수 때문에 못 받은 거니까 누구를 원망할 수도 없지만. 그 실수를 인정하고 내가 받을 상이 남에게 간 것을 바로잡을 수 있었을까. 할 수 있었을지도 몰라. 아버지에게 이야기했다면. 아니면 천수기 선생님한테라도.

왜 안 했을까. 그때 나를 스쳐 가던 그 아이, 그 아이의 표정 때문인지도 몰라. 땟국물이 흐르던 목덜미, 전신에서 풍겨 나던 뭔가 찌든 듯한 그 냄새, 그 너절한 인상이 내 실수와 잘못된 과정을 바로잡는 게 너절하고 귀찮은 일이라는 생각을 하게 했을 거야. 어쩌면 그 결과 한 아이가 가지게 될지도 모르는 씻지 못할 좌절감이 내게도 약간 느껴졌는지도 모르지. 상관없어. 나는 그런 상하고는 담을 쌓고 살아도 행복해.

(나) 0

나는 가슴이 찢어질 것 같은 통증을 느끼면서 강당을 걸어 나왔어. 열 걸음쯤 떼었을 때 강당 문으로 어떤 여자아이가 걸어 들어왔어. 자주색 원피스를 입고 있었어. 검정 에나멜 구두를 신고 있었지. 나는 그 여자아이를 지나칠 때 눈을 감았어. 눈을 감은 채 열 걸음쯤 걸어가서 다시 눈을 떴어.

내가 주 선생님을 찾아가서 말해야 했을까. 이건 내 그림이 아니라고. 다른 사람이 그린 그림이라고. 나는 그 사람만 한 재능이 없다고. ㉡실수를 바로잡아 달라고. 나는 그렇게 하지 못했어. 주 선생님의 품에 안겨 울지만 않았더라도 찾아갈 수 있었어. 가능성이 크지는 않지만. 내 더러운 눈물로 주 선생님의 앞가슴에 늘어뜨려진 흰 레이스를 더럽히지만 않았더라도.

– 성석제, 〈내가 그린 히말라야시다 그림〉 미 지

서술형

09 다음은 이 글을 읽은 학생의 감상이다. 밑줄 친 내용에 해당하는 갈등이 무엇인지 서술하시오.

(가)에는 1의 '나'가 겪는 갈등이 나타나 있고, (나)에는 0의 '나'가 겪는 갈등이 나타나 있는데, 이는 공통적인 갈등이다.

조건
1. 두 사람의 갈등을 포괄하는 표현으로 쓸 것
2. '~에 관한 갈등이다.' 형식의 한 문장으로 쓸 것

10 〈보기〉는 이 글의 다른 부분이다. 이를 참고하여 ㉠과 ㉡을 이해한 내용으로 적절한 것은?

보기

0

풍경은 내가 그린 것과 비슷했지만 절대로, 절대로 내가 그린 그림이 아니야. 아버지가 사 준 내 오래된 크레파스에는 진작에 떨어지고 없는 회색이 히말라야시다 가지 끝 앞부분에 살짝 칠해져 있는 그림이었어. [중략] 나는 까치발을 하고 손을 최대한 쳐들어서 그림 뒷면의 번호를 확인했어. 네모진 칸 안에 쓰인 숫자는 분명히 124였어. 124, 북한에서 무장간첩을 훈련한 그 124군 부대의 124. 그렇지만 그건 내 글씨가 아니었어.

① ㉠은 그림에 번호를 잘못 쓴 것이고, ㉡은 상을 받을 사람이 바뀐 것이다.
② ㉠은 그림 그리는 것을 포기한 것이고, ㉡은 그림을 건성으로 그린 것이다.
③ ㉠은 그림에 번호를 쓰지 않은 것이고, ㉡은 상을 받은 그림을 전시하지 않은 것이다.
④ ㉠은 다른 사람의 그림을 베껴 그린 것이고, ㉡은 다른 사람의 그림과 바꿔치기한 것이다.
⑤ ㉠은 그림을 공정하게 심사하지 않은 것이고, ㉡은 상을 받을 그림을 정하지 않은 것이다.

고난도 해결 전략 2회

[01~02] 다음 시를 읽고, 물음에 답하시오.

씹던 껌을 아무 데나 퉤, 뱉지 못하고
종이에 싸서 쓰레기통으로 달려가는
너는 참 바보다.
개구멍으로 쏙 빠져나가면 금방일 것을
비잉 돌아 교문으로 다니는
너는 참 바보다.
얼굴에 검댕 칠을 한 연탄장수 아저씨한테
쓸데없이 꾸벅, 인사하는
너는 참 바보다.
호랑이 선생님이 전근 가신다고
계집애들도 흘리지 않는 눈물을 찔끔거리는
너는 참 바보다.
그까짓 게 뭐 그리 대단하다고
민들레 앞에 쪼그리고 앉아 한참 바라보는
너는 참 바보다.
내가 아무리 거짓으로 허풍을 떨어도
눈을 동그랗게 뜨고 머리를 끄덕여 주는
너는 참 바보다.
바보라고 불러도 화내지 않고
씨익 웃어 버리고 마는 너는
정말 정말 바보다.

—그럼, 난 뭐냐?
그런 네가 좋아서 그림자처럼
네 뒤를 졸졸 따라다니는
나는?

– 신형건, 〈넌 바보다〉 미

01 〈보기〉를 참고하여 2연을 이해한 반응으로 적절한 것은?

보기

반어는 뜻하고자 하는 것과는 반대의 표현을 써서 애초에 뜻하고자 하는 내용을 성공적으로 나타낸 말이나 글, 행동을 의미한다. 반어는 겉으로 드러난 의미와 진정으로 의도하고 있는 의미를 청자나 독자가 충분히 이해할 수 있는 상황과 조건 아래에서 사용된다.

①  '너'가 바보여서 '나'는 '너'를 좋아하지 않는다고 말하고 있어.

②  '너'를 바보라고 말한 것이 모두 반어임을 극적으로 드러내고 있어.

③  '너'가 비록 바보여도 '나'는 그런 '너'를 좋아하고 있다고 말하고 있어.

④  '너'를 바보라고 한 것은 사실 '나'가 바보라는 고백임을 드러내고 있어.

⑤  '너'를 우스꽝스럽게 말한 것은 '너'를 비판하기 위함이었음을 드러내고 있어.

서술형

02 이 시의 운율 형성 방법을 서술하시오.

조건

1. 운율을 형성하는 요소를 한 가지 이상 쓸 것
2. '이 시는 ~을/를 통해 운율을 형성하고 있다.' 형식의 한 문장으로 쓸 것

시에서 어떤 요소가 반복되고 있는지 찾아보세요.

[03~05] 다음 시를 읽고, 물음에 답하시오.

㉮ 먼 훗날 당신이 찾으시면
그때에 내 말이 '잊었노라'

당신이 속으로 나무라면
'무척 그리다가 잊었노라'

그래도 당신이 나무라면
'믿기지 않아서 잊었노라'

오늘도 어제도 아니 잊고
먼 훗날 그때에 '잊었노라'

– 김소월, 〈먼 후일〉 천(박) 천(노) 비 지 교

㉯ 은행나무 열매에서 구린내가 난다
주의해 주세요 구린내가 향기롭다

밤톨이 여물면서 밤송이가 따가워진다
날카롭게 찌르는 가시가 너그럽다

복어알을 먹으면 죽는다
복어의 독이 복어의 사랑이다

자식을 낳고 술을 끊은 친구가 있다
친구의 독한 마음이 아름답다

– 함민복, 〈독은 아름답다〉 천(박)

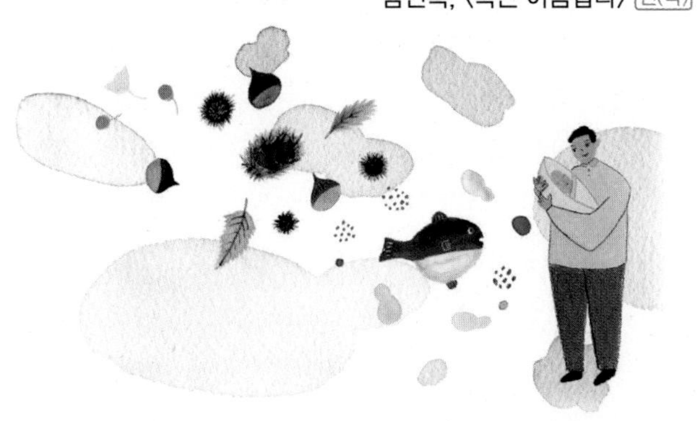

03 (가)와 (나)에 대한 설명으로 적절하지 않은 것은?

① (가)와 (나)는 모두 사랑에 대해 노래하고 있다.
② (가)의 화자는 자신의 속마음을 반대로 표현하고 있다.
③ (나)는 시적 대상의 긍정적인 특성들을 나열하고 있다.
④ (가)는 미래의 어떤 상황을 가정하여 시상을 전개하고 있다.
⑤ (나)의 화자는 자신이 말하고자 하는 바를 모순된 표현을 통해 드러내고 있다.

04 (가)와 끊어 읽기가 다르게 나타나는 것은?

① 아리랑 아리랑 아라리요 / 아리랑 고개로 넘어간다
② 강나루 건너서 / 밀밭 길을 // 구름에 달 가듯이 / 가는 나그네 – 박목월, 〈나그네〉
③ 엄마야 누나야 강변 살자 / 뜰에는 반짝이는 금모래 빛. – 김소월, 〈엄마야 누나야〉
④ 산 너머 남촌에는 누가 살길래 / 해마다 봄바람이 남으로 오네. – 김동환, 〈산 너머 남촌에는〉
⑤ 내 벗이 몇이나 하니 수석과 송죽이라. / 동산에 달 오르니 그 더욱 반갑고야. – 윤선도, 〈오우가〉

한 행이나 한 연을 몇 개의 덩어리로 끊어 읽을 수 있는지 생각해 보세요.

서술형

05 (나)에서 역설을 써서 강조하고 있는 것을 서술하시오.

조건
1. 은행나무 열매의 구린내, 밤송이의 가시, 복어의 독의 공통된 역할이 무엇인지 고려할 것
2. '이 시는 역설을 써서 ~을/를 강조하고 있다.' 형식의 한 문장으로 쓸 것

[06~07] 다음 글을 읽고, 물음에 답하시오.

㉮ 한국을 떠나 미국의 애리조나주 투손시의 인디언 축제에 참여했을 때의 일이다. 인디언 천막 안에서 인디언 노인들과 흥미 있는 대화를 주고받으리라 기대했던 나는 아주 뜻밖의 일을 경험했다. 천막 안으로 들어가 그들과 마주 앉자마자, 나는 내 소개를 하기 시작했다. 나는 글을 쓰는 작가이며, 인디언 세계에 무척 관심이 많고, 잘 부탁한다는 말까지 잊지 않았다. 인디언들의 철학과 역사를 많이 알고 있다는 것도 넌지시 내비쳤다.

그런데 그들은 아무런 반응도 보이지 않았다. 다만 허리를 꼿꼿이 세우고 묵묵히 앉아 있을 뿐이었다. 천막 안이 어슴푸레해서(빛이 약하거나 멀어서 어둑하고 희미하다.) 그들의 시선이 나를 향하고 있는 건지 허공을 바라보고 있는 건지도 알 수 없었다.

㉯ 훗날에야 나는 그것이 인디언 부족들의 전통인 것을 알았다. 누군가를 만나면 그들은 대화를 시작하기 전에 그렇게 한동안 침묵으로 상대방을 느끼는 것이다. 자기 앞에 있는 존재를 가장 잘 느끼는 방법은 말을 통한 것이 아니라 침묵을 통한 것임을 그들은 깨닫고 있었다.

㉰ 인디언들은 여러 부족으로 이루어져 있고, 부족마다 언어도 매우 다르다. 그래서 나는 인디언을 만나면 그들의 부족 언어를 묻곤 했다.

"당신의 모국어는 무엇입니까?"

그러면 그들은 이렇게 답하곤 했다.

㉠"우리의 모국어는 침묵입니다."

– 류시화, 〈나의 모국어는 침묵〉 미

06 다음 질문에 대한 독자의 답변으로 가장 적절한 것은?

(가)에서 인디언들이 글쓴이의 말에 아무런 반응도 보이지 않은 까닭은 무엇일까요?

댓글 달기

가비 글쓴이가 말을 지나치게 많이 했기 때문입니다. ……… ①

나라 인디언들이 글쓴이의 말을 알아듣지 못했기 때문입니다. ……… ②

다솔 인디언들은 대화하기 전에 침묵으로 상대방을 느끼기 때문입니다. ……… ③

라온 글쓴이가 인디언에 관해 잘못 알고 있어 기분이 언짢았기 때문입니다. ……… ④

마음 인디언들이 갑자기 온 글쓴이를 불청객으로 생각하고 있기 때문입니다. ……… ⑤

07 다음을 참고할 때 ㉠에 사용된 표현 방법과 같은 표현 방법이 사용되지 <u>않은</u> 것은?

- **모국어**: 여러 민족으로 이루어진 국가에서, 자기 민족의 언어를 국어 또는 외국어에 상대하여 이르는 말.
- **침묵**: 아무 말도 없이 잠잠히 있음. 또는 그런 상태.

① 지금 대낮인 사람들은 어둡다. – 정진규, 〈별〉
② 두 볼에 흐르는 빛이 / 정작으로 고와서 서러워라. – 조지훈, 〈승무〉
③ 밤에 홀로 유리를 닦는 것은 / 외로운 황홀한 심사이어니, – 정지용, 〈유리창 1〉
④ 내 앞에 내가 서 있다. / 나와 닮은 그는 / 나와 닮지 않았다. – 이지영, 〈거울〉
⑤ 돌담에 속삭이는 햇발같이 / 풀 아래 웃음 짓는 샘물같이 – 김영랑, 〈돌담에 속삭이는 햇발〉

[08~10] 다음 글을 읽고, 물음에 답하시오.

(가) 두꺼비 파리를 물고 두엄 위에 치달아 앉아
건넌산 바라보니 백송골이 떠 있거늘 가슴이 끔찍하여 풀쩍 뛰어 내닫다가 두엄 아래 자빠졌구나.
모쳐라, 날랜 나이니 망정이지 어혈 질 뻔했구나

두엄: 풀, 짚 또는 가축의 배설물 따위를 썩힌 거름.
백송골: 맷과의 하나. 매 종류 가운데 몸이 크며 성질이 굳세고 날쌔어 사냥하는 데 쓰임.
모쳐라: '마침'의 옛말.
어혈: 타박상 따위로 살 속에 피가 맺힘. 또는 그 피.

– 작자 미상, 〈두꺼비 파리를 물고〉 미 비

(나) "곤궁한 사(士)는 시골에 살아도 제멋대로 횡포를 부릴 수 있다. 이웃집 소를 빼어다가 제 논을 먼저 갈고, 백성들을 끌어다가 제 밭 김을 매게 한들 누가 감히 대들쏘냐? 코에다가 잿물을 들이붓고, 머리끄덩이를 돌리며 귀밑머리를 뽑은들 감히 원망할 자 없을지어다."

증서를 작성하는 중간에 부자가 혀를 내두르며 말했다.

"그만두세요. 그만둬! 맹랑하기도 합니다! 장차 나를 도둑놈으로 만들 셈입니까?"

부자는 고개를 절레절레 흔들며 가더니 죽을 때까지 다시는 양반이 되겠다는 말을 하지 않았다.

– 박지원, 〈양반전〉 천(박) 천(노) 지 동

08 (가)에서 풍자하고 있는 두꺼비의 모습으로 적절한 것은? (정답 2개)

① 먹이를 구하지 못해 쩔쩔매는 모습
② 자기보다 강한 자에게 대드는 모습
③ 자기보다 약한 상대에게 무시받는 모습
④ 겁먹은 것을 감추려 허세를 부리는 모습
⑤ 약한 자에게 강하고 강한 자에게 약한 모습

고난도
09 〈보기〉를 참고하여 (가)의 두꺼비와 파리, 백송골의 의미를 바르게 파악한 것은?

보기
조선 후기 왕권이 약화되며 정치 기강이 문란해지면서 지방의 탐관오리들이 큰 권력을 가진 중앙 관리에게 뇌물을 주고 관직을 사는 매관매직이 성행하였다. 또한 백성에 대한 탐관오리들의 수탈이 더 심해지면서 힘없는 백성들의 생활은 더욱 어려워졌다.

	두꺼비	파리	백송골
①	강화된 왕권	청렴한 관리	힘없는 백성
②	탐관오리	힘없는 백성	중앙 관리
③	약화된 왕권	탐관오리	힘없는 백성
④	중앙 관리	약화된 왕권	탐관오리
⑤	힘없는 백성	탐관오리	강화된 왕권

두꺼비와 파리, 백송골의 관계를 <보기>의 시대 상황과 관련지어 생각해 보세요.

서술형
10 (나)의 부자가 (가)의 두꺼비를 보고 할 수 있는 말을 서술하시오.

조건
1. 부자가 두꺼비를 무엇과 같다고 생각할지를 포함할 것
2. 그 대상에 관한 부자의 생각을 드러낸 단어를 포함할 것

고난도 해결 전략 3회

[01~03] 다음 글을 읽고, 물음에 답하시오.

㉮ 모진 소리를 들으면
내 입에서 나온 소리가 아니더라도
내 귀를 겨냥한 소리가 아니더라도
모진 소리를 들으면 / 가슴이 쩌엉한다.
온몸이 쿡쿡 아파 온다
누군가의 온몸을
가슴속부터 쩡 금 가게 했을 / 모진 소리

– 황인숙, 〈모진 소리〉 천(박)

㉯ "뭐가 싫어? 지난번 대본 회의할 때 너 계속 딴짓만 하다가, 애들이 뭐라고 하니까 화내면서 무슨 역이든 다 하겠다고 큰소리쳤잖아. 그런데 이제 와서 갑자기 그러면 어떻게 해? 너는 늘 너만 생각해. 참 이기적이다. 짜증 나, 정말."

민아는 현우가 당황해서 어쩔 줄 몰라 하는데도 아랑곳하지 않고 마구 말을 내뱉었다. 민아의 말은 화살이 되고 만다. 현우에게 날카로운 화살이 꽂혔다. 현우의 얼굴이 하얘졌다. 내 가슴 한구석이 쿡쿡 쑤셨다. 아, 아프다. [중략]

숨을 깊게 몰아쉬었다. 힘겹게 고개를 들어 내 얼굴과 마주한다. 아무 생각도 나지 않았다. 마음이 '쩡' 하고 무너진다. ㉠<u>'쩌엉' 하고 거울에 금이 간다</u>. 조각난 얼굴 뒤로 선미의 얼굴이 겹쳤다. 착각일까. 선미의 얼굴이 점점 다가와 내 옆에서 멈췄다. 고개를 돌렸다. 내 옆에는 당황한 얼굴을 한 선미가 서 있었다. 진짜 선미였다.

– 학생 작품, 〈거울〉 천(박)

01 (가)의 화자가 '모진 소리'를 듣고 할 수 있는 생각으로 가장 적절한 것은?

① '모진 소리에서도 교훈을 찾아야지.'
② '마음에 상처를 받아서 너무나 아파.'
③ '다른 사람에게 나의 억울함을 알려야지.'
④ '모진 소리를 한 사람에게 불만을 말해야지.'
⑤ '나를 위한 말이니까 겸허하게 받아들여야지.'

서술형
02 (나)의 ㉠이 의미하는 바를 서술하시오.

조건
• (가)의 내용을 참고하여 한 문장으로 쓸 것

민아가 현우에게 모진 소리를 하는 장면을 본 '나'의 마음이 어떠할지를 생각해 보세요.

03 (가)와 (나)를 바르게 감상한 학생끼리 짝지은 것은?

승아: (가)는 모진 소리의 긍정적인 영향을 표현하고 있어.

윤서: (나)는 원작과 다른 갈래로 재구성한 것이 특징이야.

민규: (가)를 읽으면 내 마음이 점점 따뜻해지는 느낌이 들어.

미주: (나)는 학생들이 학교생활에서 겪을 법한 일을 담고 있어.

① 승아, 윤서 ② 승아, 민규 ③ 윤서, 민규
④ 윤서, 미주 ⑤ 민규, 미주

[04~05] 다음 글을 읽고, 물음에 답하시오.

(가) 당공밥에 가시 냉국의 저녁을 먹고 나서
바가지꽃 하이얀 지붕에 박각시 주락시 붕붕 날아오면
집은 안팎 문을 횅하니 열젖기고
인간들은 모두 뒷등성으로 올라 멍석자리를 하고 바람을 쐬이는데
풀밭에는 어느새 하이얀 대림질감들이 한불 널리고
돌우래며 팟중이 산 옆이 들썩하니 울어 댄다.
이리하여 한울에 별이 잔콩 마당 같고
강낭밭에 이슬이 비 오듯 하는 밤이 된다.

– 백석, 〈박각시 오는 저녁〉 동

(나) 숨이 막히는 검고 매캐한 연기 속을 날아, 가도 가도 이슬 한 방울 없는 메마른 회색 황무지를 지나는 동안, 곳곳에서 자신들을 노리는 매서운 공격을 숱하게 받았다는 것이었습니다.

그러다 같이 떠났던 일행이 죽음을 맞이하던 순간에 이르러서는 박각시가 죽은 동무의 이름을 목메어 불렀습니다. [중략]

땅지 영감이 하늘을 우러러보더니 뭐라 뭐라 중얼거렸습니다. 고마는 처음엔 이상한 주문인 줄 알았어요. 뭔가 마술 같은 일이 일어날 듯했지만 그러지는 않았습니다. 대신 그만큼 분위기가 굉장히 오묘했다는 말이 옳겠군요. 간간이 고마가 알아들을 수 있는 말도 들렸습니다. 대대로 내려와 살던 곳을 떠나야 한다고 했고 할머니 얘기도 흘러나왔어요. 자신들을 돌봐 주던 할머니의 명복을 빈다는 말도 했거든요. 땅지 영감의 말은 마치 노래처럼 퍼져 나갔어요. 하도 ㉠구슬프고 애잔한 소리여서 모여든 이들은 하나같이 눈물을 머금었습니다. [중략]

그날 저녁, 고마는 아빠 구만 씨와 할머니네 마루에 앉았습니다. 그러고 보니 단둘이 있는 일도 아주 오랜만이었습니다. 밤하늘에는 별이 총총 반짝였고, 숲에는 벌레 우는 소리로 가득했습니다. 고마는 그날 낮에 보고 듣고 한 것들을 이야기했습니다. 아빠에게 말이죠.

– 김기정, 〈박각시와 주락시〉 동

고난도

04 (나)는 (가)를 재구성한 작품이다. (나)의 특징 가운데 〈보기〉의 밑줄 친 부분에 해당하지 않는 것은?

> 보기
> 문학 작품을 재구성하는 것은 원작을 이해하고 새로운 생각을 담는 창조적인 작업이다.
> 따라서 재구성된 작품을 원작과 비교하여 감상하면 그 안에 담긴 새로운 상상과 가치를 발견하는 즐거움을 느낄 수 있다.

① (가)의 풀벌레들을 의인화하여 표현하였다.
② 현실과 환상을 넘나드는 구조를 취하고 있다.
③ 어린아이를 주인공으로 설정하여 이야기를 전개하고 있다.
④ (가)에는 없는 자연 파괴 문제를 사실적으로 고발하고 있다.
⑤ (가)의 '인간들'을 '할머니, 고마, 아빠' 등 다양한 인물로 형상화하고 있다.

서술형

05 다음은 (나)에 관한 학생들의 대화이다. 이를 참고하여 ㉠의 내용을 서술하시오.

> 조건
> 1. 고마가 알아들은 내용 두 가지를 포함할 것
> 2. '~ 소리이다.' 형식의 한 문장으로 쓸 것

[06~07] 다음 글을 읽고, 물음에 답하시오.

(가) 남폿불 밑에서 바느질감을 안고 있던 어머니가

"증손이라곤 계집애 그 애 하나뿐이었지요?"

"그렇지, 사내애 둘 있던 건 어려서 잃구……."

"어쩌믄 그렇게 자식 복이 없을까."

"글쎄 말이지. 이번 앤 꽤 여러 날 앓는 걸 약두 변변히 못 써 봤다더군. 지금 같애서는 윤 초시네두 대가 끊긴 셈이지. 그런데 참, 이번 계집애는 어린것이 여간 잔망스럽지가 않어. 글쎄, 죽기 전에 이런 말을 했다지 않어? 자기가 죽거든 자기 입던 옷을 꼭 그대루 입혀서 묻어 달라구……."

– 황순원, 〈소나기〉 천(박)

(나) 〈S# 67〉 개울

엄청나게 물이 불어 빛마저 제법 붉은 흙탕물.

소년, 소녀의 앞에 등을 돌려 댄다.

눈을 깜박이며 잠시 망설이다 순순히 업히는 소녀.

㉠자세가 불안정하고 어색한 데다가 물살이 있어 넘어질 뻔한 소년.

소녀, 소리를 지르며 소년의 목을 끌어안는다.

〈S# 95〉 소년의 집

엄마 윤 초시 그 어른한테 증손이라곤 걔 하나뿐이었죠?

아버지 그렇지. 사내애 둘 있던 건 어려서 잃고…….

엄마 어쩌면 그렇게 자식 복이 없을까? 완전히 대가 끊긴 셈이네.

소년 (눈을 번쩍 뜬다.) [중략]

엄마 (소리) 양평댁한테 들었는데 계집애가 여간 잔망스럽지 않더라구요.

아버지 (소리, 조심스럽지 않다는 듯) 허, 참…….

엄마 (소리) 자기가 죽거든 입던 옷을 꼭 그대로 입혀서 묻어 달랬다니 하는 말이에요.

소년 (숨이 제대로 쉬어지지 않는다.)

– 염일호, 〈소나기〉 천(박)

고난도 서술형

06 다음은 (나)의 〈S# 67〉에 해당하는 원작 부분이다. 이를 참고하여 ㉠의 효과를 서술하시오.

> 도랑 있는 곳까지 와 보니, 엄청나게 물이 불어 있었다. 빛마저 제법 붉은 흙탕물이었다. 뛰어 건널 수가 없었다.
>
> 소년이 등을 돌려 댔다. 소녀가 순순히 업히었다. 걷어 올린 소년의 잠방이까지 물이 올라왔다. 소녀는 "어머나!" 소리를 지르며 소년의 목을 그러안았다.
>
> – 황순원, 〈소나기〉 천(박)

조건

1. ㉠의 앞뒤 내용을 살펴 효과를 파악할 것
2. '~ 효과를 얻었다.' 형식의 한 문장으로 쓸 것

07 〈보기〉는 (나)의 〈S# 95〉를 (가)와 비교한 내용이다. 〈보기〉의 밑줄 친 부분에 가장 적절한 사자성어는?

> 보기
>
> 원작인 (가)는 소년의 부모님이 나누는 대화를 통해 소녀의 죽음을 드러내고 있다. 또한 소녀의 유언으로 이야기가 마무리되면서 독자에게 안타까움과 감동을 주며 여운을 남기고 있다.
>
> 재구성된 작품인 (나)도 소년의 부모님이 나누는 대화를 통해 소녀의 죽음을 드러내고 있지만, 이를 듣는 소년의 반응을 제시하고 있다는 데 차이가 있다. 소년의 반응을 통해 소녀의 죽음을 알게 된 소년의 심리를 짐작할 수 있다.

① 오매불망(寤寐不忘) ② 전전긍긍(戰戰兢兢) ③ 전화위복(轉禍爲福) ④ 청천벽력(靑天霹靂) ⑤ 타산지석(他山之石)

〈S# 95〉에서 소녀가 죽었다는 사실을 알게 된 소년의 반응을 드러내는 지시문을 찾아보세요.

[08~09] 다음 글을 읽고, 물음에 답하시오.

(가) 흥부가 품을 파는데 상하 전답 김매고, 전세 대동 방아 찧기, 보부상단 삯짐 지고, 초상난 집 부고 전하기, 묵은 집에 토담 쌓고, 새집에 땅 돋우고, 대장간 풀무 불기, 십 리 길 가마 메고, 오 푼 받고 말편자 걸기, 두 푼 받고 똥재 치고, 닷 냥 받고 송장 치기. 생전 못 해 보던 일로 이렇듯 벌기는 버는데 하루 품을 팔면 네댓새씩 앓고 나니 생계가 막막했다.

(전답: 논밭. / 전세 대동: 조선 중·후기의 조세 제도인 대동법 / 보부상단: 봇짐장수와 등짐장수를 이르는 말. / 부고: 사람의 죽음을 알림. 또는 그런 글. / 토담: 흙으로 만든 담. / 풀무: 불을 피울 때 바람을 일으키는 도구. / 똥재: 똥오줌에 재를 섞어 만든 거름.)

– 작자 미상, 〈흥부전〉 미

(나) "여보, 이제 흥부네 가족이 찾아오면 절대 도와주지 마시오. 도와주는 것도 한두 번이지 자꾸 도와주니까 의지만 하고 스스로 일할 생각을 하지 않는 것 같구려." [중략]

"형님, 다시는 손 벌리지 않을 테니 한 번만 도와주세요."

"아버지로부터 물려받은 재산을 다 까먹고 또 내가 얼마나 도와주었느냐? 이제부터 너와 나는 형제도 아니니 썩 물러가거라."

놀부는 흥부를 계속 나무랐어요. 결국 흥부는 쌀 한 톨도 받지 못하고 놀부네 집에서 쫓겨났지요. [중략]

'무엇을 해서 가족을 먹여 살리지? 무엇을 해야 보란 듯이 성공할 수 있을까? 농사를 짓자니 물려받은 논밭을 이미 다 팔았고, 장사를 하자니 밑천이 없고, 품삯을 받고 남의 집 일을 하자니 양반 체면이 말이 아닌데…….'

흥부는 아무리 생각해도 마땅한 돈벌이가 떠오르지 않았어요.

– 류일윤, 〈놀부전〉 미

고난도

08 다음은 (나)를 쓴 글쓴이의 인터뷰이다. 이를 참고할 때, (가)를 (나)로 재구성한 의도로 가장 적절한 것은?

> 20○○년 ○월 ○일 제○호
>
> 조선 후기에는 소수의 지주는 놀부처럼 부자가 되고, 대부분의 소작농은 흥부처럼 열심히 일해도 가난해졌다. 이런 시대적 배경에서 가난한 흥부가 복을 받아 부자가 되는 이야기는 가난한 사람들에게 희망을 주었다. 하지만 현대를 살아가는 우리 아이들에게도 희망과 위로가 될 수 있을까?

① 돈보다는 우애가 소중함을 알리려고
② 풍요롭게 살 수 있는 정보를 공유하려고
③ 착한 사람은 복을 받는다는 교훈을 주려고
④ 가난에서 벗어나기 어려운 현실을 보여 주려고
⑤ 자신의 힘으로 노력하여 얻는 성공을 보여 주려고

서술형

09 (나)의 흥부와 〈보기〉의 양반의 공통점을 서술하시오.

보기

관찰사는 양반을 옥에 가두도록 명했다. 군수는 양반이 가난해서 빌린 곡식을 갚을 길이 없는 형편임을 딱하게 여겨 차마 가두지 못했지만, 그렇다고 해서 달리 뾰족한 방법을 찾을 수도 없었다. 양반은 밤낮으로 울기만 할 뿐 아무런 대책이 없었다. 그러자 양반의 아내가 나무랐다.

"평생 당신은 책 읽기를 좋아하더니만 환자 갚는 데는 아무 소용도 없구려."

– 박지원, 〈양반전〉 천(박) 천(노) 지 동

조건

• 경제적 능력의 공통점을 한 문장으로 쓸 것

〈보기〉의 양반은 공부를 많이 했지만 현실 문제에 전혀 대처하지 못하고 있어요.

memo

book.chunjae.co.kr

교재 내용 문의 ·························· 교재 홈페이지 ▸ 중학 ▸ 교재상담
교재 내용 외 문의 ······················ 교재 홈페이지 ▸ 고객센터 ▸ 1:1문의
발간 후 발견되는 오류 ··············· 교재 홈페이지 ▸ 중학 ▸ 학습지원 ▸ 학습자료실

일등공략 필승학습!
단기간에 끝장내자!

중학 국어 문학 2

BOOK 2

정답과 해설

book.chunjae.co.kr

중학 국어 문학 2

BOOK 2

정답과 해설

정답과 해설

차례

정답과 해설

정답과 해설

1주 화자와 서술자

1일 개념 돌파 전략 1 (8~9쪽)

01 ④ 02 이별하는 상황 03 정서, 태도 04 ㉡ 05 주인공 06 안 07 ㉠ 08 3인칭 전지적 시점

01 시에서 말하는 이를 '화자'라고 한다.

오답 풀이

① 상징: 추상적인 관념을 구체적인 사물로 나타내는 방법
② 운율: 시에서 느껴지는 말의 가락
③ 시어: 시에 쓰인 단어 하나하나. 시에 있는 말
⑤ 청자: 듣는 사람

02 이 시에서 화자는 사랑하는 이와 이별하는 상황에 처해 있다.

03 화자가 느끼는 감정이나 기분을 '정서'라고 하고, 화자가 보이는 반응이나 대응 방식을 '태도'라고 한다.

오답 풀이

• 어조: 화자의 목소리와 화자가 사용하는 말투

04 서술자는 소설에서 이야기를 전달하는 이를 말한다.

05 1인칭 주인공 시점의 서술자는 주인공인 '나'로, 자신이 겪은 이야기를 전달한다.

06 1인칭 관찰자 시점의 서술자는 이야기 안에 등장하는 부수적 인물인 '나'이다. 주인공을 관찰하여 이야기를 전달하므로 주인공의 심리가 정확하게 드러나지 않는다.

07 3인칭 관찰자 시점에서 서술자는 상황을 객관적으로 전달한다.

08 이야기 밖에 위치하는 서술자가 인물의 심리까지 모두 알고 전달하는 시점은 '3인칭 전지적 시점'이다.

1일 개념 돌파 전략 2 (10~13쪽)

01 ④ 02 ⑤ 03 학생들이 시를 쓰는 상황 04 ① 05 성찰하는 06 ③ 07 화가 08 ③ 09 밖 10 ⑤

01 시의 화자는 시의 표면에 직접적으로 드러나기도 하고 드러나지 않기도 한다.

02 이 시는 누나를 향한 그리움을 노래하고 있는 작품이다. '누나'라는 표현을 통해 화자가 남동생이라는 것을 알 수 있다.

자료실

〈편지〉(윤동주) 작품 개관

갈래	동시
제재	눈
주제	누나를 향한 그리움
특징	① 누나에게 부치는 편지 형식을 취함. ② 누나를 향한 그리움과 순수한 마음이 드러남.

03 이 시는 국어 교사인 화자가 수업 시간에 시를 창작하는 학생들의 모습을 노래하고 있는 작품이다. 따라서 이 시에 나타난 상황은 '학생들이 시를 쓰는 상황'이다.

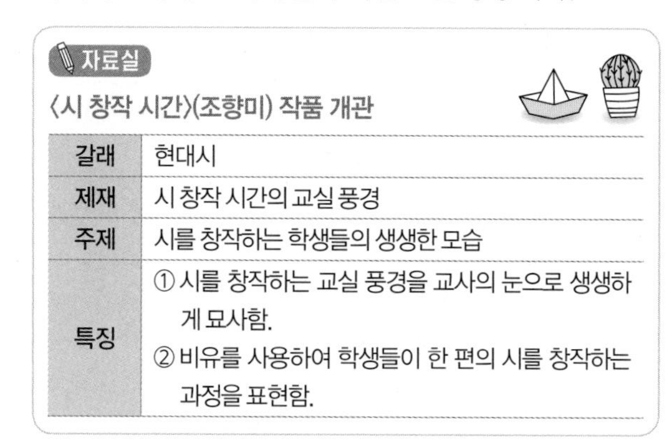
자료실

〈시 창작 시간〉(조향미) 작품 개관

갈래	현대시
제재	시 창작 시간의 교실 풍경
주제	시를 창작하는 학생들의 생생한 모습
특징	① 시를 창작하는 교실 풍경을 교사의 눈으로 생생하게 묘사함. ② 비유를 사용하여 학생들이 한 편의 시를 창작하는 과정을 표현함.

04 이 시조의 화자는 임에게 묏버들을 보내면서 자신을 기억해 달라고 말하고 있다. 이는 임의 곁에 있고 싶은 마음을 표현한 것으로, 화자가 사랑하는 사람을 그리워하고 있음을 알 수 있다.

오답 풀이

② 화자가 자신의 곁을 떠난 임을 원망하는 내용은 나타나 있지 않다.
③ 밤비에 새잎이 나면 자신을 본 것처럼 여겨 달라고 말하고 있으므로 적절하지 않다.
④ 화자는 떠난 임을 그리워하며 자신을 기억해 주기를 바라고 있으므로 적절하지 않다.
⑤ 화자가 묏버들이 가득한 풍경을 보며 여유로움을 느끼는 내용은 나타나 있지 않다.

자료실

〈뮛버들 가려 꺾어〉(홍랑) 작품 개관

갈래	시조
제재	묏버들, 이별
주제	임에게 보내는 사랑
특징	① 임에 대한 사랑을 자연물을 통해 드러냄. ② 자신을 기억해 달라는 화자의 당부와 항상 임의 곁에 있겠다는 의지가 드러남.

05 화자는 민지와의 대화를 통해 자신이 인간의 기준에서 식물의 가치를 나누고 있었으며, 모든 식물은 동일한 가치를 지닌 자연의 구성원임을 깨닫고 있다. 식물을 바라보는 관점에 관한 화자의 반성과 성찰이 드러나 있다.

자료실

〈민지의 꽃〉(정희성) 작품 개관

갈래	현대시
제재	잡초, 민지와의 대화
주제	때 묻지 않은 순수함에 대한 동경과 깨달음
특징	① 어린아이와의 대화를 통해 얻은 화자의 깨달음이 드러남. ② 대상을 향한 어린아이의 시선과 어른의 시선이 대비되어 나타남.

06 서술자는 이야기 안에 등장하는 인물일 수도 있고, 이야기 밖의 존재일 수도 있다.

07 이 글의 서술자는 '나'이다. "설마 은행가가 가난한 화가더러 돈을 꾸란 건 아닐 게고."에서 '나'의 직업이 화가임을 알 수 있다.

자료실

〈표구된 휴지〉(이범선) 작품 개관

갈래	현대 소설
제재	표구된 휴지
배경	• 시간: 1960~1970년대 • 공간: 서울
주제	• 아들을 향한 아버지의 소박하고 따뜻한 사랑 • 사소한 것에서 오는 삶의 위안
특징	① 편지를 여러 부분으로 나누어 이야기 속에 삽입함. ② '현재-과거 회상-현재'의 역순행적 구성으로 이야기가 진행됨. ③ 편지를 통해 돈을 벌러 도시로 떠난 자식을 향한 부모의 걱정과 사랑을 드러냄.

08 이 글의 서술자는 '나'이다. 김밥을 주문하고 집에 돌아와서 먹었다는 내용을 볼 때 서술자가 같은 가게에서 일하는 사람이 아니라 손님임을 알 수 있다.

자료실

〈길모퉁이에서 만난 사람〉(양귀자) 작품 개관

갈래	현대 소설
제재	주변에서 만날 수 있는 평범한 이웃들
배경	• 시간: 현대 • 공간: 어느 동네
주제	평범한 이웃들의 삶에 관한 심미적 성찰
특징	① 서술자('나')의 관찰과 묘사로 인물의 성격과 특성을 드러냄. ② 이웃을 향한 서술자의 따뜻한 시선이 잘 드러남. ③ 등장인물 사이에 뚜렷한 갈등이 나타나지 않음.

09 이 글의 서술자는 이야기 밖의 존재로, 만도와 진수의 말과 행동을 관찰하여 객관적으로 전달하고 있다.

자료실

〈수난이대〉(하근찬) 작품 개관

갈래	현대 소설
제재	아버지와 아들에게 닥친 시련
배경	• 시간: 일제 강점기~6·25 전쟁 이후 • 공간: 경상도의 어느 마을
주제	민족의 수난과 이를 극복하려는 의지
특징	① 아버지와 아들이 겪은 불행을 우리 민족 전체의 역사적 비극으로 형상화함. ② '외나무다리'라는 상징물을 통해 주제를 전달함.

10 이 글의 서술자는 이야기 밖에 위치하고 있으며, '그곳이 크게 마음에 들었다.'처럼 홍길동의 심리까지 파악하여 전달하고 있다.

자료실

〈홍길동전〉(허균) 작품 개관

갈래	고전 소설
제재	홍길동의 삶
배경	• 시간: 조선 시대 • 공간: 조선, 율도국
주제	불합리한 사회 제도 비판과 이상국의 건설
특징	① 사회 제도의 불합리함을 비판함. ② 인물과 사회의 갈등이 잘 나타남. ③ 영웅 소설의 일대기적 구성을 따름.

2일 필수 체크 전략 1 14~17쪽

1 ⑤ 1-1 ④ 2 ③ 2-1 의원 3 ② 3-1 ③ 4 ④ 4-1 ⑤

• 엄마 걱정(기형도)

갈래 현대시
제재 유년 시절의 기억
주제 유년 시절을 떠올리며 느끼는 슬픔
특징 ① 화자가 자신의 과거를 회상하고 있음.
② 비유를 써서 화자의 정서를 드러냄.

시의 짜임

1연	가난하고 외로웠던 '나'의 유년 시절
2연	유년 시절을 떠올리며 슬픔을 느끼는 '나'

핵심 포인트 1 **이 시의 화자**

화자	어른이 된 '나' (자신의 유년 시절을 회상하고 있음.)

핵심 포인트 2 **시적 상황과 화자의 정서**

	1연	2연
시간	유년 시절	현재
상황	어린 '나'는 시장에 가신 엄마를 집에서 혼자 기다림.	어른이 된 '나'는 자신의 유년 시절을 회상함.
정서	외로움, 두려움, 쓸쓸함	슬픔, 서글픔, 안타까움

핵심 포인트 3 **주요 시구의 의미**

나는 찬밥처럼 방에 담겨(1연 4행)	아무도 돌보아 주지 않는 외롭고 쓸쓸한 '나'의 처지를 찬밥에 빗대어 표현함.
배춧잎 같은 발소리 타박타박(1연 6행)	엄마의 발소리를 배춧잎에 빗대어 표현하여 엄마가 피곤하고 지쳐 있음을 나타냄.
내 유년의 윗목(2연 3행)	외롭고 힘들었던 유년 시절을 상대적으로 차가운 공간인 윗목에 빗대어 표현함.

1 이 시의 화자는 어른이 된 '나'로, 자신의 유년 시절을 회상하고 있다. 그러나 유년 시절의 순수함이 사라진 현재를 안타까워하는 모습은 나타나 있지 않다.

오답 풀이
① '나'라고 화자가 겉으로 드러나 있다.
② 2연의 '그 시절, 내 유년의 윗목'에 화자가 어른이라는 사실이 드러나 있다.
③ 1연에 화자가 유년 시절에 시장에 간 엄마를 혼자 기다렸다는 사실이 드러나 있다.
④ 1연의 '나는 찬밥처럼 방에 담겨'에서 화자가 유년 시절 자신의 모습을 찬밥에 빗대어 표현하고 있다.

1-1 이 시에서 어른이 된 화자가 우산을 들고 엄마를 마중 나가는 모습은 나타나 있지 않다.

오답 풀이
① 1연의 '빈방에 혼자 엎드려 훌쩍거리던'에 나타나 있다.
② 2연의 '지금도 내 눈시울을 뜨겁게 하는'에 나타나 있다.
③ 1연의 '아무리 천천히 숙제를 해도'에 나타나 있다.
⑤ 1연에 전체적으로 엄마를 기다리던 유년 시절 화자의 모습이 나타나 있다.

• 고향(백석)

갈래 현대시
제재 고향
주제 고향과 가족을 향한 그리움
특징 ① 화자와 의원이 대화하는 형식임.
② 다정다감한 어조로 고향과 가족을 향한 그리움을 드러냄.

시의 짜임

1~2행	'나'가 혼자 외롭게 타향살이하는 북관에서 병이 들어 의원을 만남.
3~7행	신선 같아 보이는 인자한 인상의 의원이 '나'에게 고향을 물음.
8~12행	의원이 자신은 '나'가 아버지로 섬기는 아무개 씨와 막역지간이라고 말함.
13~17행	'나'가 의원의 따스한 손길에서 고향과 가족을 향한 그리움을 느낌.

핵심 포인트 1 **시적 상황과 화자의 정서**

상황	• 고향을 떠나 북관에서 혼자 지내다 병이 들어 앓아누움. • 의원의 따스한 손길에서 고향과 가족을 떠올림.
정서	반가움, 따뜻함, 친근함

핵심 포인트 2 **'고향'을 바라보는 화자의 관점**

의원의 부드럽고 따스한 손길에서 고향과 가족을 떠올림.

• 고향을 정겹고 친근한 곳으로 생각함.
• 고향을 따뜻함과 그리움을 느끼게 하는 대상으로 바라봄.

2 이 시에서 화자는 북관에서 병이 들어 의원에게 진료를 받는데, 의원과 대화를 하다 그가 아버지로 섬기는 이의 친구라는 사실을 알게 된다. 화자와 의원이 고향에서부터 알고 지내던 사이라는 내용은 나타나 있지 않다.

오답 풀이

① 1행에서 화자가 몸이 아파 앓아누웠음을 알 수 있다.

② 1행과 8행을 통해 화자가 고향을 떠나 북관에서 혼자 타향살이를 하고 있음을 알 수 있다.

④ 12~13행에서 의원이 화자가 아버지로 섬기는 아무개 씨와 매우 친한 친구라는 것을 알 수 있다.

⑤ 16~17행에서 화자가 의원의 손길에서 고향과 가족을 떠올리고 있음을 알 수 있다.

2-1 화자는 고향을 떠나 북관에서 타향살이하던 중에 병이 드는데, 의원과 대화를 하다가 그가 아버지로 섬기는 이의 친구임을 알게 되면서 의원의 손길에서 고향과 가족을 떠올린다. 따라서 빈칸에 공통으로 들어갈 말은 '의원'이다.

• 귀뚜라미(나희덕)

갈래 현대시
제재 귀뚜라미
주제 자신의 노래가 감동을 줄 수 있기를 소망함.
특징 ① '귀뚜라미'를 의인화하여 화자로 설정함.
② 다른 대상과 대조하여 화자의 상황과 소망을 드러냄.
③ 설의법을 사용하여 화자의 소망을 강조함.

시의 짜임

1연	매미 소리에 묻힌 귀뚜라미의 울음
2연	힘든 상황에서도 꿈과 소망을 잃지 않는 귀뚜라미
3연	가을에는 자신의 울음이 노래가 되기를 희망함.

핵심 포인트 1 **이 시의 화자**

화자 — '나'(귀뚜라미)

핵심 포인트 2 **화자가 처한 상황**

• 매미 소리에 울음이 묻힘.
• 지하도 콘크리트 벽 좁은 틈에 있음.
→ 어렵고 힘든 상황

핵심 포인트 3 **화자의 태도**

• 힘든 상황에서도 자신을 알리려는 간절한 의지를 드러냄.
• 자신의 울음이 누군가에게 감동을 주는 노래가 되기를 소망함.

3 이 시의 화자는 귀뚜라미로, 2연에서 힘든 상황에서도 울음을 통해 자신의 존재를 알리려는 간절한 의지를 드러내고 있다.

오답 풀이

① 자신의 '울음'이 매미 소리에 묻혀 '노래'가 되지 않는 현실을 인식하고 있으나 절망하고 있지는 않다.

③ 하늘을 찌르는 '매미 떼'의 모습에 두려움을 느끼는 모습은 나타나 있지 않다.

④ '맑은 가을'이 오기를 기다리고 있지만 조바심을 내며 걱정하고 있지는 않다.

⑤ 화자는 현재 어렵고 힘든 상황에 처해 있지만 희망을 가지고 있다.

3-1 ㉠에는 자신의 울음이 누군가의 가슴에 감동을 줄 수 있는 노래가 되기를 간절히 소망하는 화자의 태도가 드러나 있다.

• 나룻배와 행인(한용운)

갈래 현대시
제재 나룻배, 행인
주제 희생과 믿음을 통한 진정한 사랑의 실천 의지
특징 ① 화자는 자신을 '나룻배'에 비유하여 임에 대한 자신의 마음을 드러내고 있음.
② 첫 연과 끝 연을 대응하여 시에 안정감을 부여하며, '나'와 '당신'의 관계를 강조함.

시의 짜임

1연	'나'와 '당신'의 관계
2연	'당신'의 무심함과 '나'의 희생적 자세
3연	'나'의 기다림
4연	'나'와 '당신'의 관계

핵심 포인트 1 **화자 '나'의 태도**

• '당신'을 안고 물을 건너감.
• 바람을 쐬고 눈비를 맞으며 밤에서 낮까지 '당신'을 기다림.
• '당신'을 기다리면서 날마다 낡아 감.
• '당신'이 언제든지 오실 줄만은 앎.

↓

• 희생적, 헌신적으로 '당신'을 대함.
• '당신'이 반드시 온다는 믿음을 갖고 있음.

4 이 시는 경어체를 사용하여 '당신'이 돌아올 것에 대한 화자의 믿음과 '당신'을 향한 화자의 사랑을 드러내고 있다.

4-1 이 시는 경어체를 사용하여 '당신'을 위해 희생하고 헌신하는 화자의 태도, '당신'이 돌아올 것을 믿고 기다리는 화자의 태도를 효과적으로 드러내고 있다.

2일 필수 체크 전략 2 18~21쪽

01 ④ 02 ③ 03 나는 찬밥처럼 방에 담겨 04 ③ 05 ① 06 ③ 07 마음에 감동을 주는 노래를 들려주는 존재가 되기를 바라고 있다. 08 ② 09 ⑤ 10 ④ 11 그러나 당신이 언제든지 오실 줄만은 알아요.

01 화자는 유년 시절 혼자 엄마를 기다리며 외로움과 두려움 등을 느꼈고, 어른이 되어 그 시절을 떠올리며 슬픔, 서글픔, 안타까움 등을 느끼고 있다. 후련함은 이 시에 나타난 화자의 정서로 거리가 멀다.

02 1연의 '해는 시든 지 오래'라는 시구에서 엄마가 해가 진 뒤에야 집에 돌아오셨음을 알 수 있다. 또한 '어둡고 무서워'라는 시구에서도 엄마가 늦도록 오시지 않았음을 알 수 있다.

오답 풀이

① 1연에 유년 시절 화자가 방에서 혼자 시장에 간 엄마를 기다렸다는 내용이 나타나 있다.
② 1연의 '열무 삼십 단을 이고 / 시장에 간 우리 엄마'라는 시구에서 알 수 있다.
④ 1연의 '아무리 천천히 숙제를 해도 / 엄마 안 오시네,'라는 시구에서 알 수 있다.
⑤ 1연의 '배춧잎 같은 발소리 타박타박'에서 엄마의 발소리를 배춧잎에 빗대어 표현하여 엄마가 피곤하고 지쳐 있음을 나타내고 있다.

03 '나는 찬밥처럼 방에 담겨'는 아무도 돌봐 주지 않고 방에 혼자 쓸쓸하게 있는 화자의 처지를 '찬밥'에 빗대어 표현한 시구이다.

평가 기준

채점 요소	확인☑
〈보기〉의 설명에 해당하는 시구를 바르게 찾아 썼다.	

04 (가)의 1행에서 화자가 병이 들었음을 알 수 있지만, 화자가 우울함을 느끼고 있다는 내용은 나타나 있지 않다.

오답 풀이

① 8행에서 고향이 평안도 정주라고 말하고 있다.
② 1행과 8행을 통해 화자가 고향을 떠나 혼자 지내고 있음을 알 수 있다.
⑤ 12행에서 의원이 아무개 씨와 막역지간이고, 13행에서 화자가 아무개 씨를 아버지로 섬긴다고 말하고 있다.

05 (나)의 화자는 돌아온 고향에서 정서적 안정감을 얻지 못하고 있다. 따라서 (나)의 화자가 '고향'에 대해 느끼는 정서는 답답함, 상실감, 쓸쓸함, 허망함 등이며, 설렘은 적절하지 않다.

자료실

㉯ 〈고향〉(정지용) 작품 개관

갈래	현대시	제재	고향
주제	돌아온 고향에서 느끼는 상실감		
특징	① 자연의 영원성과 인간의 유한함을 대조적으로 나타냄. ② 다양한 감각적 이미지로 고향의 모습을 형상화함.		

06 이 시에 어조의 변화는 나타나 있지 않다.

오답 풀이

① 화자가 '나'라고 시의 표면에 직접적으로 드러나 있다.
② 2연의 '누구의 마음 하나 울릴 수 있을까.', 3연의 '누군가의 가슴에 실려 가는 노래일 수 있을까.'라는 시구에서 의문형 어미를 사용하여 소망을 드러내고 있다.
④ 이 시의 화자는 의인화된 존재로, 귀뚜라미이다.
⑤ '높은 가지'와 '지하도 콘크리트 벽 좁은 틈'이라는 대조적인 의미의 시어를 사용하여 화자가 현재 열악한 처지에 있음을 드러내고 있다.

07 '누군가의 가슴에 실려 가는 노래'를 바탕으로 할 때 화자는 가을이 되어 자신의 울음이 누군가에게 감동을 줄 수 있는 노래가 되기를 바라고 있음을 알 수 있다. 따라서 화자는 마음에 감동을 주는 노래를 들려주는 존재가 되기를 바라고 있다.

평가 기준

채점 요소	확인☑
화자의 소망을 바르게 파악하였다.	
주어진 문장 형식으로 서술하였다.	

08 이 시에는 고된 환경에서도 꿈과 소망을 잃지 않는 삶의 자세가 나타나 있다. 따라서 힘든 상황에서도 꿈을 잃지 않고 노력하겠다는 반응이 가장 적절하다.

09 이 시에서 화자가 말하고자 하는 내용을 반대로 표현한 부분은 나타나 있지 않다.

오답 풀이

① 시의 첫 연과 마지막 연에 동일한 시구가 반복되어 형태적으로 안정감을 얻고 있다.

② '바람', '눈비'는 '시련과 고통'을 의미하는 상징적 소재이다.

③ 화자는 늘 같은 자리에서 '행인'을 기다리는 '나룻배'의 이미지를 통해 자신과 '당신'의 관계를 비유적으로 드러내고 있다.

④ 나룻배는 행인이 강을 건널 수 있게 하는 수단으로, 행인을 위해 희생하고 헌신하는 사물이다. 화자는 이를 통해 '당신'을 향한 희생과 인내를 강조하고 있다.

자료실

수미상관

- **개념**: 시의 처음과 마지막을 비슷하거나 같은 내용으로 반복하는 표현 방법
- **효과**
  - 동일한 내용을 반복하면서 음악적 효과를 얻을 수 있음.
  - 중요한 내용을 반복하면서 주제를 강조할 수 있음.
  - 시의 처음과 끝을 유사하게 반복하면서 형태적 안정감을 얻을 수 있음.
  - 시에 여운을 줄 수 있음.

10 이 시에는 '당신'이 '나'를 떠난 이유가 드러나 있지 않으므로, '당신'이 '나'를 떠난 원인이 자신에게 있다고 생각하고 있다는 설명은 적절하지 않다.

오답 풀이

① 2연의 '나는 당신을 안으면 깊으나 옅으나 급한 여울이나 건너갑니다.'에 나타나 있다.

② 3연의 '만일 당신이 아니 오시면~당신을 기다리고 있습니다.'에 나타나 있다.

③ 화자는 '당신'을 '행인'에, 자신을 늘 같은 자리에서 '행인'을 기다리는 '나룻배'에 비유하여 시상을 전개하고 있다.

⑤ 2연의 '당신은 흙발로 나를 짓밟습니다.', 3연의 '당신은 물만 건너면~가십니다그려.'에 나타나 있다.

11 3연의 '그러나 당신이 언제든지 오실 줄만은 알아요.'에는 당신이 반드시 올 것이라는 화자의 절대적인 믿음이 나타나 있다.

평가 기준

채점 요소	확인☑
〈보기〉의 설명에 해당하는 시구를 바르게 찾아 썼다.	

3일 필수 체크 전략 1 22~25쪽

1 ③ 1-1 ② 2 ④ 2-1 ① 3 ④ 3-1 ③ 4 ②
4-1 아름답고 애틋하게

- **내가 그린 히말라야시다 그림(성석제)**

갈래 현대 소설
제재 사생 대회
배경 • 시간: 현대
• 공간: 인구 20만 명 정도의 작은 군
주제 선택의 갈림길에 놓인 아이들이 겪는 갈등과 성장
특징 ① 한 사건을 바라보는 서로 다른 두 서술자의 시점이 교차하여 갈등과 대응 방식이 대조적으로 드러남.
② 어른이 된 두 서술자가 초등학생 때 있었던 일을 말하고 있음.
③ '현재-과거-현재'의 역순행적 구성을 통해 과거의 사건과 행동이 인물의 현재에 미친 영향을 드러냄.

글의 짜임

발단	0과 1의 '나'는 초등학교 4학년 때 있었던 사건으로 서로 다른 삶을 살게 됨.
전개	0의 '나'는 3학년 때 4학년 대신 사생 대회에 나가서 장원을 받음.
위기	0과 1의 '나'는 모두 4학년 때 사생 대회에 참가함.
절정	0의 '나'가 장원을 받았지만, 장원작은 1의 '나'가 그린 그림이었고 둘 다 사실을 밝히지 않음.
결말	성인이 된 0과 1의 '나'는 각자의 삶을 살아감.

핵심 포인트 1 이 소설의 서술자

0의 서술자 '나'	1의 서술자 '나'
• 재능을 인정받는 뛰어난 화가 • 자신의 재능을 의심하며 끊임없이 노력함.	• 그림 감상이 취미인 가정주부 • 귀찮은 일을 싫어하고 욕심이 없어 쉽게 체념함.

↓

• 서술자가 이야기 안의 등장인물임.
• 주인공 '나'가 자신의 이야기를 전달함.

핵심 포인트 2 0과 1의 '나'가 겪은 사건과 결과

사건	• 사생 대회에서 1의 '나'가 그림에 번호를 잘못 쓰는 바람에 0의 '나'가 장원을 받음. • 0과 1의 '나' 둘 다 장원을 받은 그림의 주인이 바뀌었다는 사실을 말하지 않음.
↓	
결과	• 0의 '나'는 자신의 재능을 의심하며 끊임없이 노력하여 유명한 화가가 됨. • 1의 '나'는 결혼하여 행복한 가정을 꾸리고 그림 감상을 좋아하는 사람으로 살아감.

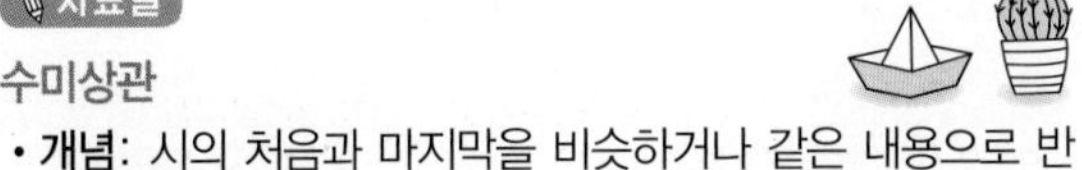

1 (가)의 서술자(0의 서술자)는 '나'이다. '나'는 '그 일'이 일어난 것은 자신의 탓이 아니며 누군가의 실수라고 말하고 있다.

1-1 (나)의 서술자(1의 서술자)는 '나'이다. '나'는 자신이 부유한 집안에서 하나밖에 없는 딸로 사랑을 받으며 자랐다고 말하고 있다.

오답 풀이

③ 여자 대학에서 가정학을 공부하다가 판사인 남편을 중매로 만나 결혼하였다고 말하고 있다.
④ 학교 다닐 때 개근상도 못 받았다고 말하고 있다.
⑤ 한 번 상을 받을 뻔한 적이 있지만, 자신의 실수 때문에 받지 못해서 누구를 원망할 수도 없다고 말하고 있다.

• 동백꽃(김유정)

갈래 현대 소설
제재 동백꽃
배경 • 시간: 1930년대 봄
• 공간: 강원도 농촌 마을
주제 농촌 소년과 소녀의 사랑
특징 ① 어수룩하고 순박한 인물을 서술자로 설정하여 작품의 해학성을 높임.
② 토속적인 어휘를 사용하여 향토적인 분위기를 자아냄.
③ '현재-과거-현재'의 역순행적 구성을 취함.

글의 짜임

발단	점순이가 수탉끼리 닭싸움을 붙이며 '나'를 약 올림.
전개 1	'나'는 점순이가 주는 감자를 거절함.
전개 2	점순이는 '나'의 집 씨암탉을 때리고, '나'에게 욕을 하며 괴롭힘.
위기	'나'는 수탉에게 고추장을 먹이고 점순네 수탉과 싸움을 붙이지만 또다시 패함.
절정	'나'는 죽을 지경에 이른 자기 집 수탉을 보고 화가 나서 점순네 수탉을 때려죽임.
결말	'나'와 점순이가 동백꽃 속에 파묻힘.

핵심 포인트 1 **서술자 '나'의 특성과 효과**

'나'의 특성	• 눈치가 없고 둔하며, 아직 사랑의 감정에 눈뜨지 못함. • 점순이의 말과 행동에 담긴 의도를 제대로 파악하지 못하고, 자신이 판단한 대로 서술함.

효과	• 독자가 '나'가 제대로 서술하지 못하는 점순이의 심리를 상상하며 읽게 됨. • '나'의 모습이 독자의 웃음을 자아내고, 해학적인 분위기를 띠게 함. • 사춘기 소년과 소녀의 사랑이 더욱 순수하게 느껴지게 함.

핵심 포인트 2 **'나'와 점순이의 대조적 특성**

'나'	↔	점순이
• 순박하고 눈치가 없음. • 점순이가 자신을 좋아한다는 것을 알아채지 못함.	↔	• 영악하고 집요함. • '나'에게 애정을 가지고 있으나 '나'를 미워하기도 함.

핵심 포인트 3 **주요 소재의 의미와 역할**

소재	의미와 역할
감자	• '나'를 향한 점순이의 애정을 드러냄. • 점순이가 '나'와 갈등하는 원인이 됨.
닭싸움	• '나'와 점순이의 갈등을 나타내고, 마지막에는 갈등 해소의 실마리를 제공함. • '나'를 향한 점순이의 애정과 미움의 이중적 감정을 드러냄.
동백꽃	• '나'와 점순이의 갈등이 해소되었음을 드러냄. • 낭만적 분위기를 형성함.

2 이 글의 시점은 1인칭 주인공 시점이다. 이야기 안의 인물인 주인공 '나'가 자신의 이야기를 서술하고 있으며, 주인공은 바뀌지 않는다.

2-1 이 글에서 이야기 안에 등장하는 인물인 주인공 '나'는 자신과 점순이 사이에 있었던 사건을 서술하고 있다.

3 점순이는 '나'에게 관심이 있어서 감자를 주었고, '나'가 감자를 거절한 뒤에는 '나'를 원망하면서도 관심을 끌고 싶은 마음에 씨암탉을 괴롭힌 것이다. 하지만 '나'는 이러한 점순이의 말과 행동에 담긴 의도를 정확하게 파악하지 못하고 있다. 이를 통해 '나'가 눈치가 없고 어수룩하다는 것을 알 수 있다.

3-1 서술자 '나'는 눈치가 없고 어수룩하며 아직 사랑의 감정에 눈뜨지 못하였다. 이 때문에 점순이가 자신을 좋아해서 감자를 주었다는 사실, 자신이 감자를 거절해서 괴롭히고 있다는 사실을 전혀 모르고 있다. 따라서 '나'가 점순이에게 관심이 있지만 그 마음을 숨기고 있다는 내용은 적절하지 않다.

• 사랑손님과 어머니(주요섭)

갈래 현대 소설
제재 어머니, 사랑손님
배경 • 시간: 1930년대 • 공간: 어느 작은 마을
주제 어머니와 사랑손님의 사랑과 이별
특징 ① 순수한 어린아이를 서술자로 내세워 통속적일 수 있는 사랑 이야기를 순수하고 아름답게 전달함.
② 봉건적 윤리와 인간적 감정 사이에서 갈등하는 인물의 모습이 나타남.
③ 시간의 흐름에 따라 이야기를 전개함.

글의 짜임

발단	과부인 어머니, 옥희, 외삼촌이 사는 집 사랑방에 아저씨가 하숙을 하게 됨.
전개	옥희와 아저씨가 친해지고, 아저씨는 옥희에게 어머니에 관한 질문을 하며 관심을 드러냄.
위기	어머니는 아저씨를 향한 감정과 봉건적 윤리관 사이에서 갈등함.
절정	아저씨가 마음을 담아 어머니에게 편지를 보내고, 어머니는 고민 끝에 아저씨의 마음을 거절함.
결말	아저씨가 옥희의 집을 떠나고, 어머니는 마른 꽃을 버리며 아저씨를 향한 마음을 정리함.

핵심 포인트 1 서술자 '나'(옥희)의 특성과 효과

'나'(옥희)의 특성	• 어리고 순수해서 어른들의 애정을 알아채지 못함. • 어머니와 아저씨를 자신의 관점에서 관찰해 이야기함. • 어머니와 아저씨의 심리를 잘못 이해하기도 함.

↓

효과	• 어린아이라서 나타나는 서술의 한계로 웃음을 유발하고 재미를 줌. • 어머니와 아저씨의 사랑과 이별이 애틋하게 표현됨.

핵심 포인트 2 어머니의 내적 갈등

아저씨를 향한 관심과 사랑  여성의 재혼에 부정적인 당시 사회적 분위기

↓

옥희의 장래에 부정적인 영향이 생길 것을 걱정하여 아저씨와의 사랑을 포기하고 마음을 정리함.

핵심 포인트 3 주요 소재의 의미와 역할

달걀	• '나'와 아저씨가 친해지는 계기가 됨. • 아저씨를 향한 어머니의 관심을 드러냄.
풍금	아버지를 향한 그리움과 아저씨에 대한 사랑 사이에서 갈등하는 어머니의 심리를 드러냄.
하얀 종이	• 어머니를 향한 아저씨의 사랑을 드러냄. • 어머니의 내적 갈등을 최고조에 이르게 함.
하얀 손수건	• 아저씨의 마음을 거절하는 어머니의 결심이 담김. • 어머니와 아저씨의 이별을 의미함.

4 이 글의 서술자는 '나'(옥희)이다. '나'가 어린아이이기 때문에 어머니와 아저씨의 심리를 제대로 파악하지 못하고 자신의 관점에서 이해하여 전달하고 있다.

4-1 이 글은 어린아이인 옥희를 서술자로 내세워 옥희의 눈으로 바라본 어머니와 아저씨의 사랑을 그리고 있다. 이를 통해 자칫 통속적으로 느껴질 수 있는 내용이 아름답고 애틋하게 표현되고 있다.

평가 기준

채점 요소	확인☑
어린아이를 서술자로 설정한 이유를 바르게 파악하였다.	
빈칸에 들어갈 알맞은 말을 썼다.	

3일 필수 체크 전략 2 26~29쪽

01 ③ 02 ③ 03 ① 04 ② 05 서술자가 점순이로 바뀌었다. 06 달걀 07 ⑤ 08 ⑤ 09 ④

01 1의 서술자 '나'와 0의 서술자 '나'는 서로 다른 인물이다. 이 글은 두 명의 서술자가 각자 자신의 관점에서 동일한 사건에 관해 서술하고 있는 것이 특징이다.

오답 풀이
① 1인칭 관찰자 시점에 관한 설명이다.
② 3인칭 관찰자 시점에 관한 설명이다.
④ 3인칭 전지적 시점에 관한 설명이다.

02 (가)에서 1의 '나'는 0의 '나'를 피해 자리를 옮기고 싶었지만 이미 밑그림을 그린 뒤였기 때문에 자리를 옮기지 않고 그림을 그렸다고 말하고 있다. (나)에서도 0의 '나'가 자신을 의식하기 전에 밑그림을 그렸던 게 아까워서 1의 '나'가 자리를 옮기지 않고 그림을 계속 그린 것 같다고 말하고 있다.

오답 풀이
⑤ (가)의 '내 뒤에서 그림을 그리던~간장 냄새가 나던 녀석'은 0의 '나'를 가리키고, (나)의 '한 아이', '그 여자애', '그 여자아이'는 모두 1의 '나'를 가리킨다.

03 이 글은 '나'의 집 수탉과 점순네 수탉이 싸우는 장면에서 나흘 전에 '나'가 점순이가 주는 감자를 거절한 사건으로 거슬러 올라가고 있다. 따라서 현재에서 과거로 시간을 거슬러 사건이 전개되는 역순행적 구성을 취하고 있다.

오답 풀이

② 이 글의 계절적 배경은 봄으로, 계절의 변화는 나타나 있지 않다.

04 (나)~(다)에 나타난 점순이의 말과 행동을 볼 때, 점순이는 '나'에게 호감이 있기 때문에 다른 사람들 몰래 맛있는 감자를 주려고 한 것임을 알 수 있다.

05 〈보기〉의 '나'는 점순이이다. 〈보기〉는 점순이의 관점에서 이야기가 서술되고 있으므로, 서술자가 '나'(소년)에서 점순이로 바뀌었음을 알 수 있다.

평가 기준

채점 요소	확인☑
〈보기〉의 서술자를 바르게 파악하였다.	
주어진 문장 형식으로 서술하였다.	

06 (가)에서 '나'와 아저씨는 달걀을 좋아한다는 대화를 하며 친해진다. 그리고 '나'가 아저씨가 좋아하는 반찬이 달걀이라는 것을 어머니에게 말한 뒤로 어머니는 달걀을 많이 산다. 이를 통해 어머니가 아저씨에게 관심이 있음이 간접적으로 드러나고 있다.

평가 기준

채점 요소	확인☑
〈보기〉의 설명에 해당하는 소재를 바르게 파악하였다.	
(가)에서 찾아 두 글자로 썼다.	

07 "누님이 좀 상 들구 나가구려. 요새 세상에 내외합니까!"라는 외삼촌의 말에서 평소 아저씨 상 심부름은 외삼촌이 혼자 하였음을 알 수 있다.

오답 풀이

① 외삼촌은 아저씨가 있는 사랑방에 어머니가 들어가도 된다고 생각하고 있으므로, 어머니보다 개방적인 가치관을 가지고 있음을 알 수 있다.
② 아저씨가 있는 사랑방 출입에 관한 외삼촌과 어머니의 의견이 다르므로, 당시가 봉건적 가치관에서 개방적 가치관으로 전환되는 과도기였음을 알 수 있다.
③ 어머니는 아저씨가 있는 사랑방에 자신은 들어갈 수 없다고 생각하고 있다.

08 이 글의 시점은 1인칭 관찰자 시점이다. 서술자는 '나'(옥희)로, 아저씨의 말과 행동 등을 관찰하여 서술하고 있다.

09 [A]는 아저씨가 외삼촌의 시선을 의식하여 조심스럽게 행동하고 있음을 보여 주는 부분이다. 그러나 옥희는 어린아이라서 이러한 아저씨의 심리를 정확하게 파악하지 못하고 자신이 판단한 대로 서술하고 있다.

누구나 합격 전략 30~31쪽

01 화자 **02** ㉠, 화자는 시인과 일치할 수도 있고, 일치하지 않을 수도 있음. **03** (1) 희망, 동경, 사랑 (2) 슬픔, 갈등, 외로움 **04** (1) 체념적 (2) 비판적 (3) 예찬적 (4) 반성적 **05** (1) 드러나 있지 않다 (2) 드러나 있다 **06** (1) 서술자 (2) 시점 **07** 민규 **08** '나' **09** 서술자가 이야기 밖에 위치하고 있다. **10** (1) ㉠ (2) ㉡ (3) ㉣ (4) ㉢

01 시에서 말하는 이를 화자라고 하고, 화자가 처해 있는 형편이나 처지, 분위기, 정황 등을 시적 상황이라고 한다. 따라서 빈칸에 공통으로 들어갈 말은 '화자'이다.

02 화자는 시인이 자신의 생각과 느낌을 효과적으로 나타내기 위해 꾸며 낸 존재로 시인과 일치할 수도 있고, 일치하지 않을 수도 있다.

03 시적 상황에 따라 화자가 느낄 수 있는 감정은 다양한데, 이를 화자의 정서라고 한다. 희망, 동경, 사랑은 긍정적 정서에, 슬픔, 갈등, 외로움은 부정적 정서에 해당한다.

04 현실이나 미래를 부정적으로 판단하여 단념하는 태도는 '체념적 태도'이고, 대상의 잘못을 지적하여 옳고 그름을 밝히려는 태도는 '비판적 태도'이다. 대상의 장점을 높게 평가하여 찬양하는 태도는 '예찬적 태도'이고, 자신의 잘못을 되돌아보며 뉘우치는 태도는 '반성적 태도'이다.

05 (1) 이 시의 화자는 직접적으로 드러나지 않은 채로 시적 대상인 '들판'에 대해 노래하고 있다. (2) 이 시에는 '나'라는 화자가 직접적으로 드러나 있다.

자료실

〈들판이 적막하다〉(정현종) 작품 개관

갈래	현대시	제재	들판, 메뚜기
주제	적막한 들판에서 깨달은 생태계의 위기		
특징	① 가을 들판의 풍요로움과 적막함을 대비하여 주제를 강조함. ② 문장 부호를 사용하여 화자의 정서를 효과적으로 드러냄.		

〈참회록〉(윤동주) 작품 개관

갈래	현대시
주제	자기 성찰과 현실 극복 의지
특징	① 시간의 흐름에 따라 시상을 전개함. ② 구리거울을 매개로 하여 삶을 성찰함.

06 소설에서 작가를 대신하여 독자에게 이야기를 전달하는 이를 서술자라고 하고, 서술자가 사건이나 인물 등을 바라보는 관점을 시점이라고 한다.

07 서술자는 이야기 안에 위치할 수도 있고 이야기 밖에 위치할 수도 있는데, 이야기 밖에 위치할 경우에는 등장인물이 아니다. 서술자가 사건이나 인물 등을 어떻게 바라보느냐에 따라 내용이나 분위기는 달라질 수 있다.

08 이 글은 주인공 '나'가 자신의 이야기를 서술하고 있는 소설이다. 따라서 서술자는 '나'이다.

09 이 글의 서술자는 이야기 안의 등장인물이 아니다. 서술자는 이야기 밖에서 인물들의 심리와 생각까지 모두 파악하여 서술하고 있다.

10 (1) 1인칭 주인공 시점에서는 주인공인 '나'가 자신의 이야기를 서술한다. (2) 1인칭 관찰자 시점에서는 부수적 인물인 '나'가 주인공을 관찰하여 서술한다. (3) 3인칭 관찰자 시점에서는 이야기 밖의 서술자가 인물과 사건을 관찰하여 객관적으로 서술한다. (4) 3인칭 전지적 시점에서는 이야기 밖의 서술자가 사건과 인물의 심리까지 모두 알고 서술한다.

창의 · 융합 · 코딩 전략 1 32~33쪽

01 ③ **02** ㉠: 지하도 콘크리트 벽 좁은 틈 ㉡: 노래 **03** ④ **04** ②

01 ㉢ '배춧잎 같은 발소리'는 고단한 삶에 지친 엄마의 발소리를 '배춧잎'에 빗대어 표현한 것이다.

02 이 시는 대조를 통해 화자의 처지와 소망을 드러내고 있다. 귀뚜라미가 사는 공간은 '지하도 콘크리트 벽 좁은 틈'이고, 귀뚜라미가 소망하는 것은 가을이 되어 자신의 울음이 누군가에게 감동을 주는 '노래'가 되는 것이다.

평가 기준

채점 요소	확인☑
㉠에 들어갈 시어를 바르게 파악하였다.	
㉡에 들어갈 시어를 바르게 파악하였다.	

03 화자는 외롭게 타향살이하는 북관에서 병에 걸렸는데, 이때 만난 의원이 아버지로 섬기는 이와 절친한 사이라는 것을 알고 그의 손길에서 고향과 가족을 향한 그리움, 따뜻한 정 등을 느끼고 있다.

04 이 시에서 '나'는 '당신'에게 희생적이고 헌신적인 태도를 보이고 있지만 '당신'은 '나'에게 무심한 태도를 보이고 있다.

창의 · 융합 · 코딩 전략 2 34~35쪽

05 ⑤ **06** (1) '나'에게 맛있는 감자를 주고 싶다. / '나'를 좋아하는 마음을 간접적으로 전달하고 싶다. 등 (2) 점순이가 감자를 주면서 잘사는 것을 생색내고 있다. / '나'의 집이 소작농이라고 무시하고 있다. 등 **07** 서술자가 옥희에서 어머니로 바뀌었으며, 이를 통해 어머니의 심리가 정확하게 서술되고 있다. **08** 주 선생님께 사실을 말하지 않음.

05 이 시는 농작물의 가치를 알고 제값을 주고 딸기를 사기를 바라는 마음을 표현한 작품이다. 따라서 과소비하는 현대인의 모습을 비판하고 싶었다는 내용은 적절하지 않다.

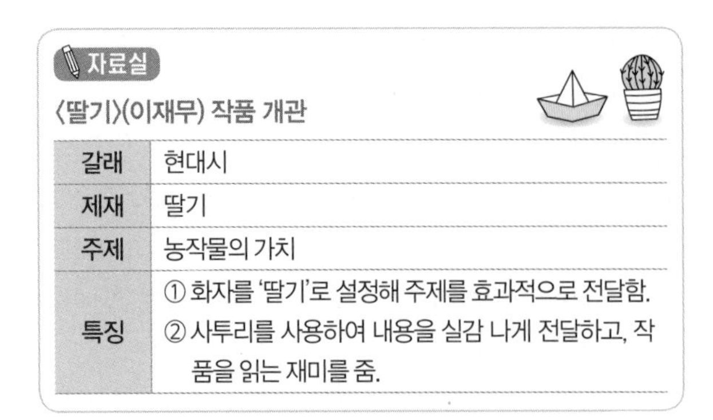

자료실

〈딸기〉(이재무) 작품 개관

갈래	현대시
제재	딸기
주제	농작물의 가치
특징	① 화자를 '딸기'로 설정해 주제를 효과적으로 전달함. ② 사투리를 사용하여 내용을 실감 나게 전달하고, 작품을 읽는 재미를 줌.

06 (가)에서 거절당한 점순이의 반응을 볼 때, 점순이는 '나'에게 맛있는 감자를 주면서 좋아하는 마음을 간접적으로 전달하고 싶었음을 짐작할 수 있다. 하지만 (나)에서 '나'는 자신이 소작농의 아들이고, 점순이는 마름의 딸이기 때문에 점순이가 감자를 주면서 잘사는 것을 생색내었다고 생각하고 있음이 드러나 있다.

평가 기준

채점 요소	확인☑
㉠에 담긴 점순이의 심리를 바르게 파악하였다.	
㉠에 대한 '나'의 생각을 바르게 파악하였다.	
각각 한 문장으로 서술하였다.	

07 〈보기〉의 서술자는 어머니이다. 〈보기〉에서는 어머니가 자신의 이야기를 서술하고 있기 때문에 원래 글에서 옥희가 제대로 서술하지 못하던 어머니의 심리가 정확하게 서술되는 효과를 얻고 있다.

평가 기준

채점 요소	확인☑
원 글과 〈보기〉의 서술자를 모두 바르게 파악하였다.	
서술자가 바뀌면서 '어머니'의 심리 서술에 어떤 효과가 있는지 바르게 파악하였다.	
한 문장으로 서술하였다.	

08 '나'는 장원을 받은 그림이 자신이 그린 그림이 아니라는 사실을 깨닫고 주 선생님께 이를 말해야 할지를 두고 내적 갈등을 겪었는데, 끝내 사실을 말하지 않았다.

평가 기준

채점 요소	확인☑
빈칸에 들어갈 내용을 바르게 파악하였다.	
문장 형식에 맞추어 서술하였다.	

2주 개성적인 발상과 표현

1일 개념 돌파 전략 1 (38~39쪽)

01 같거나 비슷한 시구의 반복 **02** 주제 **03** ㉠ **04** ㉡ **05** 역설 **06** 풍자 **07** 비판적

01 '눈은 살아 있다'라는 시구가 반복되고 있다.

02 운율을 통해 시의 분위기를 형성하고 주제를 인상적으로 전달할 수 있다.

03 반어를 쓰면 겉으로 드러난 의미와 속에 담긴 의미가 달라서 의도를 쉽게 파악할 수는 없지만, 등장인물의 상황을 좀 더 강렬하게 드러낼 수 있다.

04 ㉡ '길이 끝나는 곳에서도 / 길이 있다'는 겉보기에는 모순되고 이치에 맞지 않는 말이지만 어렵고 절망적인 상황에서도 희망이 있음을 강조하는 표현이므로 역설이 쓰였다. ㉠에는 비유가 쓰였다.

05 겉으로는 모순된 표현이므로 역설이다.

06 개인이나 사회의 부조리를 간접적으로 비판하며 웃음을 유발하는 표현 방법은 풍자이다. 해학은 대상을 우스꽝스럽게 표현해 호감과 연민을 느끼게 하는 표현 방법이다.

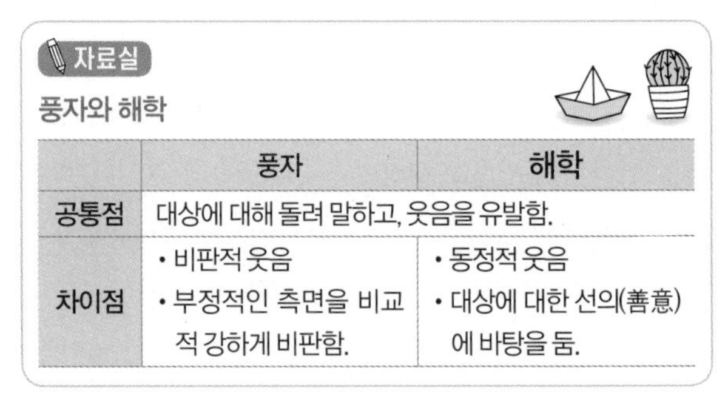

자료실

풍자와 해학

	풍자	해학
공통점	대상에 대해 돌려 말하고, 웃음을 유발함.	
차이점	• 비판적 웃음 • 부정적인 측면을 비교적 강하게 비판함.	• 동정적 웃음 • 대상에 대한 선의(善意)에 바탕을 둠.

07 풍자는 독자로 하여금 읽는 재미를 느끼게 하면서, 대상에 대한 비판적인 의식도 갖게 한다.

1일 개념 돌파 전략 2 (40~43쪽)

01 ③ **02** ② **03** ③, ④ **04** 반어 **05** ① **06** ⑤ **07** ② **08** ④ **09** 역설, 아름답다 **10** ④

01 운율은 시를 읽을 때 느껴지는 말의 가락이다. ①은 시어, ②는 행, ④는 함축성, ⑤는 연에 대한 설명이다.

02 운율은 같거나 비슷한 소리, 같거나 비슷한 시어나 시구, 일정한 글자 수, 일정한 수의 음보, 같거나 비슷한 문장 구조가 규칙적으로 반복되면서 형성된다. 의성어, 의태어와 같은 음성 상징어의 사용도 운율 형성 요소이다. 같은 표현 방법의 반복은 운율 형성 요소와 거리가 멀다.

03 이 시는 각 행이 일정한 글자 수(7·5)로 반복되고 있고, 한 행을 대체로 세 마디로 끊어 읽는 것(3음보)이 반복되고 있다.

자료실

〈산 너머 남촌에는〉(김동환) 작품 개관

갈래	현대시
제재	남촌
주제	이상 세계에 대한 그리움
특징	① 7·5조, 3음보로 이루어져 민요풍의 느낌을 줌. ② 향토적인 시어를 사용함.

04 원래 표현하려는 내용을 실제 의미와는 반대되는 말이나 상황으로 표현하는 방법은 반어이다.

05 이 시의 화자는 사랑하는 사람과 이별을 한 상황에 있는데, 이별 때문에 생긴 상처의 깊이와 크기를 반어를 사용하여 절실하게 표현하고 있다.

자료실

〈겨울 일기〉(문정희) 작품 개관

갈래	현대시
제재	이별
주제	이별로 인한 슬픔과 고통
특징	① 반어적 표현으로 슬픔을 극대화함. ② 낮고 어두운 어조로 시의 분위기를 형성함. ③ 직유법을 사용하여 정서를 효과적으로 드러냄.

06 숨겨진 속뜻과 겉으로 드러난 표현이 서로 다른 것은 반어이며, 반어는 이를 통해 말하고자 하는 바를 효과적으로 강조한다.

07 ㄱ, ㄹ, ㅁ은 앞뒤가 맞지 않는 모순된 표현 안에 진실을 담고 있다. ㄴ, ㄷ, ㅂ은 비유가 쓰였다.

오답 풀이

ㄴ: 은유법, ㄷ: 직유법, ㅂ: 의인법

08 풍자는 대상의 부정적인 면을 우습게 그려 간접적으로 비판하는 것이므로 대상에 대한 긍정적인 특성을 강조하여 드러낸다는 설명은 적절하지 않다.

09 이 시의 마지막 행에서 '모두 똑같이 못나서'와 '아무도 못나지 않았다'는 겉보기에는 모순된 표현이다. 이 표현에는 겉모습은 못났을지라도 그들이 하루하루 열심히 살아가는 모습은 아름답다는 의미가 담겨 있다.

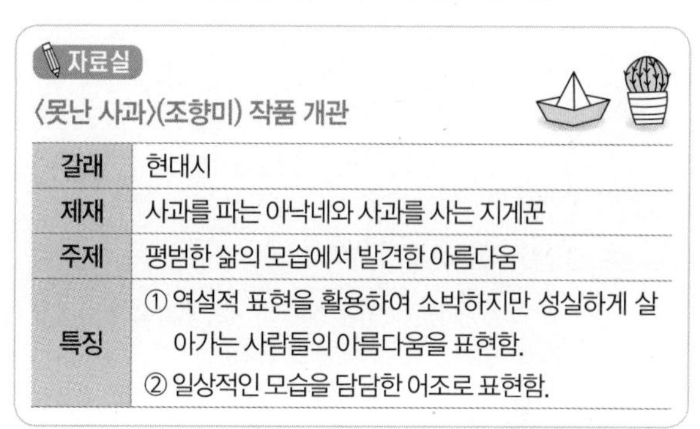

자료실

〈못난 사과〉(조향미) 작품 개관

갈래	현대시
제재	사과를 파는 아낙네와 사과를 사는 지게꾼
주제	평범한 삶의 모습에서 발견한 아름다움
특징	① 역설적 표현을 활용하여 소박하지만 성실하게 살아가는 사람들의 아름다움을 표현함. ② 일상적인 모습을 담담한 어조로 표현함.

10 이 시의 화자는 습관적으로 외래어나 한자어를 쓰는 모습을 '발목 삘까 봐', '피부병 걸릴까 봐'와 같이 비꼬아 표현하고 있다.

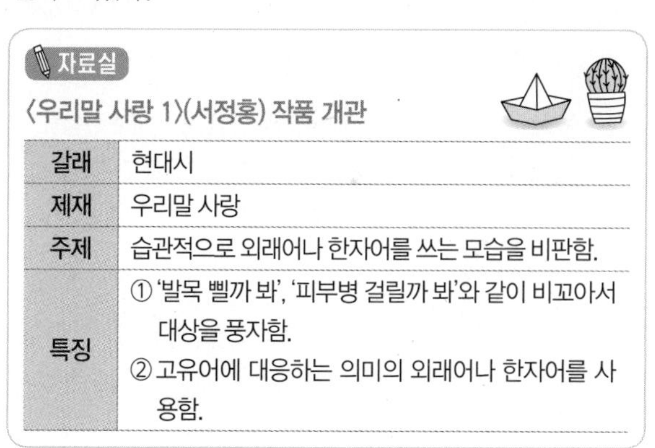

자료실

〈우리말 사랑 1〉(서정홍) 작품 개관

갈래	현대시
제재	우리말 사랑
주제	습관적으로 외래어나 한자어를 쓰는 모습을 비판함.
특징	① '발목 삘까 봐', '피부병 걸릴까 봐'와 같이 비꼬아서 대상을 풍자함. ② 고유어에 대응하는 의미의 외래어나 한자어를 사용함.

2일 필수 체크 전략 1 44~47쪽

1 ① 1-1 ⑤ 2 ④ 2-1 준우, 같은 구절이 반복되어 〈보기〉를 읽을 때보다 시를 읽을 때 리듬감이 더 느껴져. 3 ④ 3-1 ㉠: 잊을 수 없다. ㉡: 반어 ㉢: 반대 4 ① 4-1 ④

• 진달래꽃(김소월)

갈래 현대시
제재 이별
주제 이별의 정한과 승화
특징 ① 이별의 상황을 가정하고 있음.
② 전통적 정서를 민요조의 3음보 율격에 담음.
③ 반어적 표현을 사용하여 임이 떠나지 않기를 바라는 화자의 소망을 표현함.

시의 짜임

1연	이별의 상황에 대한 체념
2연	떠나는 임에 대한 축복
3연	원망을 뛰어넘은 희생적 사랑
4연	슬픔의 극복과 승화

핵심 포인트 1 '진달래꽃'의 의미

진달래꽃
- 임에 대한 자신의 사랑을 드러내기 위해 선택한 화자의 분신
- 화자의 아름답고 강렬한 사랑의 상징
- 떠나는 임에 대한 원망과 슬픔의 표현
- 임에게 헌신하려는 화자의 태도 상징

핵심 포인트 2 이 시의 운율 형성 요소

7·5조, 3음보의 반복	나 보기가∨역겨워∨가실 때에는 / 말없이∨고이 보내∨드리우리다
어미 '-우리다'의 반복	드리우리다, 뿌리우리다, 흘리우리다
수미상관의 구조	1연과 4연에서 동일한 시구를 반복함.

핵심 포인트 3 이 시에 쓰인 반어와 그 효과

표현		속마음
죽어도 아니 눈물 흘리우리다	↔	너무 슬퍼서 눈물을 흘릴 것이다.

↓

화자의 심정을 반대로 표현하여 화자의 슬픔이 더욱 애절하게 느껴짐.

1 이 시의 각 연에서 같은 문장을 반복하고 있는 부분은 나타나 있지 않다.

오답 풀이

② 1연과 4연에서 '나 보기가 역겨워 / 가실 때에는'을 반복하고 있다.

③ 이 시는 2연을 제외하고 '나 보기가 역겨워(일곱 글자) / 가실 때에는(다섯 글자) / 말없이 고이 보내(일곱 글자) 드리우리다(다섯 글자)'와 같이 주로 일곱 글자와 다섯 글자가 반복되고 있다(7·5조).

④ 1연의 3행, 2연의 3행, 4연의 3행에서 어미 '-우리다'를 반복하여 리듬감을 형성하고 있다.

⑤ 각 연의 마지막 행은 '말없이∨고이 보내∨드리우리다', '아름 따다∨가실 길에∨뿌리우리다', '사뿐히∨즈려 밟고∨가시옵소서', '죽어도∨아니 눈물∨흘리우리다'와 같이 각각 세 마디로 끊어 읽을 수 있다.

1-1 이 시에서는 3음보가 반복되고 있고, 〈보기〉에서는 4음보가 반복되고 있다. 시조에는 주로 4음보가 나타난다.

오답 풀이

①, ③, ④ 이 시와 〈보기〉 둘 다 나타나지 않는다.

② 이 시에만 해당하는 설명이다. 1연과 4연이 수미상관 구조를 취하고 있다.

자료실

〈단심가〉(정몽주) 작품 개관

갈래	시조
주제	일편단심, 고려를 향한 충성심
특징	① 조선 건국에 뜻을 함께하자는 이방원의 〈하여가〉에 답해 불렀던 시조임. ② 직설적인 표현을 사용하여 충절을 강조함으로써 단호한 의지를 드러내고 있음.

• 새로운 길(윤동주)

갈래 현대시
제재 길
주제 언제나 새로운 길을 가고자 하는 의지
특징 ① 상징적 소재인 '길'을 중심으로 하여 시상이 전개됨.
② 3연을 중심으로 하여 앞부분과 뒷부분이 의미상 대칭 구조를 이룸.
③ 같은 시어의 반복, 첫 연과 끝 연의 대응을 통해 운율을 형성하고 의미를 강조함.

시의 짜임

1연	길을 걸어 숲과 마을로 향하는 '나'
2연	언제나 새로운 마음으로 길을 걸어감.
3연	길을 걸으며 만나는 존재들
4연	앞으로도 새로운 마음으로 길을 걸어갈 것을 다짐함.
5연	길을 걸어 숲과 마을로 향하는 '나'

핵심 포인트 1 '길'의 의미

길
- 어제도 가고 오늘도 가는 길
- 새로운 길
- 언제나 새로운 길을 가고자 하는 의지

핵심 포인트 2 이 시의 운율 형성 요소

같은 시어의 반복	길
비슷한 구절의 반복	~도 가고 ~도 갈
비슷한 문장 구조의 반복	~를 (해)서 ~(으)로, ~가 ~(하)고
수미상관의 구조	1연과 5연이 반복되고 있음.

2 이 시에서는 '길'이라는 시어가 반복되고 있다. 이를 통해 운율을 형성하면서 새로운 길을 걸어가겠다는 의지를 강조하고 있다.

2-1 〈보기〉는 이 시를 산문의 형식으로 바꿔 쓴 것이다. 이 시는 1연과 5연에서 같은 구절을 반복하여 운율을 형성하고 있다. 이렇게 형성된 운율 때문에 〈보기〉를 읽을 때보다 이 시를 읽을 때 리듬감이 더 잘 느껴진다.

평가 기준

채점 요소	확인☑
잘못 말한 학생을 바르게 파악하였다.	
적절하지 않은 내용을 바르게 고쳐 썼다.	

• 먼 후일(김소월)

갈래 현대시

제재 이별

주제 떠난 임을 잊을 수 없는 마음

특징 ① 미래의 어느 상황을 가정하여 시상을 전개함.
② 반어를 써서 주제를 강조함.
③ 같은 시어, 동일한 문장 구조, 3음보의 반복을 통해 운율을 형성하고 내용을 강조함.

시의 짜임

1연	먼 훗날 '당신'이 찾을 때 화자의 반응
2연	'당신'이 나무랄 때 화자의 반응
3연	'당신'이 계속 나무랄 때 화자의 반응
4연	'당신'을 잊지 못하는 화자의 애절한 마음

핵심 포인트 1 이 시의 화자의 상황과 정서

화자의 상황		정서
• 사랑하는 '당신'과 이별함. • 헤어진 '당신'을 잊지 못함.	➔	• 슬픔 • 그리움

핵심 포인트 2 이 시의 운율 형성 요소

3음보의 반복	먼 훗날∨당신이∨찾으시면 그때에∨내 말이∨'잊었노라'
같은 시어의 반복	먼 훗날, 당신이, 나무라면, 잊었노라
동일한 문장 구조의 반복	~면 / ~노라

핵심 포인트 3 이 시에 쓰인 반어와 그 효과

표현		속마음
잊었노라	↔	잊을 수 없다.

↓

• 속마음을 인상 깊게 드러냄.
• 깊이 있는 감상을 유도함.
• 화자의 정서가 강조됨.

3 이 시는 '당신'을 잊지 못하는 화자의 마음을 '잊었노라'라고 반대로 표현하여 '당신'을 향한 화자의 그리움을 강하게 드러내고 있다.

오답 풀이

①은 의인법, ②는 대조법, ③은 설의법, ⑤는 과장법에 대한 설명이다.

3-1 '잊었노라'는 화자가 '당신'을 잊지 못해 그리워하는 마음을 반어적으로 표현한 것이다.

• 운수 좋은 날(현진건)

갈래 현대 소설

제재 인력거꾼 김 첨지의 하루

배경 • 시간: 일제 강점기의 어느 비 오는 겨울날
• 공간: 서울 일대

주제 • 일제 강점기 하층민의 비참한 생활상
• 삶의 아이러니

특징 ① 반어적 상황을 통해 작품의 비극성을 고조시킴.
② 날씨에 대한 묘사를 통해 암울한 분위기를 형성하고 비극적 결말을 암시함.
③ 일제 강점기 도시 빈민층의 삶과 사회상을 사실적으로 그려 냄.

핵심 포인트 1 '설렁탕'의 역할

설렁탕	• 설렁탕을 먹기 어려운 하층민의 가난한 생활상을 드러냄. • 아내에 대한 김 첨지의 사랑을 의미함. • 결말의 비극성을 강조함.

핵심 포인트 2 '운수 좋은 날'의 의미

운수 좋은 날

↓

표면적 의미	심층적 의미
여느 날과 달리 돈을 많이 번 날	병든 아내가 죽은 가장 불행한 날

↓

반어적 표현

핵심 포인트 3 이 소설에 쓰인 반어의 효과

가장 비극적인 날을 '운수 좋은 날'이라고 반어적으로 표현함.	→	김 첨지의 아이러니한 상황을 극적으로 제시함.

4 이 글은 돈을 많이 번 운수 좋은 날에 김 첨지가 아내의 죽음이라는 가장 비통한 순간을 맞이하며 비극적으로 마무리되고 있다. 이처럼 비극적 상황이 반어를 통해 더욱 강조되고 있다.

4-1 이 글은 아내가 죽은 가장 불행한 날을 '운수 좋은 날'이라고 반어적으로 표현함으로써 김 첨지가 처한 상황과 주제를 더 강렬하게 드러내고 있다. 아내의 죽음을 비현실적으로 느끼게 하고 있지는 않다.

2일 필수 체크 전략 2

48~51쪽

01 ④ 02 ② 03 ⓐ: 매우 슬퍼서 눈물을 흘릴 것이다. ⓑ: 반어 ⓒ: 화자의 심리를 좀 더 강렬하게 드러낸다/말하고자 하는 바를 더 강하게 전달한다 04 ⑤ 05 ② 06 이 시와 <보기>에는 원래 표현하려는 내용을 반대로 표현하는 반어가 사용되었다. 07 ③ 08 ② 09 ③ 10 설렁탕 11 아내가 죽은 가장 불행한 날을 반어를 사용하여 '운수 좋은 날'이라고 표현함으로써 상황의 비극성을 강조하고 있다.

01 이 시의 화자는 임과 이별한 과거를 떠올리는 것이 아니라, 임과 이별하는 상황을 가정하여 이별의 슬픔과 임에 대한 사랑을 드러내고 있다.

오답 풀이

① '-리우다'의 반복을 통해 운율을 형성하고 있다.

② 시상이 전개됨에 따라 화자의 정서가 '체념 → 축복 → 희생 → 의지'로 변화하고 있다.

③ 이별의 슬픔을 반어적으로 표현함으로써 임과 이별하고 싶지 않은 마음을 에둘러 표현하고 있다.

02 ㉠ '진달래꽃'은 임에 대한 화자의 사랑과 헌신, 희생을 상징하는 소재이다.

03 화자는 ㉡에서 '죽어도 아니 눈물 흘리우리다'라고 말하고 있지만, 시의 내용을 볼 때 임이 '나'를 떠나면 슬퍼서 눈물을 흘릴 거라는 의미임을 알 수 있다. 이와 같이 말하고자 하는 내용과 반대로 표현하는 것을 '반어'라고 한다. ㉡은 '반어'를 사용하여 임이 '나'를 떠나면 매우 슬퍼서 눈물을 흘릴 것임을 강하게 전달하고 있다.

평가 기준

채점 요소	확인☑
ⓐ에 들어갈 화자의 속마음을 바르게 파악하였다.	
ⓑ에 들어갈 표현 방법을 바르게 파악하였다.	
ⓒ에 들어갈 효과를 바르게 파악하였다.	

04 이 시에서 '당신'의 태도는 직접 드러나지 않는다. 화자는 '당신'이 나무라는 상황을 가정하고 있다.

05 이 시에서는 같은 시어(당신이, 잊었노라)와 같은 문장 구조(~면 / ~노라), 3음보의 반복을 통해 운율을 형성하고 있다.

06 이 시에서 화자는 '잊었노라'라고 말하고 있지만 그 표현에 담긴 화자의 속마음은 '잊지 않겠다'이다. <보기>에서도 화자는 너를 바보라고 말하고 있지만 2연을 보면 속마음은 정반대임을 알 수 있다. 공통적으로 반어가 쓰였다.

평가 기준

채점 요소	확인☑
공통적으로 사용된 표현 방법이 반어임을 파악하였다.	
반어의 뜻을 포함하여 서술하였다.	
주어진 문장 형식으로 서술하였다.	

07 김 첨지의 아내는 병세가 가벼워 약을 쓰지 않은 것이 아니라 끼니를 잇지 못할 정도로 가난한 형편 때문에 약을 쓰지 못한 것이다.

오답 풀이

② 김 첨지는 손님을 많이 태워서 번 돈으로 모주도 마시고, 아내에게 설렁탕을 사다 줄 수 있어 기분이 좋다.

08 비가 추적추적 내리는 날씨는 음산하고 불안한 느낌을 주어 우울하고 비극적인 분위기를 형성한다. 또한 '운수 좋은 날'이라는 제목과도 대립되어 아내의 죽음이라는 비극적인 결말을 암시한다고 볼 수 있다.

자료실

배경의 기능
- 작품의 전반적인 분위기를 조성함.
- 시간과 공간을 구체적으로 제시해 인물의 행동과 사건을 사실적으로 보이게 함.
- 상징적 의미를 나타내기도 하고, 주제를 부각하기도 함.

09 ㉠에서 김 첨지는 불안감을 떨쳐 내려고 일부러 목청을 높여 호통을 치고 있으며, ㉡에서는 아내가 죽은 것을 확인하고 비통해하고 있다.

10 김 첨지는 술에 취한 와중에도 아픈 아내에게 줄 설렁탕을 사 들고 돌아온다. 하지만 아내는 이미 죽은 뒤였다. 이를 통해 '설렁탕'은 아내에 대한 김 첨지의 사랑을 의미하면서, 결말에서 독자의 안타까움을 유발하는 소재임을 알 수 있다.

11 김 첨지가 돈을 많이 번 운수 좋은 날이지만 실제로는 아내가 죽은 가장 불행한 날이므로 '운수 좋은 날'이라는 제목은 실제 상황을 반어적으로 나타내어 상황의 비극성을 더욱 강조하고 있다.

평가 기준

채점 요소	확인☑
반어가 사용되었음을 파악하였다.	
제목과 결말의 관계를 고려하여 제목이 주는 효과를 바르게 서술하였다.	

3일 필수 체크 전략 1 52~55쪽

1 ⑤ **1-1** '결별'은 슬프고 고통스러운 느낌을 주는데, '결별'이 기쁘고 행복한 느낌을 주는 '축복'을 이룩하고 있다고 표현하고 있기 때문이다. **2** ③ **2-1** ③ **3** ④ **3-1** ① **4** ④ **4-1** 혼란한 사회적 상황에서 기회주의적으로 행동하는 인물에 대한 비판

• 낙화(이형기)

갈래 현대시
제재 낙화
주제 이별을 통한 영혼의 성숙
특징 ① 인간의 삶을 자연 현상과 연관 지어 시상을 전개함.
② 자연 현상을 통해 얻은 깨달음을 역설을 써서 전달함.

시의 짜임

1연	낙화를 통해 인식하는 이별의 아름다움
2연	이별의 상황을 인식함.
3연	낙화를 통해 지금이 이별의 때임을 인식함.
4연	낙화의 결과
5연	녹음과 열매를 위한 희생
6연	이별(낙화)의 모습
7연	이별을 통한 영혼의 성숙

핵심 포인트 1 **이 시에 나타난 비유**

자연 현상		인간의 삶
꽃이 피고 짐.	➔	사랑과 이별
열매를 맺음.		영혼의 성숙, 내면적 성장

핵심 포인트 2 **이 시에 쓰인 역설**

결별	↔	축복
슬픔, 고통스러움		기쁨, 행복

'결별이 이룩하는 축복'
이별은 슬프고 고통스러운 것이지만 이별을 통해 영혼의 성숙을 이룰 수 있음.

효과
- 참신하고 인상적인 느낌을 줌.
- 전달하고자 하는 비를 강조함.

1 역설은 겉보기에는 모순이지만 그 속에 진실을 담고 있는 표현 방법이다. ㉠ '결별이 이룩하는 축복'은 의미상 서로 어울리지 않는 '결별'과 '축복'이 결합한 표현으로, 결별은 슬프고 고통스러운 일이지만 그것을 경험하는 사람의 영혼(삶)을 성숙하게 하는 계기가 되므로 불행이 아니라 오히려 축복이 될 수 있다는 의미를 담고 있다.

1-1 '결별'은 슬프고 고통스러운 느낌을 주는 말인 반면에 '축복'은 행복하고 희망적인 느낌을 주는 말이다. ㉠ '결별이 이룩한 축복'은 의미상 서로 어울리지 않는 단어가 결합하였으므로 겉보기에 모순된 표현이다.

평가 기준

채점 요소	확인☑
㉠이 모순된 표현인 이유를 바르게 파악하였다.	
'결별'과 '축복'이 주는 느낌을 비교하여 서술하였다.	
한 문장으로 서술하였다.	

• 독은 아름답다(함민복)

갈래 현대시
제재 은행나무 열매, 밤송이, 복어알, 친구
주제 자식을 향한 부모의 사랑은 가치 있고 아름다움.
특징 ① 역설을 써서 주제를 강조함.
② 일상에서 접할 수 있는 소재를 활용함.

시의 짜임

1연	은행나무 열매의 구린내가 향기로움.
2연	밤송이의 날카롭게 찌르는 가시가 너그러움.
3연	복어의 독이 복어의 사랑임.
4연	술을 끊은 친구의 독한 마음이 아름다움.

핵심 포인트 1 **대상을 바라보는 화자의 태도**

대상		화자의 태도
• 은행나무 열매의 구린내 • 날카로운 밤송이의 가시 • 복어의 독 • 친구의 독한 마음	➔	• 구린내가 향기롭다. • 가시가 너그럽다. • 복어의 독이 사랑이다. • 독한 마음이 아름답다.
일반적으로는 부정적으로 바라봄.		긍정적으로 바라봄.

핵심 포인트 2 **이 시에 쓰인 역설**

모순된 표현	의미
구린내가 향기롭다	구린내가 은행나무 열매를 보호하기 때문에 향기로움.
날카롭게 찌르는 가시가 너그럽다	밤송이의 가시가 밤톨을 보호하는 역할을 하기 때문에 너그러움.
복어의 독이 복어의 사랑이다	복어의 독은 다른 동물이 복어의 알을 먹지 못하게 지켜 주므로 복어의 사랑임.
친구의 독한 마음이 아름답다	소중한 자식을 위한 마음이므로 독한 마음이 아름다움.

↓

효과
• 모순된 표현 이면의 진실을 강조하여 나타냄.
• 독자의 주의를 끌고 참신한 느낌을 줌.

2 이 시의 화자는 일반적으로 부정적으로 보는 은행나무 열매의 구린내, 밤송이의 가시, 복어의 독, 독한 마음을 긍정적으로 표현하고 있다. 각각 은행나무 열매, 밤톨, 복어알, 자식을 보호하기 위한 것이라고 생각하기 때문이다. 즉, 역설을 써서 자식을 소중히 여기고 보호하는 부모의 사랑이 아름답고 가치 있음을 강조하고 있다.

2-1 ㉢은 밤송이의 가시가 밤톨을 보호하는 역할을 하기 때문에 너그럽다고 말하고 있는 것이다.

• 양반전(박지원)

갈래 고전 소설
제재 양반 신분의 매매
배경 • 시간: 조선 후기(18세기)
• 공간: 강원도 정선군
주제 양반들의 무능과 허례허식, 탐욕에 대한 풍자
특징 ① 양반 신분의 매매 사건을 통해 양반의 모습을 풍자함.
② 조선 후기의 사회상을 반영함.

핵심 포인트 1 **양반 신분 매매 증서의 내용과 그 역할**

• 첫 번째 매매 증서

내용	양반이 지켜야 할 규범
역할	지나치게 체면을 중요하게 여기며 허례허식에 얽매여 있는 양반의 모습을 풍자함.

• 두 번째 매매 증서

내용	양반이 누릴 수 있는 특권
역할	평민들에게 횡포를 일삼고, 부당한 특권을 행사하는 양반의 부도덕한 모습을 풍자함.

핵심 포인트 2 **등장인물의 말을 통해 풍자한 양반의 모습**

양반의 아내	부자
"양반! 양반은 한 푼어치도 안 되는구려!"	"장차 나를 도둑놈으로 만들 셈입니까?"
↓	↓
경제적으로 무능한 양반 풍자	부도덕한 양반 풍자

핵심 포인트 3 **풍자의 사용 효과**

• 양반의 부정적인 모습을 비판하고자 한 작가의 의도가 잘 드러남.
• 소설을 읽는 재미를 주고, 독자가 양반에게 비판적인 의식을 갖게 함.

3 이 글에 등장하는 양반은 관아에서 빌린 환자를 갚지 못해 옥에 갇힐 처지에 놓였는데도 울기만 하고 별다른 방법을 찾지 못한다. 이를 통해 경제적으로 무능력하여 현실 문제를 해결하지 못하는 양반의 모습을 풍자하고 있음을 알 수 있다.

3-1 두 사람의 대화를 보면 이 글에서 양반을 우스꽝스럽게 표현하거나 비웃어서 독자의 웃음을 유발하고 있음을 알 수 있다. 이처럼 풍자는 개인이나 사회의 부조리 등을 간접적으로 비판하며 웃음을 유발하는 표현 방법인데, 이때 웃음은 대상을 비꼬거나 조롱함으로써 우스꽝스럽게 표현하여 유발하는 경우가 많다.

오답 풀이
② 상징, ③ 반어, ④ 열거, ⑤ 비유에 대한 설명이다.

• 이상한 선생님(채만식)

갈래 현대 소설
제재 기회주의적으로 행동하는 박 선생님
배경 • 시간: 해방 전후
• 공간: 어느 초등학교
주제 해방 전후의 혼란한 사회적 상황 속에서 기회주의적으로 행동하는 인물 비판
특징 ① 어린아이를 서술자로 설정하여 주인공을 관찰함.
② 인물의 외모와 행동을 과장하고 희화화하여 풍자함.

핵심 포인트 1 **시대 변화에 따른 박 선생님의 태도**

일제 강점기	• 일본을 찬양하고 일본에 충성함. • 학생들에게 일본 말만 쓸 것을 강요함.

1945년 8·15 광복

광복 이후	• 학생들에게 일본은 나쁜 나라라고 가르침. • 미국 말을 열심히 공부하며 통역 일을 함. • 미국을 추종하며 칭찬함.

핵심 포인트 2 **이 글에 쓰인 풍자**

• 박 선생님의 외양을 '뼘생', '뼘박', '대갈장군'과 같이 우스꽝스럽게 묘사함.
• 순진한 어린아이를 서술자로 내세워 박 선생님을 '이상한 선생님'으로 표현함.

4 〈보기〉는 풍자를 사용하여 박 선생님을 우스꽝스럽게 표현했다는 내용이다. 풍자를 사용하면 직접 말하기 어려운 불합리나 사회의 부조리를 에둘러 비판할 수 있다. 또한 읽는 재미를 느끼게 하고 풍자 대상에 대해 비판적인 의식을 갖게 한다. 그러나 인물의 미묘한 심리를 전달하는 것은 풍자의 효과와 거리가 멀다.

4-1 박 선생님은 일제 강점기에는 일본에 충성하는 친일파였지만, 해방이 되자 일본을 적대시하고 미국을 찬양하는 친미파가 된 기회주의적인 인물이다. 이 글은 박 선생님을 통해 당시 혼란한 사회적 상황에서 기회주의적으로 행동하는 사람들을 비판하고 있다.

평가 기준

채점 요소	확인☑
이 글에서 기회주의적으로 행동하는 인물을 비판하고 있음을 바르게 파악하였다.	
주제를 바르게 서술하였다.	

3일 필수 체크 전략 2 56~59쪽

01 ③ **02** 역설, 나뭇잎이 벌레 먹어서 예쁘다 **03** 복어의 독이 사랑인 이유는 다른 동물이 복어알을 먹지 못하게 보호하는 역할을 하기 때문이다. **04** ② **05** ① **06** 결별은 슬프고 고통스러운 것이지만, 결별을 통해 영혼의 성숙을 이룰 수 있기 때문이다. **07** ④ **08** 장차 나를 도둑놈으로 만들 셈입니까? **09** ㄴ, ㄷ **10** ③

01 (가)는 '은행나무 열매의 구린내', '밤송이의 가시', '복어의 독' 등에서 새로운 가치를 발견해 긍정적으로 바라보고 있다. (나)도 구멍 뚫린 나뭇잎을 다른 존재를 위해 베푸는 긍정적인 존재로 바라보고 있다.

자료실
〈벌레 먹은 나뭇잎〉(이생진) 작품 개관

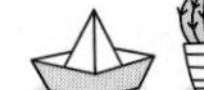

갈래	자유시
제재	벌레 먹은 나뭇잎
주제	남에게 베푸는 삶의 가치
특징	① 화자가 따뜻하고 애정 어린 시선으로 시적 대상을 바라봄. ② 말하고자 하는 바를 역설을 써서 드러냄.

02 ㉠에는 겉보기에는 모순이지만 통찰을 통해 얻은 진실을 담고 있는 역설이 사용되었다. (나)에서 역설이 사용된 시구는 '나뭇잎이 벌레 먹어서 예쁘다'이다. 보잘것없어 보이는 '벌레 먹은 나뭇잎'을 '예쁘다'라고 표현하여 자신이 가진 것을 베푸는 나뭇잎이 아름답고 가치 있는 존재라는 의미를 담고 있다.

평가 기준

채점 요소	확인☑
㉠에 사용된 표현 방법을 바르게 파악하였다.	
같은 표현 방법이 사용된 시구를 (나)에서 바르게 찾아 썼다.	

03 복어알에 있는 독은 다른 동물이 알을 먹지 못하게 함으로써 알을 보호하는 역할을 한다. 즉, 복어의 독이 포식자로부터 알을 보호하기 때문에 복어의 독을 사랑이라고 말하고 있다.

평가 기준

채점 요소	확인☑
'복어의 독'의 역할을 바르게 파악하였다.	
주어진 문장 형식으로 서술하였다.	

04 이 시는 인간의 삶을 자연 현상과 연관 지어 시상을 전개하고 있다. 선경후정의 방식이 드러나 있지는 않다.

오답 풀이

① 1연에서 설의법을 사용하여 이별의 아름다움을 강조하고 있다.
③ 꽃이 지는 모습을 사람이 이별하는 것처럼 표현하고 있다.
④ 6연에서 시각적 심상을 사용하여 꽃이 지는 모습을 감각적으로 표현하고 있다.
⑤ '결별이 이룩하는 축복'에 역설이 사용되었다.

05 이 시는 꽃이 떨어지는 자연 현상을 통해 이별의 아픔이 영혼의 성숙으로 승화될 수 있음을 노래하고 있다. 따라서 꽃이 피고 지는 것은 사랑(만남)과 이별을 의미하며 열매를 맺는 것은 영혼의 성숙, 내면의 성장을 의미한다.

06 결별은 슬프고 고통스러운 일이지만, 그것을 경험하는 사람의 영혼이 성숙해지는 계기가 된다. 이러한 관점에서 결별은 오히려 축복이 될 수 있기 때문에 화자는 '결별이 이룩하는 축복'이라고 표현하고 있다.

평가 기준

채점 요소	확인☑
'결별'이 '축복'을 이룬다고 표현한 이유를 바르게 파악하였다.	
주어진 문장 형식으로 서술하였다.	

07 (가)의 증서는 양반이 지켜야 할 규범을 이야기하고 있는데, 지나치게 체면을 중요하게 여기며 허례허식에 얽매여 있는 양반의 모습을 풍자하고 있다. (다)의 증서는 양반이 누릴 수 있는 특권을 이야기하고 있는데, 이를 통해 백성들에게 횡포를 일삼고 부당한 특권을 행사하는 양반의 부도덕한 모습을 풍자하고 있다.

08 부자는 권력을 이용하여 부당한 이득을 취하고, 백성들에게 횡포를 저지르는 양반의 모습이 담긴 증서의 내용을 듣고 "장차 나를 도둑놈으로 만들 셈입니까?"라며 양반이 되는 것을 포기한다. 양반의 부정적인 모습을 '도둑놈'이라는 말로 단적으로 드러내고 있다.

09 박 선생님은 일본에 적극적으로 충성하여 학생들에게 일본 말만 쓸 것을 강요하며, 일본 말을 쓰지 않는 학생에게는 벌을 주었다.

자료실

〈이상한 선생님〉에 나타난 시대 상황

(가), (나)	• 일제 강점기 말 • 일제는 우리 민족의 민족성을 말살하기 위해 학교에서 일본 말만 쓰게 함.
(다)	• 해방 직후 • 한반도의 삼팔선을 경계로 하여 남쪽에는 미국군이, 북쪽에는 소련군이 주둔하였음.

10 (다)에는 일제 강점기에 친일적 태도를 보이던 박 선생님이 해방 후에는 미국에 협력하여 자신의 이득을 추구하는 모습이 나타나 있다. 그러므로 박 선생님을 기회주의자라고 평가하는 것이 적절하다.

누구나 합격 전략 60~61쪽

01 소리, 정서 **02** ㉡, ㉢, ㉣ **03** 은호 **04** 반어 **05** 민채, 화자의 심리나 등장인물의 상황을 강렬하게 드러낼 수 있어. **06** (가): 구린내가 향기롭다 (나): 결별이 이룩하는 축복에 싸여 (다): 나뭇잎이 벌레 먹어서 예쁘다 **07** 모순, 진실, 의도 **08** 풍자, 웃음, 비판적

01 운율은 소리가 규칙적으로 반복될 때 형성된다. 운율은 시의 분위기를 형성하고 주제를 전달하는 데 도움을 주며, 화자의 정서를 효과적으로 드러낼 수 있다.

02 이 시는 어미 '-우리다'의 반복, 1연과 4연에서 같은 시구의 반복, 3음보의 반복을 통해 운율을 형성하고 있다. 의성어는 사용하고 있지 않다.

03 (가)와 (나)는 모두 한 행을 세 마디로 끊어 읽는 3음보를 형성하고, 이를 규칙적으로 반복하고 있다.

04 '잊었노라'는 '잊을 수 없다.'를, '너는 참 바보다.'는 '너는 좋은 아이다, 너는 생활 태도가 바른 아이다.'를 반대로 표현한 말이다. 이처럼 원래 표현하려는 내용을 실제 의미와는 반대되는 말로 표현하는 것을 반어라고 한다.

오답 풀이

• 영탄법: 감탄사나 감탄형 어미 등을 사용하여 화자의 정서를 강조하는 방법

05 반어를 사용하면 화자의 심리나 등장인물의 상황을 더 강렬하게 드러낼 수 있다.

06 역설은 겉보기에는 모순이지만 그 속에 어떤 진실을 담고 있는 표현 방법이다.

07 역설은 겉보기에 모순이지만 진실을 담은 표현을 통해 표현 속에 담긴 진실을 강조하여 표현의 의도를 깊이 생각해 보게 한다.

08 이 글에서는 풍자를 써서 박 선생님을 '뼘생, 뼘박, 대갈장군'과 같이 우스꽝스럽게 표현함으로써 독자의 웃음을 유발하고, 박 선생님을 비판적으로 바라보게 한다.

창의・융합・코딩 전략 1 62~63쪽

01 ③ **02** 엄청난 슬픔의 반어적 표현 **03** ⑤ **04** ㉡

01 이 시는 3연을 중심으로 1연과 5연, 2연과 4연이 대칭적 구조를 이루고 있는데, 앞뒤 내용이 대조되고 있는 것은 아니다. 1연과 5연은 내용이 동일하고, 2연과 4연은 표현은 다르지만 화자의 의지가 드러나 있다.

02 4연의 '죽어도 아니 눈물 흘리우리다'는 화자의 심정을 반대로 표현한 것으로, 이별의 슬픔이 매우 크다는 것을 강조하고 있다.

평가 기준

채점 요소	확인☑
'죽어도 아니 눈물 흘리우리다'가 반어적 표현임을 파악하였다.	
4연의 심층적 의미를 바르게 서술하였다.	

03 '오늘도 어제도 아니 잊고'라는 표현을 통해 화자가 이별 후 '당신'을 잊지 못하고 그리워하고 있음을 알 수 있다. 따라서 ㉤은 적절하지 않다.

04 김 첨지는 아내에 대한 걱정 때문에 집이 가까워질수록 불안감이 심화되고 있고, 집이 차차 멀어질수록 불안감이 약해지고 있다.

창의・융합・코딩 전략 2 64~65쪽

05 ⓐ: ㉠, ㉣ ⓑ: ㉡, ㉢, ㉤ **06** ⓐ: 이별/결별 ⓑ: 결별이 이룩하는 축복에 싸여 **07** 부당한 이득을 취하고 백성들에게 횡포를 부리는, 도둑놈 **08** ④

05 논리적으로 말이 되는 것은 ㉠, ㉣이고, ㉡, ㉢, ㉤은 모두 모순된 표현이다. 그리고 ㉡, ㉢, ㉤은 자식을 향한 부모의 사랑은 가치 있고 아름답다는 진실을 담고 있다.

06 이 시는 꽃이 지는 모습을 통해 이별을 형상화하였으므로 낙화가 비유하고 있는 것은 '이별(결별)'이다. 그리고 '결별이 이룩하는 축복'에서 이별을 통해 영혼의 성숙을 이룰 수 있다고 이별을 긍정적으로 인식하고 있다.

07 증서에서 양반은 과거에 급제하면 온갖 물건을 가질 수 있으며, 이웃의 소를 빼앗아 쓰거나 백성들을 괴롭혀도 원망받지 않는다고 하였다. 부자는 이런 양반의 특권을 듣고 양반을 '도둑놈'이라 칭하고 있다.

평가 기준

채점 요소	확인☑
증서에 나타난 양반의 부도덕한 모습을 바르게 파악하였다.	
증서 내용에 대한 부자의 반응을 나타내는 말을 바르게 찾아 썼다.	

08 (가)에서는 일본을 찬양하며 미국이 전쟁에 질 거라고 말하던 박 선생님이, (나)에서는 일본을 나쁘게 말하며 미국을 찬양하고 있다. 즉 기회주의적인 태도가 나타나는데, 자기에게 조금이라도 이익이 되면 지조 없이 이편에 붙었다 저편에 붙었다 함을 비유적으로 이르는 속담인 '간에 붙었다 쓸개에 붙었다 한다'와 관련 있다.

오답 풀이

① 무엇을 몸에 지니거나 가까이 두고도 까맣게 잊어버리고 엉뚱한 데에 가서 오래도록 찾아 헤매는 경우를 비유적으로 이르는 말.
② 아무 관계 없이 한 일이 공교롭게도 때가 같아 어떤 관계가 있는 것처럼 의심을 받게 됨을 비유적으로 이르는 말.
③ 자기가 좋아하는 곳은 그대로 지나치지 못함을 비유적으로 이르는 말.
⑤ 아무런 노력도 아니 하면서 좋은 결과가 이루어지기만 바람을 비유적으로 이르는 말.

3주 문학 작품의 재구성

1일 개념 돌파 전략 1 68~69쪽

01 재구성 02 소설 03 (1) ㉡ (2) ㉠ 04 ㉠ 05 존중하는 06 ㉡ 07 시

01 문학 작품의 내용, 표현, 형식, 갈래, 맥락, 매체 등을 바꾸어 쓰는 것을 문학 작품의 재구성이라고 한다.

02 드라마 대본 〈소나기〉는 소설 〈소나기〉를 원작으로 하고 갈래를 바꾸어 재구성한 작품이다.

03 시 〈꽃〉의 주제는 '존재의 인식과 의미 있는 진정한 관계 맺기에 관한 소망'이고, 시 〈'꽃'의 패러디〉의 주제는 '대상의 본질을 왜곡하는 명명(命名) 행위'이다.

04 소설 〈개를 훔치는 완벽한 방법〉의 공간적 배경은 미국이고, 영화 대본의 공간적 배경은 한국이다.

05 원작과 재구성된 작품을 비교하며 감상하면 다양한 관점과 가치를 이해하고 존중하는 태도를 기를 수 있다.

06 문학 작품을 재구성할 때 갈래가 달라질 수 있다.

07 소설 〈사평역〉은 시 〈사평역에서〉를 갈래를 바꾸어 재구성한 작품으로, 화자 '나'의 정서가 주로 형상화되어 있는 원작과 달리 전지적 서술자가 여러 인물의 내면을 서술하고 있다.

1일 개념 돌파 전략 2 70~73쪽

01 재구성 02 ⑤ 03 ① 04 ⑤ 05 맥락 06 ② 07 ⑤ 08 ④ 09 겨울

01 원작을 읽고 작품의 내용, 표현, 형식, 갈래, 맥락, 매체 등을 바꾸어 쓰는 것을 문학 작품의 재구성이라고 한다.

02 재구성된 작품을 원작과 비교하지 않고 감상할 수 있지만 반드시 그렇게 감상해야만 하는 것은 아니다.

03 (가)는 소설, (나)는 드라마 대본이다. (나)는 (가)를 갈래를 바꾸어 재구성하였고, 배경이나 주제, 중심인물과 인물의 성격은 달라지지 않았다.

04 (가)는 '이름 부르기'를 통해 진정한 관계를 맺을 수 있다고 보고 있고, (나)는 '이름 부르기'를 대상의 본질을 왜곡하는 행위로 보고 있다. 따라서 (가)는 '이름 부르기'를 긍정적으로, (나)는 부정적으로 바라보고 있다.

자료실

〈꽃〉(김춘수) 작품 개관

갈래	현대시	제재	꽃
주제	존재의 인식과 의미 있는 진정한 관계 맺기에 관한 소망		
특징	① 간절한 어조로 소망을 드러냄. ② 의미 있는 존재를 '꽃'으로 상징함.		

〈'꽃'의 패러디〉(오규원) 작품 개관

갈래	현대시
제재	대상에 대한 명명(命名) 행위
주제	대상의 본질을 왜곡하는 명명(命名) 행위
특징	① 시 〈꽃〉을 패러디하여 사물 인식에 관한 새로운 관점을 제시함. ② 상징을 활용하여 언어가 존재의 본질을 왜곡하는 현실을 비판함.

05 영화 〈개를 훔치는 완벽한 방법〉은 소설 〈개를 훔치는 완벽한 방법〉을 재구성한 작품이다. 영화는 미국을 배경으로 하는 원작과 달리 사회·문화적 맥락에 변화를 주어 한국을 배경으로 하고 있다.

06 (가)는 백설 공주가 아닌 일곱 번째 난쟁이를, (나)는 허생이 아닌 허생의 부인을 중심인물로 설정하여 재구성한 작품을 추천하고 있다.

자료실

〈허생의 처〉(이남희) 작품 개관

갈래	현대 소설
제재	남성 중심의 가부장적 사회
배경	• 시간: 조선 후기 • 공간: 허생의 집
주제	남성 중심의 가부장적 이데올로기 비판
특징	① 원작 〈허생전〉과 배경을 동일하게 설정하고 허생의 부인 시각에서 새로운 이야기를 만듦. ② 〈허생전〉에 나오는 후일담을 허생의 부인에 관한 이야기의 도입 액자로 삼음.

07 재구성된 작품도 가치를 지니므로 원작이 재구성된 작품보다 무조건 더 훌륭하다고 할 수는 없다. 작품의 가치를 이해하고 존중하는 태도를 길러야 한다.

08 '원작이 서점에서 많이 판매되었는가?'는 재구성할 때 고려해야 할 점으로 거리가 멀다.

09 (나)는 (가)를 재구성하면서 갈래가 바뀌었으나, 겨울의 간이역 대합실이라는 배경은 유지하였다.

2일 필수 체크 전략 1

74~77쪽

1 ④ 1-1 ① 2 ⑤ 2-1 ④ 3 ⑤ 3-1 ② 4 ③ 4-1 ①

• 모진 소리(황인숙)

갈래 현대시
제재 모진 소리
주제 모진 소리는 나와 타인과 세상을 아프게 한다.
특징 ① 모진 소리가 마음에 상처를 주는 것을 감각적으로 표현함.
② '쿡쿡', '쩡'과 같은 의태어나 의성어를 사용하여 모진 소리에 상처받는 마음을 인상적으로 표현함.

시의 짜임

1연	모진 소리를 들으면 마음이 아픔.
2연	모진 소리는 나와 타인과 세상을 아프게 함.

핵심 포인트 **모진 소리의 영향**

• 모진 소리는 나를 아프게 함.
• 모진 소리는 타인을 아프게 함.
• 모진 소리는 세상을 아프게 함.

→ 부정적 영향

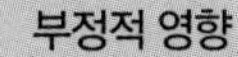

• 거울(학생 작품)

갈래 현대 소설
제재 모진 소리
주제 모진 소리를 한 자신에 대한 반성
특징 ① 시 〈모진 소리〉를 재구성하여 씀.
② 인물, 배경, 사건 등을 구체적으로 설정하여 재구성함.
③ '현재-과거(회상)-현재' 순으로 이야기를 전개함.

글의 짜임

현재	소희(주인공)가 교실에서 같은 반 민아가 현우에게 모진 소리를 하는 모습을 봄.
과거(회상)	소희가 지난주에 같은 모둠 친구인 선미에게 모진 소리를 한 일을 떠올림.
현재	소희가 선미에게 모진 소리를 했던 것을 반성하고 선미에게 사과함.

핵심 포인트 **재구성하며 달라진 부분**

갈래	시를 소설로 재구성함.
주제	모진 소리를 한 자신에 대한 반성
배경	• 시간: 지난주~오늘 • 공간: 학교, 소희의 집
인물	모진 소리를 하는 사람, 듣는 사람을 구체적으로 설정함.
사건	• 소희가 선미에게 모진 소리를 함. • 소희는 민아가 현우에게 모진 소리를 하는 모습을 보고, 선미에게 모진 소리를 했던 자신을 반성함. • 소희가 선미에게 사과함.

1 (가)는 모진 소리가 나와 타인과 세상을 아프게 한다는 것을 노래한 시이다. (나)는 다른 사람이 하는 모진 소리를 듣고 주인공이 마음에 상처받는 모습을 제시하고 있는데, 이를 통해 (가)의 주제를 담았음을 알 수 있다.

1-1 (나)는 원작 시 (가)를 갈래를 바꾸어 소설로 재구성함으로써 상황을 구체적으로 제시하고 있다.

오답 풀이
② 제시된 장면의 공간적 배경이 학교라는 것이 나타나 있다.
③ 주인공이 자신을 향한 말이 아니지만 모진 소리를 듣고 마음에 상처받는 모습이 나타나 있다.
④ 민아가 현우에게 하는 모진 소리를 주인공이 듣는 상황이 나타나 있다.
⑤ 민아가 모진 소리를 하는 사람, 현우가 모진 소리를 듣는 사람으로 나타나 있다.

• 새싹 하나가 나기까지는(경종호)

갈래 현대시
제재 새싹
주제 새싹 하나가 나기까지 주변의 도움(협력)이 필요하다.
특징 ① 이야기하듯이 친근한 말투를 사용함.
② 의인법을 사용하여 자연물을 친근하게 표현함.

시의 짜임

1연	웅덩이에 씨앗 하나가 떨어짐.
2연	바람에 날아온 나뭇잎이 씨앗을 덮어 추위를 막아 줌.
3연	햇살, 땅강아지, 지렁이가 새싹이 나도록 도와줌.
4연	네가 새싹을 밟지 않으려고 '팔딱' 뛴 일이 가장 중요함.

핵심 포인트 새싹이 나기까지 주변의 도움

바람	나뭇잎으로 씨앗을 덮어 줌.
나뭇잎	겨울 내내 추위를 막아 줌.
햇살	씨앗을 비춰 줌.
땅강아지	씨앗이 뿌리를 내릴 공간을 마련해 줌.
지렁이	씨앗에 물 한 모금을 나누어 줌.
'너'	새싹을 밟지 않고 뛰어넘음.

↓

새싹 하나가 나기까지 주변의 여러 도움(협력)이 필요함.

• 새싹 하나가 나기까지는(한국문화예술위원회)

갈래 영상 시
제재 새싹
주제 새싹 하나가 나기까지 주변의 도움(협력)이 필요하다.
특징 ① 영상, 소리, 문자를 종합적으로 활용함.
② 부드러운 어조로 시를 낭송하여 시의 분위기를 잘 살림.

핵심 포인트 원작과 재구성작의 비교

	원작	재구성작
갈래	시	영상 시
형식	4연	6장면
전달 매체	문자	문자(자막), 그림, 소리(음성, 배경 음악)

2 (나)의 갈래는 영상 시로, 문자, 그림, 소리를 전달 매체로 활용하였다. 따라서 (나)가 전달 매체로 문자를 활용하지 않았다는 설명은 적절하지 않다.

2-1 (가)와 (나)를 비교하였을 때 (가)의 2연이 (나)에서 두 개의 장면으로 구성되어 있는 것을 확인할 수 있다. 따라서 한 연마다 하나의 장면으로 재구성하였다는 내용은 적절하지 않다.

• 배꼽을 위한 연가 5(김승희)

갈래 현대시
제재 부모를 위해 희생한 심청의 행동
주제 자신의 삶을 스스로 개척해 나가는 의지
특징 ① 고전 소설 〈심청전〉의 주인공인 '심청'을 화자로 설정함.
② 〈심청전〉에 담긴 효도관을 비판하고 있음.
③ 인생을 살아가는 태도에 관한 교훈을 전달하고 있음.
④ 어머니에게 말을 건네는 형식으로 이루어져 있음.

시의 짜임

1~2연	어머니를 위한 희생을 거부하고 자신을 위한 삶을 살아가고자 함.
3연	인당수에 빠지지 않고 자신의 삶을 개척해 나가는 것은 불효가 아님.
4연	어머니가 자신의 힘으로 장애를 극복하며 살 수 있도록 도울 것임.
5연	삶은 다른 사람의 희생이 아닌 자신의 힘으로 살아가야 하는 것임.

핵심 포인트 1 화자의 태도

• 인당수에 빠지지 않겠음.
• 시를 짓고 책을 보겠음.
→ 희생하지 않고 자신의 삶을 개척하려는 의지적인 태도

핵심 포인트 2 소재의 의미

인당수	부모를 위해 자신을 희생하는 공간
공양미 삼백 석	자신의 희생을 통해 얻게 될 이익
나비, 새	성숙한 존재
애벌레, 알	미성숙한 존재

핵심 포인트 3 재구성하며 달라진 부분

갈래	고전 소설을 시로 재구성함.
심청의 부모	• 눈이 먼 사람을 어머니로 설정함. • 아버지는 시에 나타나지 않음.
심청의 태도	원작과 달리 희생을 거부하고 자신의 삶을 개척하겠다는 의지를 강하게 드러냄.
주제	삶을 스스로 개척하는 의지를 강조함.

3 이 시에서 화자(심청)는 시각 장애인인 어머니에게 점자책을 사 드리고 점자 읽는 법을 가르쳐 드려서 어머니가 자신의 힘으로 장애를 극복하도록 돕겠다고 말하고 있다. 장애를 인정하고 사회의 도움을 받아야 한다는 내용은 나타나 있지 않다.

오답 풀이

①, ③ 1연과 2연에서 화자는 부모를 위해 희생하는 전통적인 효도관을 거부하고 있다.

② 3연과 5연에서 화자는 삶은 어려움을 극복하며 개척하는 것이라고 말하고 있다.

④ 5연에서 화자는 '어디에도 인당수는 없'다며 다른 사람의 희생으로 살 수 없다는 생각을 드러내고 있다.

3-1 이 시의 화자 '심청'은 원작의 '심청'과 달리 희생을 거부하고, 그 대신에 어머니가 장애를 극복하도록 도우면서 자신의 삶을 개척해 나가겠다고 말하고 있다. 이를 통해 시인이 원작에 비판적 태도를 지니고 있음을 알 수 있다.

• 박각시 오는 저녁(백석)

갈래 현대시
제재 시골의 여름 저녁 풍경
주제 • 시골의 아름다운 여름 저녁 풍경
• 인간과 자연이 조화를 이루며 살아가는 모습
특징 ① 시골의 여름 저녁 풍경을 아름답고 섬세하게 묘사함.
② 토속적인 소재로 계절감과 향토적 정서를 표현함.

시의 짜임

1행	소박한 저녁 식사를 마침.
2~6행	뒷등성이에서 바람을 쐼.
7~8행	여름밤이 깊어 감.

핵심 포인트 시의 분위기

• 강낭콩 밥과 가지냉국을 먹음.
• 박꽃이 핀 지붕에 박각시, 주락시가 날아오고 집 안팎에 있는 문이 모두 열려 있음.
• 벌레가 요란하게 우는 산등성이에서 멍석을 깔고 바람을 쐼.
• 하늘에 별이 가득하고 옥수수밭에 이슬이 맺혀 있음.

평화로운 분위기

• 박각시와 주락시(김기정)

갈래 동화
제재 할머니의 집
배경 • 시간: 현대, 어느 날 오후에서 밤까지
• 공간: 할머니의 집
주제 인간과 자연의 조화 등 소중한 것을 잊고 사는 현대 사회의 각박한 삶에 대한 성찰과 안타까움
특징 ① '현실–환상–현실'의 구조를 취함.
② 인물들의 대조되는 가치관으로 주제를 드러냄.
③ 어린아이의 순수한 시각이 드러남.

글의 짜임

현실	고마네 가족이 돌아가신 할머니의 집을 사겠다는 사람을 만나려고 할머니 집에 왔다가 '사내'를 만남.
환상	고마가 주락시를 만나 널따란 마당으로 따라가고 그곳에서 박각시, 땅지 영감 등을 만남.
현실	할머니 집으로 돌아온 고마가 아빠에게 낮에 있었던 일을 이야기함.

핵심 포인트 1 주인공을 고마로 설정한 효과

고마의 특징	어린아이라서 어른들의 일을 다 이해하지는 못함.
↓	
효과	순수한 시각으로 세상을 바라보며 현대인이 잊고 지내는 소중한 가치를 편견 없이 받아들임.

핵심 포인트 2 동화에서 강조하는 가치

소중한 가치 — • 인간과 자연의 조화 • 생명의 소중함 • 인간 사이의 관계와 정

핵심 포인트 3 '할머니 집'에 대한 관점 차이

현실: 아빠, 엄마		환상: 박각시, 주락시 등
할머니 집은 낡고 오래되어 물질적 가치가 없기 때문에 팔아야 함.	↔	할머니 집은 소중한 이들이 오랜 시간 함께 일구어 온 삶의 터전임.

4 재구성은 단순히 원작을 변형하는 것이 아니라 원작을 이해하고 새로운 가치를 담아 창조하는 작업이다. 원작과 재구성된 작품은 모두 가치를 지니므로 이를 존중하는 태도를 지녀야 한다.

4-1 (나)에서는 (가)의 '박각시, 돌우래' 등의 풀벌레들이 의인화된 존재로 등장하여 주인공 고마와 대화를 나누고 있다. 이를 통해 환상적인 분위기를 형성하고 있다.

오답 풀이

② (나)에서 제사드리는 풍경은 조상에게 감사하고 조상을 그리워하는 따뜻한 정을 보여 주고 있다.
⑤ (나)에 풀벌레들이 고향을 떠나야 하는 상황이 나타나 있지만 도전하는 태도의 필요성은 드러나 있지 않다.

2일 필수 체크 전략 2 78~81쪽

01 ③ 02 미소가 사르르 번진다 03 ② 04 ③ 05 씨앗에서 새싹이 나도록 돕는 역할을 하였다. 06 ④ 07 ⑤ 08 집은 물질적 가치에 따라 얼마든지 사고팔 수 있는 대상임. 09 ②

01 (가)와 (나) 모두 화자가 사람이므로, 의인화된 존재라는 설명은 적절하지 않다.

오답 풀이

④ (가)에는 아프고 쓸쓸한 분위기가, (나)에는 부드럽고 따뜻한 분위기가 나타나 있다.
⑤ (가)는 모진 소리의 부정적 영향을, (나)는 따뜻한 말의 긍정적 영향을 노래하고 있다.

자료실

㉯ 〈따뜻한 말〉 작품 개관

갈래	현대시	제재	따뜻한 말
주제	따뜻한 말은 나와 타인과 세상을 행복하게 한다.		
특징	① 〈모진 소리〉를 모방하여 씀. ② '사르르', '활짝'과 같은 의태어를 사용하여 따뜻한 말 덕분에 마음이 행복해지는 것을 인상적으로 표현함.		

02 (나)는 (가)를 모방하여 쓴 시로 시구가 서로 대응한다. (가)의 ㉠ '온몸이 쿡쿡 아파 온다'에 대응하는 (나)의 시구는 따뜻한 말을 듣고 마음이 따뜻해져 미소를 짓는 모습을 표현한 '미소가 사르르 번진다'이다.

평가 기준

채점 요소	확인☑
(가)의 ㉠에 대응하는 (나)의 시구를 바르게 찾아 썼다.	

03 ㉡은 주인공 '나'의 마음이 무너져 거울에 금이 가는 것처럼 보인 것으로, '나'가 모진 소리 때문에 마음에 상처를 받았음을 의미한다.

04 (가)는 전달 매체로 문자를 사용하였지만, (나)는 문자(자막), 그림, 소리(음성, 배경 음악)를 종합적으로 활용하여 내용을 전달하고 있다.

05 〈보기〉의 존재들은 씨앗에서 새싹이 나도록 각각 저마다 도움을 준 존재들이다.

평가 기준

채점 요소	확인☑
〈보기〉의 존재들의 공통적인 역할을 바르게 파악하였다.	
주어진 문장 형식으로 서술하였다.	

06 ㉣ '새'는 성숙한 존재를 의미한다. 미성숙한 존재를 의미하는 시어는 '애벌레', '알'이다.

07 〈보기〉와 시에 반영된 효도관에는 차이가 있는데, 독자는 시에 반영된 가치관을 바탕으로 하여 〈보기〉의 심청의 행동을 부정적으로 평가하였다.

오답 풀이

① 〈보기〉의 갈래는 고전 소설이므로 시와 갈래적 특성이 다르지만, 인물 평가에 영향을 미친 것은 아니다.
② 〈보기〉와 시 모두 활용한 전달 매체는 문자이다.
③ 시에서 화자의 나이는 나타나 있지 않다.
④ 독자의 평가에 자신의 경험은 나타나 있지 않다.

08 (나)에서 아빠는 할머니가 돌아가시기 전부터 집을 팔려 하였고, 할머니는 그것을 말렸다는 내용이 나타나 있다. 이를 통해 아빠는 집을 물질적 가치에 따라 사고파는 대상으로 인식하고 있음을 알 수 있다.

평가 기준

채점 요소	확인☑
(나)의 아빠가 집을 바라보는 관점을 바르게 파악하였다.	
빈칸에 들어갈 문장의 형식에 맞추어 서술하였다.	

09 〈보기〉에서 고마는 별생각 없이 벌레를 잡았다가 놓치는데, (나)에서 고마와 주락시의 대화를 통해 그때 잡은 벌레가 주락시라는 사실이 드러나고 있다. 자신이 주락시의 다리뼈를 부러뜨렸다는 것을 알고 눈물을 흘리는 고마의 모습에서 고마가 모든 생명은 소중하고 가치 있다는 것을 깨달았음을 알 수 있다.

3일 필수 체크 전략 1

82~85쪽

1 ④ **1-1** ④ **2** ⑤ **2-1** ㉡, 재구성 과정에서 서술자는 사라지고, 서술자 없이 이야기가 전개되고 있어. **3** ③ **3-1** 등장인물들의 대화가 대사로 표현되어 있다. **4** ④ **4-1** 사람에게는 모두 각자의 아름다움이 있는데, 그 아름다움을 스스로 찾아야 한다.

• **흥부전(작자 미상)**

갈래 고전 소설, 판소리계 소설
배경 • 시간: 조선 • 공간: 전라도 어느 고을
주제 형제간의 우애
특징 ① 판소리를 소설로 옮긴 작품임.
② 권선징악의 교훈을 전달하고 있음.

핵심 포인트 **흥부와 놀부의 인물 비교**

흥부		놀부
• 착함. • 복이 든 박씨를 받아 부자가 됨. • 놀부의 악행을 용서하고 재산을 나누어 줌.	↔	• 심술궂고 욕심이 많음. • 유산을 가로채고, 흥부를 빈손으로 내쫓음. • 형벌이 든 박씨를 받아 재산을 잃음.

• 놀부전(류일윤)

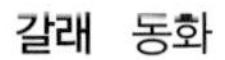

갈래 동화
배경 • 시간: 조선 • 공간: 전라도 어느 고을
주제 형제간의 우애
특징 ① 놀부가 흥부의 자립심을 키우기 위해 배려하는 인물로 설정됨.
② 자신의 힘으로 노력해 얻는 성공의 가치를 전달하고 있음.

핵심 포인트 1 **〈흥부전〉과 〈놀부전〉의 인물 특성 비교**

〈흥부전〉	〈놀부전〉
• 흥부: 마음씨가 착함. • 놀부: 심술궂고 욕심이 많음.	• 흥부: 게으르고 의존적임. • 놀부: 지혜로움.

핵심 포인트 2 **〈놀부전〉의 갈등 양상**

흥부		놀부
자신을 도와주지 않는 놀부를 원망함.	↔	스스로 일하게 하려고 흥부를 박대함.

↓

갈등의 해결	놀부네 곳간에서 바가지를 발견한 흥부가 놀부에게 용서를 구하고 사이좋게 지냄.

핵심 포인트 3 **흥부가 부자가 된 과정 비교**

〈흥부전〉	〈놀부전〉
• 흥부가 제비 다리를 고쳐 주고, 제비가 박씨를 줌. • 박에서 재물이 나와 부자가 됨.	• 흥부가 바가지를 만들어 팔아 부자가 됨. • 흥부가 놀부의 도움을 깨달음.
비현실적	현실적

↓

의도	자신의 힘으로 노력하여 얻는 성공의 가치, 개척하는 삶의 가치를 보여 주기 위함.

1 (나)는 (가)를 재구성하면서 등장인물의 성격을 바꾸었지만, 등장인물의 이름이나 시간적·공간적 배경은 그대로 유지하였다.

오답 풀이

② (나)에서 흥부는 부모님께 물려받은 재산을 탕진하고 놀부에게 의존하는 인물로 그려져 있다.
③ (나)의 "그러다 굶어 죽으면 어떡해요?"라는 말에서 놀부의 아내가 인정 많은 인물임을 짐작할 수 있다.
⑤ (나)에서 경제적 관념과 능력이 부족한 흥부와 그렇지 않은 놀부의 모습이 대비되고 있다.

1-1 (가)의 놀부는 욕심이 많고 인색하며 심술궂은 인물이지만, (나)의 놀부는 동생을 생각하는 마음이 깊은 인물이다. 이를 통해 등장인물의 성격이 바뀌었음을 알 수 있다.

• 완득이(김려령)

갈래 현대 소설
재제 청소년기의 꿈
배경 • 시간: 2000년대 초
• 공간: 달동네가 있는 서울 변두리 마을
주제 방황하던 완득이의 도전과 성장
특징 ① 꿈을 찾아 성장하는 청소년의 모습을 따뜻한 시선으로 풀어내고 있음.
② 다문화 가정, 장애인 가정, 청소년의 방황 등 다양한 사회의 모습을 담아냄.

글의 짜임

발단	완득이는 장애인 아버지를 모시고 담임 선생님 똥주와 티격태격하며 옥탑방에서 살아감.
전개	아버지와 말더듬이 삼촌은 가난 때문에 춤을 포기하고, 지하철 외판을 함.
위기	어머니를 만나게 된 완득이는 어머니가 베트남 사람이라는 것과 집을 나가게 된 사연을 알게 됨.
절정	완득이는 같은 반 친구인 윤하와 가까워지고, 킥복싱을 배우며 인생의 목표를 갖게 됨.
결말	아버지는 똥주 선생의 도움으로 삼촌과 함께 댄스 교습소를 열어 삶의 활력을 찾게 됨.

핵심 포인트 **등장인물**

완득	• 난쟁이 아버지와 베트남 출신 어머니를 둔 고등학생 • 킥복싱을 통해 인생의 목표를 세움.
아버지	• 난쟁이이지만 춤을 아주 잘 추는 춤꾼 • 똥주 선생의 도움으로 댄스 교습소를 엶.
어머니	• 베트남 출신으로 아버지와 결혼하여 완득이를 낳은 후 집을 나감. • 똥주 선생님의 도움으로 완득이와 만남.
민구 삼촌	• 아버지와 함께 춤을 추는 가짜 삼촌 • 언어 장애가 있어 말을 조금 더듬음.
똥주 선생	• 괴짜 선생으로 불리지만 어려운 사람을 돕는 따뜻한 배려심을 지닌 인물 • 불법 체류 외국인 노동자를 돕는 일을 하다가 완득이에게 어머니를 찾아 줌.
윤하	• 공부를 매우 잘하는 모범생으로 완득이의 첫사랑 • 완득이의 쿨한 성격에 끌려 친해졌으며, 사귀는 사이가 됨.

• 완득이(김명환)

갈래 뮤지컬 대본
제재 청소년기의 꿈
배경 • 시간: 2000년대 초
• 공간: 달동네가 있는 서울 변두리 마을
주제 방황하던 완득이의 도전과 성장
특징 노래를 통해 인물의 심리와 주제를 효과적으로 드러냄.

핵심 포인트 **원작과 재구성작의 비교**

	원작	재구성작
표현	주인공 완득이가 서술자가 되어 인물의 행동을 서술함.	서술자 없이 인물의 대사와 행동으로 사건을 전개함.
	인물의 행동이 문장으로 서술됨.	인물의 행동을 연기로 보여 주도록 지시문을 제시함.
	완득이의 심리가 직접적으로 서술됨.	인물의 심리가 노래를 통해 드러남.
내용	어머니가 완득이에게 편지를 건넴.	어머니가 완득이에게 운동화와 편지를 건넴.
	어머니가 완득이와 대화를 마친 뒤 옥탑방을 나감.	아버지의 등장으로 어머니가 도망치듯 옥탑방을 나감.
	완득이의 킥복싱 첫 경기 날을 간략히 제시함.	완득이가 경기를 치르는 모습을 구체적으로 제시함.

2 (나)는 뮤지컬 대본으로, (가)의 소설과 달리 서술자 없이 이야기가 진행되기 때문에 인물의 심리가 노래 등으로 드러나고 있다.

오답 풀이

② (나)는 뮤지컬 공연을 염두에 두고 구성되어 있는 글이다.

④ (나)에는 배우들이 노래로 표현하는 부분이 있다.

2-1 (나)의 갈래는 뮤지컬 대본이므로 서술자 없이 이야기가 전개된다.

• **소나기(황순원)**

갈래 현대 소설
제재 소나기
배경 • 시간(계절): 가을
• 공간: 농촌 마을
주제 소년과 소녀의 순수한 사랑
특징 ① 배경인 가을 농촌의 모습을 감각적으로 묘사함.
② 등장인물들의 심리가 주로 행동을 통해 간접적으로 드러남.
③ 등장인물들 사이에 뚜렷한 갈등이 나타나지 않음.

글의 짜임

발단	개울가에서 소년과 소녀가 만남.
전개	소년과 소녀가 산으로 놀러 감.
위기	소년과 소녀가 소나기를 만나 비를 피함.
절정	소녀가 이사 가게 되어 이별을 앞두게 됨.
결말	소년이 소녀가 죽었음을 알게 됨.

핵심 포인트 **주요 소재의 의미**

소나기	소년과 소녀의 짧은 사랑
조약돌	• 소년을 향한 소녀의 관심 • 소녀를 향한 소년의 그리움
대추	소년을 위하는 소녀의 마음이자 이별의 선물
호두, 수탉	소녀를 위하는 소년의 마음
분홍 스웨터	소년과 소녀의 맑고 순수한 사랑의 추억

• **소나기(염일호)**

갈래 드라마 대본
제재 소나기
배경 • 시간(계절): 가을~겨울 • 공간: 농촌 마을
주제 소년과 소녀의 순수한 사랑
특징 ① 원작에 없는 다양한 인물과 사건이 추가됨.
② 소녀의 죽음 이후의 이야기가 그려짐.

핵심 포인트 1 **재구성하며 달라진 부분**

갈래	소설을 드라마 대본으로 재구성함.
배경	• 시간적(계절적) 배경이 가을에서 겨울까지로 확대됨. • 공간적 배경이 농촌 마을인 것은 동일하나, 원작에 나오지 않는 읍내 의원, 학교, 찻집 등이 추가됨.
인물	• 장 씨, 봉순, 양평댁 등 원작에 없는 다양한 인물이 등장함. • 원작보다 소년의 부모님의 비중이 커짐. • 원작에서는 언급만 되는 윤 초시가 등장함.
사건	• 소녀의 죽음 이후의 이야기가 추가됨. • 소년이 소녀의 병을 낫게 하려고 애쓰는 장면 등 원작에 없는 사건이 추가됨.

핵심 포인트 2 **재구성작에 나타난 소년의 성장**

소녀가 죽은 뒤에 크게 앓음.

개울에 떨어진 조약돌을 꺼내려다 그대로 둠.

슬픔을 이겨 내며 조금 더 성숙해짐.

3 (나)의 갈래는 드라마 대본이다. 드라마 대본에서는 인물의 행동이 지시문으로 표현된다. 등장인물의 행동을 서술자가 서술하는 것은 (가)의 특징이다.

3-1 (가)의 [A]는 소년과 소녀가 나눈 대화이다. 등장인물들이 나눈 대화가 (나)에서는 대사로 표현되어 있다.

평가 기준

채점 요소	확인☑
(가)의 [A]가 (나)에서 어떻게 표현되어 있는지 바르게 파악하였다.	
주어진 문장 형식으로 서술하였다.	

• **흑설 공주(이경혜)**

갈래 동화
제재 흑설 공주의 피부
주제 인간은 모두 자신만의 아름다움을 가지고 있다.
특징 ① 동화 〈백설 공주〉를 재구성하였으며, 백설 공주가 왕비가 되어 낳은 아이가 주인공으로 설정됨.
② 저마다 각자의 아름다움이 있으며, 그 아름다움을 스스로 발견해야 함을 전달하고 있음.

핵심 포인트 1 **원작과의 유사성: 사건의 전개**

왕비가 바라던 외모를 지닌 공주가 태어남.

공주를 낳은 지 얼마 지나지 않아 왕비가 죽고, 새 왕비가 공주를 죽이려 함.

공주가 죽을 위기를 넘기고 난쟁이들과 살아감.

변장하고 나타난 새 왕비의 음모로 공주가 죽음.

↓

공주가 되살아나 새 왕비는 쫓겨나고, 공주는 자신을 구한 남자와 결혼하여 행복하게 살아감.

핵심 포인트 2 **재구성하며 달라진 부분**

공주의 탄생	검은 피부를 가진 공주가 태어나고, 왕도 흑설 공주를 사랑스럽게 여기지 않음.
새 왕비의 음모	새 왕비는 책에 독과 해독제를 함께 바르고, 이를 이용하여 흑설 공주를 죽이려 함.
공주가 깨어나게 된 과정	• 흑설 공주를 사모하던 나무꾼의 눈물에 책에 묻어 있던 해독제가 공주의 입안에 흘러들어 깨어남. • 공주는 나무꾼의 눈에 비친 자신의 모습을 보고, 자신의 아름다움을 깨달음.
결말	흑설 공주와 나무꾼이 결혼하고, 공주는 저마다가 각자의 아름다움을 가지고 있음을 깨닫도록 도와줌.

핵심 포인트 3 **글쓴이가 전달하려는 가치**

나무꾼의 사랑	진정한 사랑은 외모의 아름다움보다는 내면의 아름다움을 발견하는 것임.
흑설 공주의 깨달음	자신의 아름다움을 알고 자신을 사랑하는 사람은 다른 사람에게도 아름답게 보임.

4 이 글에는 흑설 공주를 비롯한 모든 사람이 자신의 아름다움을 깨닫고 아름다운 사람이 되었다는 내용이 나타나 있다. 따라서 아름다움의 기준이 변하지 않는다는 내용은 적절하지 않다.

4-1 〈보기〉에서 글쓴이는 모든 사람에게 아름다움이 깃들어 있고, 각자가 그 아름다움을 찾아내야 한다고 말하고 있다. 그리고 (다)에서 모든 사람이 자신의 아름다움을 찾아내어 바라보게 되자 아름답지 않은 사람이 없게 되었다고 서술하고 있다.

평가 기준

채점 요소	확인☑
글쓴이가 전달하려는 아름다움에 관한 가치를 바르게 파악하였다.	
한 문장으로 서술하였다.	

3일 필수 체크 전략 2 86~89쪽

01 ③ **02** 원작과 비교하였을 때 현실적인 방법으로 부자가 되었다. **03** ② **04** (가)에서는 어머니가 완득이에게 봉투만 건네지만 [A]에서는 봉투와 운동화를 건넨다. **05** ⑤ **06** ③ **07** 소년의 외로움을 강조하는 효과가 있다. **08** ② **09** 아름다움의 기준은 바뀔 수 있다는 것을 보여 주고 있어.

01 이 글은 원작과 비교하였을 때 긍정적인 인물과 부정적인 인물이 서로 바뀌어 있는데, 이를 통해 자신의 힘으로 노력해서 얻는 성공의 가치, 자신의 힘으로 개척하는 삶의 가치를 드러내고 있다.

02 원작의 흥부는 박에서 나온 재물로 부자가 되는데, 이는 비현실적이다. 그에 비해 (나)의 흥부는 바가지를 만들어 파는 현실적인 방법으로 부자가 되었다.

평가 기준

채점 요소	확인☑
원작의 흥부가 부자가 된 과정이 비현실적이라는 것을 파악하였다.	
(나)에서 흥부가 부자가 된 과정의 특징을 바르게 파악하였다.	
한 문장으로 서술하였다.	

03 (나)의 갈래는 뮤지컬 대본이다. 뮤지컬 대본에서 주제는 등장인물의 대사와 노래 등을 통해 형상화된다.

04 (가)에서 어머니는 완득이에게 봉투만 건네는데 [A]에서는 어머니가 완득이에게 운동화와 봉투를 건넨다. 봉투에 든 것은 편지이며, '운동화'와 '편지'는 모두 완득이를 향한 어머니의 마음을 드러내는 소재이다.

평가 기준

채점 요소	확인☑
(가)를 [A]로 재구성하면서 달라진 내용을 바르게 파악하였다.	
한 문장으로 서술하였다.	

05 원작에서는 완득이의 첫 시합 날을 요약하여 서술하고 있는데, [B]에서는 완득이가 시합하는 모습을 구체적으로 제시하고 있다.

오답 풀이

① 원작과 [B] 모두 완득이가 시합에서 졌다는 내용을 확인할 수 있다.

② 원작과 [B] 모두 완득이와 시합하는 선수의 이름이 나타나 있지 않다.

③ [B]는 완득이와 도내 챔피언의 대사, 지시문을 통해 이야기가 전개되고 있다.

④ [B]에는 시합에 임하는 완득이의 태도가 대사에 드러나 있다.

06 이 글에서 소년은 원작과 동일하게 부모님의 대화를 통해 소녀의 죽음을 전해 듣고 있다.

오답 풀이

① 원작에서는 아버지가 소녀가 남긴 유언의 내용을 말하고 있지만, (가)에서는 엄마가 말하고 있다.

② (다)에서 장례를 알리는 조등을 통해 소녀의 죽음을 간접적으로 보여 주고 있다.

④ (나)~(라)에 소녀의 죽음을 알게 된 뒤 소년의 모습이 나타나 있다.

07 원경은 카메라와 대상의 거리를 멀게 하여 찍은 장면으로, 전체 모습을 담게 된다. 이처럼 원경으로 잡으면 커다란 나무와 작은 소년의 모습이 대비를 이루어 소년의 외로움을 강조하는 효과를 얻을 수 있다.

평가 기준

채점 요소	확인☑
원경으로 잡았을 때의 효과를 바르게 파악하였다.	
강조할 수 있는 소년의 감정을 바르게 파악하였다.	
한 문장으로 서술하였다.	

08 이 글에 원작과 동일하게 왕비, 공주 등이 등장하므로 신분 제도가 사라진 현대 사회를 시대적 배경으로 설정하였다는 내용은 적절하지 않다.

오답 풀이

① (가)에 왕비가 '백설 공주'라는 사실이 나타나 있다.

③ (다)에서 새 왕비가 책장에 독을 바르는 모습이 나타나 있다.

④, ⑤ (라)에서 나무꾼이 흘린 눈물에 녹은 해독제가 공주의 입안에 흘러 들어가 공주가 깨어나고 있다.

09 사람들은 흑설 공주가 아름답다고 생각하여 흑설 공주처럼 검은 피부를 만들고자 얼굴에 숯검정을 칠하거나 굴뚝 속에 들어갔다 나오기도 한 것이다. 이러한 사람들의 모습은 아름다움의 기준은 상대적이기 때문에 바뀔 수 있다는 것을 보여 준다.

평가 기준

채점 요소	확인☑
아름다움의 기준이 바뀌었다는 점을 바르게 파악하였다.	
한 문장으로 서술하였다.	

누구나 합격 전략 90~91쪽

01 한솔 **02** (1) ㉢ (2) ㉡ (3) ㉠ **03** 원작의 주제를 담으면서 반성하는 마음을 강조하였다. **04** 소리, 매체 **05** ⑤ **06** ④ **07** ㉢, ㉡, ㉥, ㉣, ㉤, ㉠ **08** (1) 공양미 (2) 어머니 **09** 밤하늘에는 별이 총총 반짝였고, 숲에는 벌레 우는 소리로 가득했습니다.

01 원작과 재구성된 작품은 각각의 가치를 지니고 있다. 따라서 재구성된 작품이 원작보다 무조건 더 좋은 작품이라고 하기는 어렵다.

02 〈따뜻한 말〉은 〈모진 소리〉를 모방하여 쓴 시로, 제재와 주제는 다르지만 형식과 표현을 그대로 따랐기 때문에 서로 대응하는 시구가 있다.

03 〈거울〉은 원작의 주제를 담으면서 친구에게 모진 소리를 한 주인공이 자신의 잘못을 반성하는 내용을 담아 재구성하였다.

평가 기준

채점 요소	확인☑
재구성할 때 원작의 주제를 담되 반성하는 마음을 강조하였음을 바르게 파악하였다.	
한 문장으로 서술하였다.	

04 (가)는 시, (나)는 영상 시이다. (가)는 전달 매체가 문자이지만, (나)는 문자(자막), 그림, 소리(음성, 배경 음악) 등 다양한 전달 매체를 종합적으로 활용하였다.

05 뮤지컬 대본에는 서술자가 없다. 뮤지컬 대본에서는 노래 등을 통해 등장인물의 심리가 드러난다.

06 드라마 대본에서는 번호로 장면을 구분하므로, 장면이 구분되지 않고 하나로 이어지고 있다는 내용은 적절하지 않다.

07 놀부는 자신에게 의지하는 흥부를 깨우쳐 주려고 도와달라는 흥부의 요청을 거절한다. 돈벌이를 고민하던 흥부는 지붕의 박으로 바가지를 만들어 팔라는 장수의 요청에 바가지를 만들어 판다. 이를 통해 큰돈을 벌게 된 흥부는 놀부네 곳간에 갔다가 자신을 도운 사람이 놀부임을 깨닫고 용서를 구하고, 형제가 사이좋게 지낸다.

08 (1) '공양미 삼백 석'은 원작에서 심청이 아버지의 눈을 뜨게 하려고 자신을 제물로 팔면서 남경 뱃사람들에게 받은 것이고, '인당수'는 심청이 빠지는 곳이다. (2) 원작에서는 아버지가 시각 장애인이지만, 이 시에서는 어머니가 시각 장애인이다.

09 (가)에는 풀벌레가 울고 하늘에 별이 가득한 평화로운 밤 풍경이 묘사되어 있는데, 이것이 (나)에는 '밤하늘에는 별이 총총 반짝였고, 숲에는 벌레 우는 소리로 가득했습니다.'라는 표현으로 나타나 있다.

창의 · 융합 · 코딩 전략 1 92~93쪽

01 ③ **02** 새싹을 밟지 않고 뛰어넘었어. **03** ③ **04** 어머니가 장애를 극복하도록 점자책을 사고 점자 읽는 법을 알려 드릴 것임.

01 민아가 모진 소리를 한 대상은 현우이다.

오답 풀이

① '나는 안다, 현우가 상처받았다는 것을.'에서 알 수 있다.
② '현우의 얼굴이 더 일그러지며 곧 울음을 터뜨릴 것만 같았다.'에서 알 수 있다.
④, ⑤ '아, 다시 아프다. ~ 선미는, 선미는 어땠을까.'에서 알 수 있다.

02 4연에서 화자는 '너'가 오늘 아침 학교 가는 길에 새싹을 보고 밟지 않으려고 '팔딱' 뛴 것이 가장 중요한 일이었다고 말하고 있다.

평가 기준

채점 요소	확인☑
'너'의 역할을 바르게 파악하였다.	
대화체의 한 문장으로 서술하였다.	

03 독서 신문에는 할머니의 죽음을 아무도 알지 못했다는 내용이 나타나 있다. 이를 통해 다른 사람과 교류하지 않고 무관심하게 지내는 현대 사회의 문제점을 지적하고 있다.

04 (나)의 심청은 자신을 제물로 바치는 희생을 거부하고, 어머니가 자신의 힘으로 장애를 극복할 수 있도록 점자책을 사 드리고 점자를 읽는 방법도 가르쳐 드리겠다고 말하고 있다.

평가 기준

채점 요소	확인☑
(나)의 심청이 어머니를 위해 할 행동을 바르게 파악하였다.	
빈칸에 들어갈 문장 형식에 맞추어 서술하였다.	

창의 · 융합 · 코딩 전략 2 94~95쪽

05 ② **06** ⑤ **07** ① **08** 윤 초시가 장 씨에게 집을 팖.

05 이 글에서 흥부는 박으로 바가지를 만들어 팔아 많은 돈을 벌었다. 글쓴이는 이를 통해 자신의 힘으로 노력하여 얻은 성공의 가치를 보여 주고 있다.

06 이 글에서 공주는 예전부터 공주의 내면의 아름다움을 알고 자신을 사모하던 나무꾼의 눈물로 깨어난다. 이를 통해 글쓴이는 사랑은 내면의 아름다움을 발견하는 것임을 전달하고 있다.

07 완득이는 시합에서 졌지만 최선을 다한 것에 만족하고 자신을 응원하는 사람들에게 고마움을 느끼며 세상에 맞설 의지를 다지고 있다. 따라서 완득이의 도전과 성장을 언급한 문구가 가장 적절하다.

오답 풀이

② 완득이가 챔피언이 아니므로 적절하지 않다.
③, ④ 완득이가 시합에서 졌으므로 적절하지 않다.
⑤ 완득이 주변에 있는 사람들이 완득이의 곁을 떠났다는 내용은 나타나 있지 않다.

08 〈S# 79〉는 윤 초시가 소녀의 병을 고칠 돈을 마련하기 위해 장 씨에게 집을 파는 장면이다. 장 씨의 거만하고 무례한 태도에 화가 난 윤 초시가 쓰러지고 마는데, 이 장면은 윤 초시 집안의 몰락을 상징적으로 보여 준다.

평가 기준

채점 요소	확인☑
빈칸에 들어갈 내용을 바르게 파악하였다.	
빈칸에 들어갈 문장 형식에 맞추어 서술하였다.	

자료실

장 씨의 인물 소개

- 원작에는 등장하지 않고 재구성 과정에서 추가된 인물
- 대대로 윤 초시의 집에서 머슴살이한 집안의 사람임.
- 큰돈을 벌어 윤 초시의 집을 삼.
- 거만하고 예의가 없음.

이제 공부한 내용을 마무리해 볼까요?

권말 정리 마무리 전략

신유형 · 신경향 · 서술형 전략 98~103쪽

01 ③ 02 준우, 귀뚜라미는 어렵고 힘든 상황에서도 희망을 갖고 가을이 오기를 기다리고 있어. 03 ④ 04 ⑤ 05 이제 내 마음을 모르는 척하지 않을 거지?/이제 내 호의를 거절하지 않을 거지? 등 06 ①, ③ 07 절망적인 상황에서도 희망을 잃지 않는 사람/힘든 상황이 닥쳐도 절망하지 않고 극복하려고 노력하는 사람 등 08 백성들을 괴롭힌 탐관오리들의 횡포를 잊지 않겠다. 09 ⑤ 10 ⑤ 11 ④ 12 ③ 13 왕비는 내면이 아름답지 못하기 때문입니다. 14 ② 15 선미가 지하철에서 '나'의 모진 소리를 생각하는 것으로 표현되었다.

01 유년 시절을 상대적으로 차가운 공간인 '윗목'에 빗대어 표현하였으므로, 화자에게 유년 시절이 외롭고 힘든 시절이었음을 알 수 있다.

02 (나)의 화자는 '귀뚜라미'이다. 귀뚜라미는 어려운 상황에서도 소통을 시도하며 가을이 되었을 때 누군가에게 감동을 주는 노래를 들려주는 존재가 되기를 바라고 있다. 따라서 어렵고 힘든 상황에 실망하여 희망을 버리고 가을만 기다리고 있다는 준우의 말은 적절하지 않다.

평가 기준

채점 요소	확인☑
(나)를 잘못 이해한 학생을 바르게 찾았다.	
내용을 바르게 고쳐 썼다.	

03 이 글의 시점은 1인칭 주인공 시점이다. 1인칭 주인공 시점의 서술자는 주인공 '나'로, 자신의 입장에서 이야기를 주관적으로 전달한다.

오답 풀이

①, ② 1인칭 주인공 시점의 서술자는 이야기 안에 주인공 '나'로 등장한다.
③ 1인칭 주인공 시점의 서술자는 '나'이므로 자신의 심리를 구체적으로 전달할 수 있다.
⑤ 1인칭 주인공 시점에서 서술자는 인물들의 심리를 자신이 판단한 대로 서술하므로 정확하게 파악하고 있다고 단정할 수 없다.

04 '나'는 점순이가 자신에게 감자를 준 이유, 자신을 괴롭힌

이유를 알지 못하므로, 어수룩함을 알 수 있다. 점순이는 '나'의 관심을 끌기 위해 감자를 주고 '나'를 괴롭히므로, 적극적이고 영악함을 알 수 있다.

05 ㉠에는 '나'가 자신의 호의를 받아 주기를 바라는 점순이의 마음이 담겨 있다.

평가 기준

채점 요소	확인☑
㉠에 담긴 점순이의 속마음을 바르게 파악하였다.	
주어진 문장 형식으로 서술하였다.	

06 (가)의 '결별이 이룩하는 축복', (나)의 '길이 끝나는 곳에서도 / 길이 있다'는 역설이 쓰인 표현이다. 그리고 (가)는 '사랑과 이별'을 '꽃이 피고 지는 모습'을 통해, '영혼의 성숙'을 '열매를 맺는 모습'을 통해 표현하고 있고, (나)는 사랑이 끝난 절망적인 상황을 '흐르다가 멈춘 강물', '날아가 돌아오지 않는 새들', '흩어져 버린 꽃잎' 등을 통해 표현하고 있다.

오답 풀이

② (나)에만 해당하는 설명으로, '~이 끝나는 곳에서도 / ~ 사람이 있다 / 스스로 ~이 되어 / ~ 걸어가는 사람이 있다'라는 문장 구조로 비슷한 시구를 반복하고 있다.
④, ⑤ (가)와 (나) 둘 다 해당하지 않는 내용이다.

자료실

〈봄 길〉(정호승) 작품 개관

갈래	현대시
제재	봄 길
주제	시련을 극복하고 스스로 사랑을 개척하는 삶의 태도
특징	① 역설로 절망적인 상황에서도 희망을 찾을 수 있음을 강조함. ② 비슷한 문장 구조와 단어 등을 반복하여 운율을 형성함. ③ '희망을 잃지 않고 어려움을 극복하는 태도'를 '봄 길을 걸어가는 사람'이라는 구체적인 이미지로 나타냄.

07 (나)의 1~2행 '길이 끝나는 곳에서도 / 길이 있다'는 절망적인 상황에서도 희망을 찾을 수 있음을 역설로 강조하고 있다. 이를 고려할 때 ㉠ '길이 되는 사람'은 '절망적인 상황에서도 희망을 잃지 않는 사람, 절망을 극복하려고 노력하는 사람'이라고 할 수 있다.

평가 기준

채점 요소	확인☑
(나)의 1~2행에 담긴 참뜻을 바르게 파악하였다.	
'길이 되는 사람'이 절망적인 상황에서도 희망을 잃지 않는 사람임을 바르게 파악하였다.	

08 (가)에서 어사또는 술과 고기를 포식했다며 이 은혜를 잊지 않겠다고 하였으나 어사또가 지은 시에는 탐관오리의 횡포와 그로 인해 고통받는 백성들의 아픔이 담겨 있다. 따라서 ㉠에는 백성들을 괴롭히는 탐관오리의 횡포를 잊지 않겠다는 속마음이 담겨 있다.

평가 기준

채점 요소	확인☑
㉠에 담긴 어사또의 속마음을 바르게 파악하였다.	
주어진 문장 형식으로 서술하였다.	

자료실

〈춘향전〉 작품 개관

갈래	고전 소설, 판소리계 소설
제재	춘향의 정절
배경	• 시간: 조선 시대 후기 • 공간: 전라도 남원
주제	• 신분을 초월한 남녀 간의 사랑 • 불의한 지배 계층에 대한 저항
특징	① 판소리의 영향으로 운문체와 산문체가 섞여 있음. ② 남녀의 사랑 이면에 평등사상을 담고 있음.

어사또(이몽룡)가 쓴 시

- **주제**: 가렴주구(苛斂誅求)하는 정치 행태에 대한 비판
- **주요 표현 방법**: 대구법, 은유법

보조 관념	원관념
술	피
안주	기름
촛불 눈물	백성 눈물
노랫소리	원망 소리

09 '혼비백산(魂飛魄散)'은 몹시 놀라 넋을 잃음을 이르는 말로, 어사출또 때문에 정신없이 도망가는 수령들의 행동을 표현하기에 적절하다.

오답 풀이

① 가렴주구(苛斂誅求): 세금을 가혹하게 거두어들이고, 무리하게 재물을 빼앗음.
② 고진감래(苦盡甘來): 쓴 것이 다하면 단 것이 온다는 뜻으로, 고생 끝에 즐거움이 옴을 이르는 말.

③ 수어지교(水魚之交): 물이 없으면 살 수 없는 물고기와 물의 관계라는 뜻으로, 아주 친밀하여 떨어질 수 없는 사이를 비유적으로 이르는 말.
④ 위편삼절(韋編三絶): 공자가 주역을 즐겨 읽어 책의 가죽끈이 세 번이나 끊어졌다는 뜻으로, 책을 열심히 읽음을 이르는 말.

10 ㉡에는 어사출또 때문에 당황스럽고 두려운 변 사또의 심리가 드러나 있다. 또한 '문'과 '바람', '물'과 '목'을 바꾸어 말하는, 도치에 의한 언어유희가 나타나 있다. 어사출또에 대응할 방안을 모색하는 태도와는 관련이 없다.

11 (가)는 〈흥부전〉을, (나)는 〈백설 공주〉를 재구성한 글이다. (가)는 재구성을 통해 스스로 노력하여 얻는 성공의 가치를 전달하고, (나)는 모두에게 각자의 아름다움이 있다는 가치를 전달하고 있다.

오답 풀이
① (가)와 (나) 모두 원작과 동일하게 전달 매체가 문자이다.
③ (가)와 (나) 모두 원작과 시대적 배경이 동일하다.

12 (가)에서 놀부 집 곳간에 흥부가 바가지 장수에게 팔았던 바가지가 가득했다는 내용을 통해 놀부는 흥부가 스스로 노력하여 성공하도록 뒤에서 도왔음을 알 수 있다. 따라서 놀부가 지혜롭고 배려 깊은 인물임을 알 수 있다.

13 흑설 공주를 죽이려고 했던 왕비의 음모가 드러나면서 사람들은 왕비의 내면이 추악하다는 것을 알게 되었다. 내면의 추악함 때문에 외면적 아름다움의 허상이 드러나고, 외면까지 징그럽다고 느끼게 된 것이다.

평가 기준

채점 요소	확인☑
왕비의 모습을 징그러운 껍질처럼 느끼는 이유를 바르게 파악하였다.	
한 문장으로 서술하였다.	

14 (나)는 원작인 (가)와 마찬가지로 갈래가 시이다. 그리고 (다)는 원작인 (가)의 내용을 바탕으로 하여 소설로 재구성하면서 구체적인 인물을 설정하였다.

오답 풀이
• 민채: (나)의 제재는 '따뜻한 말'이고, (가)의 제재는 '모진 소리'이다. (나)는 (가)와 제재가 다르지만 형식을 같게 재구성하였다.
• 연재: (다)의 갈래는 소설이다.

15 [A]는 화자에게 모진 소리를 듣고 상처받은 누군가가 지하철을 타고 가면서 모진 소리를 떠올린다는 내용이다. (다)에는 선미가 지하철을 타고 가면서 '나'의 모진 소리를 떠올렸다는 내용으로 구체화되어 나타나 있다.

평가 기준

채점 요소	확인☑
[A]에 담긴 내용을 바르게 파악하였다.	
[A]가 (다)에 어떻게 반영되었는지 바르게 파악하였다.	
한 문장으로 서술하였다.	

고난도 해결 전략 1회

104~107쪽

01 ③ **02** ④ **03** ③ **04** ② **05** '고난, 시련' 등을 의미한다. **06** ⑤ **07** ③ **08** 상대방에게 관심이 있다./상대방에게 호감을 느껴 부끄럽다. 등 **09** 상을 받을 사람이 바뀌었다는 사실을 말해야 할지에 관한 갈등이다. **10** ①

01 (나)의 '금 간 창틈으로 고요히 빗소리'는 날이 어두운데 비까지 내려 화자의 외로움과 두려움이 고조되고 있음을 나타내고 있다. 따라서 빗소리가 외로움을 달래 주었다는 내용은 적절하지 않다.

오답 풀이
① (나)의 '빈방에 혼자 엎드려'에서 알 수 있다.
② (가)의 '나는 북관(北關)에 혼자 앓어누워서'와 '평안도 정주라는 곳이라 한즉'에서 화자가 고향을 떠나 혼자 지내고 있음을 알 수 있다.
④ (가)의 '손길은 따스하고 부드러워 / 고향도 아버지도 아버지의 친구도 다 있었다'에서 알 수 있다.
⑤ (나)의 '지금도 내 눈시울을 뜨겁게 하는'에서 알 수 있다.

02 화자는 혼자 있을 아이가 훌쩍거리며 숙제를 하고 있을 거라고 생각하고 있으며, 아이가 외로움을 극복하고 성장하는 모습은 나타나 있지 않다.

오답 풀이
② '시장에 갔었지', '남은 열무 몇 단'에서 시장에서 열무를 팔았음을 알 수 있다.
③ '남은 열무 몇 단이 발목을 잡던'에 열무가 다 팔리지 않아 빨리 갈 수 없었던 상황이 나타나 있다.

⑤ 아이를 혼자 둔 것이 미안했던 마음을 '빚'에 빗대어 표현하고 있다.

03 (가)의 화자는 가을이 되어 자신의 울음이 노래가 되기를 바라고 있고, (나)의 화자는 '당신'이 올 것을 믿고 기다리고 있다.

04 (가)의 화자는 현재 어려운 상황에 처해 있지만 소망을 잃지 않고 있다. 이를 바탕으로 할 때 그리던 웹툰과 자료를 삭제하고 포기하는 모습은 화자의 상황과 거리가 멀다.

05 〈보기〉의 '눈서리'는 고난, 시련, 역경 등의 상징적 의미를 지닌 소재인데, ㉠ '눈비'도 '나'가 '당신'을 기다리는 것을 힘들게 하는 고난, 시련, 역경 등을 의미한다.

평가 기준

채점 요소	확인☑
〈보기〉에서 '눈서리'의 상징적 의미를 바르게 파악하였다.	
(나)에서 ㉠의 의미를 바르게 파악하였다.	
㉠과 '눈서리'의 공통점을 한 문장으로 서술하였다.	

06 이 글의 서술자인 옥희는 어머니와 아저씨의 심리를 정확하게 파악하지 못하지만 독자는 옥희가 관찰한 내용을 바탕으로 하여 두 사람의 심리를 짐작할 수 있다.

07 ㉢에 나타난 어머니의 행동은 예배에 집중하지 못하는 옥희를 바로잡기 위한 것이므로 시대적 배경과는 거리가 멀다.

오답 풀이

① '남자석'이 따로 있다는 데에서 남녀가 내외하던 당시의 분위기를 알 수 있다.
② 아저씨의 소극적인 태도에서 아저씨가 다른 사람들의 눈을 의식하고 있음을 알 수 있다.
④ 누가 옥희의 말을 들었을까 봐 놀라는 모습에서 어머니가 다른 사람들의 눈을 의식하고 있음을 알 수 있다.
⑤ 어머니는 아저씨를 의식하면서 한편으로 다른 사람들의 눈을 의식하여 고개도 돌리지 않고 옥희가 움직이지 못하도록 잡아당긴 것이다.

08 옥희는 어머니와 아저씨의 얼굴이 붉어질 때마다 성을 내고 있다고 생각하지만, 어머니와 아저씨는 서로를 의식하고 있는 상황이기 때문에 수줍고 부끄러워 얼굴이 붉어진 것이다.

평가 기준

채점 요소	확인☑
어머니와 아저씨의 속마음을 바르게 파악하였나.	
한 문장으로 서술하였다.	

09 (가)에는 상을 받은 그림이 자신의 그림이라는 사실을 말해야 할지에 관한 1의 '나'의 내적 갈등이, (나)에는 상을 받은 그림이 자신의 그림이 아니라는 사실을 말해야 할지에 관한 0의 '나'의 내적 갈등이 나타나 있다. 따라서 상을 받을 사람이 바뀌었다는 사실을 말해야 할지에 관한 갈등이라고 할 수 있다.

평가 기준

채점 요소	확인☑
1의 '나'와 0의 '나'가 겪는 갈등을 바르게 파악하였다.	
두 사람의 갈등을 포괄하는 표현을 사용하였다.	
주어진 문장 형식으로 서술하였다.	

10 ㉠은 1의 '나' 자신의 실수이므로 그림에 번호를 잘못 쓴 것을 뜻하고, ㉡은 심사위원들의 실수이므로 상을 받을 사람이 바뀐 것을 뜻한다.

고난도 해결 전략 2회 108~111쪽

01 ② 02 이 시는 '정말', '바보'라는 시어의 반복, '너는 참 바보다.'라는 시구의 반복을 통해 운율을 형성하고 있다. 03 ③ 04 ⑤ 05 이 시는 역설을 써서 자식을 향한 부모의 사랑이 가치 있고 아름다운 것임을 강조하고 있다. 06 ③ 07 ⑤ 08 ④, ⑤ 09 ② 10 네놈은 마치 양반 같구나! 힘없는 존재에게 횡포를 부리다니 도둑놈과 다를 바가 없다.

01 이 시의 화자는 1연에서 착하고 바르게 생활하는 '너'를 '바보'라고 반복해서 말하다가 2연에서는 그런 '너'를 본받고 싶다고 말하고 있다. 〈보기〉의 '반어'에 대한 설명과 2연에 나타난 화자의 태도를 고려할 때 2연은 '너'를 '바보'라고 한 것이 모두 반어임을 극적으로 드러내는 역할을 하고 있다.

자료실

〈넌 바보다〉(신형건) 작품 개관

갈래	현대시
제재	바보 같은 '너'
주제	착하고 바르게 살아가는 '너'를 본받고 싶은 마음
특징	① '너'의 바른 행동들을 나열한 뒤, '너'를 본받고 싶은 '나'의 마음을 드러냄. ② 반어를 써서 '너'의 바른 행동을 강조함. ③ '너는 참 바보다.'를 반복하여 운율을 형성함.

02 이 시는 동일한 시어와 시구를 반복하여 운율을 형성하고 있다.

평가 기준

채점 요소	확인☑
운율을 형성하는 요소를 한 가지 이상 썼다.	
주어진 문장 형식으로 서술하였다.	

03 (나)는 대상의 긍정적인 특성을 나열한 것이 아니라 구린내, 가시, 독과 같이 일반적으로 부정적으로 여기는 특성들을 긍정적으로 바라보고 있다.

오답 풀이

① (가)는 '당신'을 향한 사랑을, (나)는 자식을 향한 부모의 사랑을 노래하고 있다.

② (가)의 화자는 '당신'을 잊을 수 없는 속마음을 '잊었노라'라며 반대로 표현하고 있다.

④ (가)는 '먼 훗날 ~(하)면'이라는 표현을 통해 미래의 어느 날의 상황을 가정하여 시상을 전개하고 있다.

⑤ (나)는 '구린내가 향기롭다', '날카롭게 찌르는 가시가 너그럽다', '복어의 독이 복어의 사랑이다', '친구의 독한 마음이 아름답다' 등 모순된 표현으로 자식을 향한 부모의 사랑을 강조하고 있다.

04 (가)는 '먼 훗날∨당신이∨찾으시면 / 그때에∨내 말이∨'잊었노라"와 같이 3음보가 반복되고 있다. ⑤는 '내 벗이∨몇이나 하니∨수석과∨송죽이라. / 동산에∨달 오르니∨그 더욱∨반갑고야.'와 같이 4음보의 반복을 통해 운율을 형성하고 있다.

오답 풀이

① 아리랑∨아리랑∨아라리요 / 아리랑∨고개로∨넘어간다

② 강나루∨건너서 / 밀밭 길을 // 구름에∨달 가듯이 / 가는 나그네 → 한 연을 세 덩어리(1행을 두 덩어리, 2행을 1덩어리)로 끊어 읽을 수 있다.

③ 엄마야∨누나야∨강변 살자 / 뜰에는∨반짝이는∨금모래 빛.

④ 산 너머∨남촌에는∨누가 살길래 / 해마다∨봄바람이∨남으로 오네.

05 은행나무 열매의 구린내, 밤송이의 가시, 복어의 독은 각각 은행나무 열매, 밤톨, 복어알을 보호하는 역할을 한다. 그리고 은행나무 열매, 밤톨, 복어알은 모두 4연의 '자식'과 연관된다. 즉, 이 시는 역설을 통해 자식을 향한 부모의 사랑이 가치 있음을 이야기하고 있다.

평가 기준

채점 요소	확인☑
은행나무 열매의 구린내, 밤송이의 가시, 복어의 독의 공통된 역할을 바르게 파악하였다.	
주어진 문장 형식으로 서술하였다.	

06 (나)에서 누군가를 만나면 대화를 시작하기 전 한동안 침묵으로 상대방을 느끼는 것이 인디언 부족의 전통임을 알 수 있다.

자료실

〈나의 모국어는 침묵〉(류시화) 작품 개관

갈래	수필
제재	언어, 침묵
주제	침묵의 진정한 의미
특징	① 글쓴이의 경험과 그에 따른 깨달음을 친근한 어투로 전달함. ② 역설이 나타난 인디언의 말을 인용하여 전하고자 하는 바를 인상적으로 나타냄.

07 자기 민족의 언어인 '모국어'를 아무 말도 없는 상태인 '침묵'이라고 말하고 있는 ㉠은 겉보기에 모순된 표현이다. 하지만 ㉠은 말보다 침묵으로 상대방을 더 잘 느낄 수 있다는 의미를 담고 있으므로, 역설이 쓰였다. ⑤에는 비유(직유법)와 대구가 쓰였다.

08 (가)에서 두꺼비는 파리를 괴롭히다가(초장), 백송골을 보고 놀라 자빠지고 있다(중장). 즉, 약한 자에게 강하고 강한 자에게 약한 두꺼비의 모습을 풍자하고 있다. 종장에서는 자신의 몸이 날래서 다치지 않았다며 자화자찬하고 있는데, 이를 통해 겁먹은 것을 감추려 허세를 부리는 두꺼비의 모습을 풍자하고 있다.

자료실

〈두꺼비 파리를 물고〉 작품 개관

갈래	사설시조
주제	탐관오리의 횡포와 허장성세* 풍자
특징	① 두꺼비, 파리, 백송골의 관계를 통해 양반의 허세를 풍자하고 있음. ② 두꺼비가 백송골의 등장에 놀라 자빠지는 우스꽝스러운 모습을 통해 탐관오리의 횡포를 풍자함. ③ 겁먹은 것을 감추려고 허세를 부리는 두꺼비의 모습을 통해 양반들의 허장성세를 비꼬고 있음.

* **허장성세(虛張聲勢)** 실속은 없으면서 큰소리치거나 허세를 부림.

자료실

시조

- **개념**: 고려 말기부터 발달하여 지금까지 창작되고 있는 우리나라 고유의 정형시
- **형식**: '초장-중장-종장'의 3장(행)으로 구성되며, 종장의 첫 음보는 3음절이어야 함.
- **운율**: 4음보, '3·4조, 4·4조'의 일정한 글자 수 반복
- **종류**

평시조	3장 6구 45자 내외의 기본 형식을 갖춘 시조
엇시조	초장이나 중장이 평시조보다 한 구 길어진 형태의 시조
사설시조	초장이나 중장이 평시조보다 두 구 이상 길어진 형태의 시조
연시조	한 제목 밑에 여러 수의 평시조를 엮은 시조

09 자기보다 약한 파리는 괴롭히면서 자기보다 강한 백송골에게는 꼼짝 못 하는 두꺼비의 모습에서 두꺼비는 지방의 탐관오리를, 파리는 힘없는 백성을, 백송골은 큰 권력을 가진 중앙 관리를 의미함을 알 수 있다.

10 (가)의 두꺼비는 자신보다 약한 파리를 괴롭히므로 (나)의 부자는 (가)의 두꺼비를 '양반'과 같다고 생각한다고 볼 수 있다. 그리고 (나)에서 '양반'에 관한 부자의 생각을 단적으로 드러낸 단어는 '도둑놈'이다. 따라서 (나)의 부자는 (가)의 두꺼비에게 양반과 같은 존재라며 도둑놈과 같다고 꾸짖는 말을 할 수 있다.

평가 기준

채점 요소	확인☑
(나)의 부자가 (가)의 두꺼비를 무엇과 같다고 생각할지를 바르게 파악하였다.	
그 대상에 관한 부자의 생각을 드러낸 단어를 바르게 찾아 포함하였다.	

고난도 해결 전략 3회 112~115쪽

01 ② **02** '나'가 마음에 상처를 받아 거울이 깨진 것처럼 보였다. **03** ④ **04** ④ **05** 살던 곳을 떠나야 하며 돌아가신 할머니의 명복을 빈다는 내용을 담은 소리이다. **06** 소녀가 소년의 목을 끌어안는 행동이 자연스러워지는 효과를 얻었다. **07** ④ **08** ⑤ **09** 경제적으로 무능력하다.

01 (가)의 화자는 자신이 한 말이나 자신을 향한 말이 아니더라도 모진 소리를 들으면 가슴이 쩡하고 온몸이 아파온다고 말하고 있다.

02 "쩌엉' 하고 거울에 금이 간다.'는 실제로 거울에 금이 간 것을 표현한 것이 아니다. '나'가 교실에서 민아가 현우에게 모진 소리를 하는 장면을 보고 모진 소리 때문에 마음에 상처를 받았기 때문에 거울에 금이 간 것처럼 보인 것이다.

평가 기준

채점 요소	확인☑
㉠의 의미를 바르게 파악하였다.	
한 문장으로 서술하였다.	

03 (나)는 시를 소설로 재구성한 작품이며, 학생들이 모둠 과제를 하는 과정에서 겪을 수 있는 갈등을 그리고 있다.

오답 풀이

- 승아: (가)는 모진 소리의 부정적인 영향을 표현하였다.
- 민규: (가)는 모진 소리가 마음을 아프게 한다는 내용이므로 마음이 따뜻해진다는 감상은 적절하지 않다.

04 (나)에는 (가)에 없는 자연 파괴와 환경 오염 문제가 나타나 있다. 하지만 이를 의인화된 풀벌레의 이야기를 통해 전달하고 있으므로, 사실적으로 고발하고 있다는 설명은 적절하지 않다.

오답 풀이

① (가)에는 '박각시, 주락시, 돌우래, 팟중이'와 같은 다양한 풀벌레가 등장하는데, (나)에서 이러한 풀벌레가 의인화되어 나타나 있다.
② (나)는 풀벌레들이 있는 환상 세계와 아빠가 있는 현실 세계가 고마의 이동에 따라 펼쳐지고 있다.
③ (가)는 풍경을 묘사하고 있는데, (나)는 어린아이인 고마를 주인공으로 설정하여 이야기를 전개하고 있다.
⑤ (가)에는 '인간들'이라는 표현만 있지만, (나)에는 '할

머니, 고마, 아빠' 등 다양한 인물이 형상화되어 있다.

05 고마가 알아들은 땅지 영감의 말은 대대로 내려와 살던 곳을 떠나야 한다는 이야기, 돌아가신 고마 할머니의 명복을 빈다는 이야기이다. 불안하고 걱정되는 마음과 슬픈 마음을 담은 이야기이므로 '구슬프고 애잔한 소리'라고 표현한 것이다.

평가 기준

채점 요소	확인☑
땅지 영감의 말에서 고마가 알아들은 내용 두 가지를 바르게 파악하였다.	
주어진 문장 형식으로 서술하였다.	

06 ㉠은 원작과 비교하였을 때 재구성하는 과정에서 새로 추가된 내용이다. 이 내용을 추가함으로써 소녀가 소년의 목을 끌어안게 되는 상황이 좀 더 자연스럽게 발생하는 효과를 얻고 있다.

평가 기준

채점 요소	확인☑
㉠이 재구성 과정에서 추가된 내용임을 파악하였다.	
㉠의 효과를 바르게 파악하였다.	
주어진 문장 형식으로 서술하였다.	

07 (나)에는 부모님의 대화를 통해 소녀의 죽음을 알게 된 소년의 반응으로 '숨이 제대로 쉬어지지 않는다.'라는 지시문이 있다. 이는 소년이 큰 충격을 받았음을 나타내므로 맑게 갠 하늘에서 갑자기 떨어지는 벼락을 뜻하는 '청천벽력'이 가장 적절하다.

오답 풀이

① 오매불망(寤寐不忘): 자나 깨나 잊지 못함.
② 전전긍긍(戰戰兢兢): 몹시 두려워서 벌벌 떨며 조심함.
③ 전화위복(轉禍爲福): 재앙과 근심, 걱정이 바뀌어 오히려 복이 됨.
⑤ 타산지석(他山之石): 다른 산의 나쁜 돌이라도 자신의 산의 옥돌을 가는 데에 쓸 수 있다는 뜻으로, 본이 되지 않은 남의 말이나 행동도 자신의 지식과 인격을 수양하는 데에 도움이 될 수 있음을 비유적으로 이르는 말.

08 (나)의 글쓴이는 비현실적인 방법으로 부자가 되는 흥부의 이야기는 현대의 독자들에게 희망과 위로가 될 수 없다고 말하고 있다. 이를 참고할 때 (나)의 글쓴이는 자신의 힘으로 노력하여 얻는 성공을 보여 주고자 재구성한 것이다.

09 (나)의 흥부는 아버지께 물려받은 논밭을 다 팔아버린 데다 장사를 할 밑천이 없다. 〈보기〉의 양반은 울기만 할 뿐 환자를 갚을 방법을 전혀 찾지 못하고 있다. 이를 통해 둘 다 경제적으로 무능력한 인물임을 알 수 있다.

평가 기준

채점 요소	확인☑
(나)의 흥부와 〈보기〉의 양반의 경제적 능력을 바르게 파악하였다.	
두 인물의 공통점을 바르게 파악하였다.	
한 문장으로 서술하였다.	

공부하느라 수고했어요!

어휘력을
길러 보자!

필수 어휘 체크 전략

필수 어휘 체크 전략

1주 화자와 서술자

갈피

명사 ① 겹치거나 포갠 물건의 하나하나의 사이. 또는 그 ❶ ㅌ . ② 일이나 사물의 갈래가 구별되는 어름.

예 일기장 갈피에서 옛 친구에게서 받은 편지를 발견했다.

❷ ㄱㅅㄱㅅ 히

부사 성질이 너그러워 말과 행동을 시원스럽게 하는 모양.

예 은호는 내 생각보다 걱실걱실히 일을 잘한다.

고명딸

명사 아들 많은 집의 ❸ ㅇㄸ .

예 그 집 막내는 고명딸로 태어나 오빠들 틈에서 귀염을 독차지하며 자랐다.

교사

명사 ❹ ㅎㄱ 의 건물.

예 학생들은 가을이 되면 완공된 신축 교사에서 수업을 받을 것이다.

구도

명사 그림에서 모양, 색깔, 위치 따위의 ❺ ㅉㅇㅅ .

예 그림이 자연스러운 느낌이 들도록 구도를 잡는 것이 어때?

❻ ㄱㅇ 하다

동사 귀엽게 여겨 사랑하다.

예 조부모님은 나를 몹시 귀애하셨다.

❼ ㄴㅇ 하다

동사 남의 남녀 사이에 서로 얼굴을 마주 대하지 않고 피하다.

예 요새 세상에 내외하는 것도 아닌데 우리 인사나 하고 지냅시다.

답 ❶ 틈 ❷ 걱실걱실 ❸ 외딸 ❹ 학교 ❺ 짜임새 ❻ 귀애 ❼ 내외

❶ [ㄴㅈ]하다

형용사 ① 허름하고 지저분하다. ② 하찮고 시시하다.

예 방 정리를 하면서 너절한 헌 옷들을 갖다 버렸다.

단

명사 ① 짚, 땔나무, 채소 따위의 ❷ [ㅁㅇ]. ② (수량을 나타내는 말 뒤에 쓰여) 짚, 땔나무, 채소 따위의 묶음을 세는 단위.

예 열무가 한 단에 얼마인가요?

❸ [ㄷㅁ]하다

동사 어떤 일을 이루기 위하여 대책과 방법을 세우다.

예 단합 대회를 통해 회원들이 친목을 도모할 수 있었다.

❹ [ㅁㄹ]

명사 지주를 대신하여 농지를 관리하는 사람.

예 소작료를 받으러 다니는 마름이 때로는 지주보다 더 위세를 부렸다.

❺ [ㅁㅆ]하다

형용사 ① 지저분함이 없이 말끔하고 깨끗하다. ② 세련되고 아담하다.

예 아버지와 나는 휴일에 담벼락을 말쑥하게 새로 페인트칠했다.

막역지간

명사 서로 거스르지 않는 사이라는 뜻으로, ❻ [ㅎㅁ]이 없는 아주 친한 사이를 이르는 말.

예 원우와 나는 막역지간이다.

배재

명사 마름과 ❼ [ㅅㅈㅇ]이 주고받는 소작권 위임 문서.

예 <동백꽃>에서 '나'는 점순네에 배재를 얻어 농사를 짓는 소작농의 아들이다.

답 ❶ 너절 ❷ 묶음 ❸ 도모 ❹ 마름 ❺ 말쑥 ❻ 허물 ❼ 소작인

필수 어휘 체크 전략

봉당

명사 안방과 건넌방 사이의 ❶ [ㅁㄹ]를 놓을 자리에 마루를 놓지 아니하고 흙바닥 그대로 둔 곳.

예 염치도 없이 봉당을 빌려주니 안방까지 달라고 한다.

❷ [ㅂㅈㅈ]

명사 알지 못하는 동안.

예 연재는 너무 놀라 부지중에 소리를 질렀다.

부치다

동사 논밭을 이용하여 ❸ [ㄴㅅ]를 짓다.

예 그 농부는 부쳐 먹을 자신의 땅 한 평이 간절한 소망이었다.

사납다

형용사 ① 성질이나 행동이 모질고 억세다. ② 생김새가 험하고 무섭다. ③ 비, 바람 따위가 몹시 거칠고 심하다. ④ 상황이나 사정 따위가 ❹ [ㅅㅌ]하지 못하고 나쁘다. ⑤ 음식물 따위가 거칠고 나쁘다.

예 오늘 꿈자리가 사나우니 행동을 조심해야겠다.

❺ [ㅅㄹㅂ]

명사 집의 안채와 떨어져 있는, 바깥주인이 거처하며 손님을 접대하는 곳으로 쓰는 방.

예 아버지는 동네 아이들을 사랑방에 불러 앉히고 글을 가르치셨다.

사붓이

부사 소리가 거의 나지 않을 정도로 ❻ [ㅂ]을 가볍게 얼른 내디디는 소리. 또는 그 모양.

예 나는 신을 신고 사붓이 대문을 나섰다.

사생

명사 실물이나 ❼ [ㄱㅊ]를 있는 그대로 그리는 일.

예 민채는 학교에서 열린 사생 대회에서 풍경화를 그려 상을 받았다.

답 ❶ 마루 ❷ 부지중 ❸ 농사 ❹ 순탄 ❺ 사랑방 ❻ 발 ❼ 경치

수장고

명사 귀중한 것을 고이 간직하는 ❶ [ㅊㄱ].

예 이 유물들은 박물관 수장고에 보관되어 있던 것들이다.

시제

명사 시의 제목이나 ❷ [ㅈㅈ].

예 민규는 '가을 하늘'이란 시제에 맞춰 시를 썼다.

싱둥겅둥

부사 건성건성. ❸ [ㅈㅅ]을 들이지 않고 대강대강 일을 하는 모양.

예 시간이 가까워질수록 아이들은 싱둥겅둥 책을 읽었다.

❹ [ㅇㅆ]하다

형용사 매운맛이나 독한 냄새 따위로 코 속이나 혀끝이 알알하다.

예 고추가 너무 매워 혀끝이 알싸하다.

암팡스레

부사 ❺ [ㅁ]은 작아도 야무지고 다부진 면이 있게.

예 윤기는 정우에게 암팡스레 대들며 따졌다.

❻ [ㅇㄱ]

명사 어떤 일이 벌어지는 바람에 자기도 모르게 정신이 얼떨떨한 상태.

예 준우는 당황하여 얼김에 엉뚱한 말을 해 버렸다.

어리다

동사 ① 눈에 ❼ [ㄴㅁ]이 조금 괴다. ② 어떤 현상, 기운, 추억 따위가 배어 있거나 은근히 드러나다. ③ 빛이나 그림자, 모습 따위가 희미하게 비치다. ④ 연기, 안개, 구름 따위가 한곳에 모여 나타나다.

예 윤서의 두 눈엔 어느덧 눈물이 어리고 있었다.

답 ❶ 창고 ❷ 제재 ❸ 정성 ❹ 알싸 ❺ 몸 ❻ 얼김 ❼ 눈물

필수 어휘 체크 전략

❶ ㅇㄹ

명사 '부처'를 달리 이르는 말.

예 그분이 미소 지으면 너그러운 모습이 마치 여래와 같다.

예사

명사 ❷ ㅂㅌ 있는 일.

예 나는 몸이 약해 환절기마다 감기로 고생하는 것은 예사였다.

욱여넣다

동사 주위에서 ❸ ㅈㅅ 으로 함부로 밀어 넣다.

예 아이는 알밤을 주머니에 욱여넣었다.

윗목

명사 온돌방에서 아궁이로부터 먼 쪽의 방바닥. 불길이 잘 닿지 않아 ❹ ㅇㄹㅁ 보다 상대적으로 차가운 쪽이다.

예 윗목은 차가우니 앉으려면 방석을 깔고 앉으렴.

❺ ㅇㄴ

명사 나이가 어린 때.

예 유년의 추억을 떠올릴 때면 언제나 기분이 좋다.

❻ ㅇㄹㅈ

관형사 명사 보통의 경우에서 벗어나 특이한. 또는 그런 것.

예 명절에 자동차가 이렇게 밀리지 않는 경우는 극히 이례적이다.

입때

부사 지금까지. 또는 ❼ ㅇㅈ 까지. 어떤 행동이나 일이 이미 이루어졌어야 함에도 그렇게 되지 않았음을 불만스럽게 여기거나 또는 바람직하지 않은 행동이나 일이 현재까지 계속되어 옴을 나타낼 때 쓰는 말이다.

예 애들은 어제 떠났는데 입때 모르셨어요?

답 ❶ 여래 ❷ 보통 ❸ 중심 ❹ 아랫목 ❺ 유년 ❻ 이례적 ❼ 아직

전례

명사 ① 이전부터 있었던 ❶ ㅅㄹ . ② 예로부터 전하여 내려오는 일 처리의 관습.

예 전례를 살펴보았을 때 우리 팀이 승리할 확률이 높다.

❷ ㅈㅇ

명사 이전에 그 임무를 맡음. 또는 그런 사람이나 그 임무.

예 전임 시장은 임기를 채우지 못한 채 물러났다.

지전

명사 종이에 인쇄를 하여 만든 ❸ ㅎㅍ .

예 할머니는 허리춤에서 지전 한 장을 꺼내 손주에게 주었다.

❹ ㅊㅁ 하다

동사 아름답고 훌륭한 것이나 위대한 것 따위를 기리어 칭송하다.

예 고대에는 태양을 신적인 것으로 여겨 태양을 찬미하고 찬양하는 내용의 노래가 많았다.

❺ ㅊㄱ

명사 어떤 자리에 직접 나아가서 봄.

예 어머니는 대학교 때 법학을 전공하면서 재판 참관을 자주 하셨다고 한다.

타전

명사 전보나 ❻ ㅁㅈ 을 침.

예 무전기가 고장 나서 타전을 할 수 없다.

하릴없이

부사 ① 달리 어떻게 할 ❼ ㄷㄹ 가 없이. ② 조금도 틀림이 없이.

예 나는 가위가 보이지 않아 하릴없이 종이를 반으로 접어 찢었다.

답 ❶ 사례 ❷ 전임 ❸ 화폐 ❹ 찬미 ❺ 참관 ❻ 무전 ❼ 도리

필수 어휘 테스트

01 다음 단어와 뜻을 바르게 연결하시오.

(1) 봉당 •
(2) 사랑방 •
(3) 수장고 •

• ㉠ 귀중한 것을 고이 간직하는 창고.
• ㉡ 집의 안채와 떨어져 있는, 바깥주인이 거처하며 손님을 접대하는 곳으로 쓰는 방.
• ㉢ 안방과 건넌방 사이의 마루를 놓을 자리에 마루를 놓지 아니하고 흙바닥 그대로 둔 곳.

02 다음 설명에 해당하는 단어를 쓰시오.

온돌방에서 아궁이로부터 먼 쪽의 방바닥. 불길이 잘 닿지 않아 아랫목보다 상대적으로 차가운 쪽이다.

03 괄호 안에서 맞춤법에 맞는 표기를 고르시오.

(1) 사과를 잘 씹지 않고 (얼김/얼낌)에 삼켜서 큰일이 날 뻔했다.
(2) 사원은 서류를 가방에 (우겨넣었다/욱여넣었다).

04 다음 문장의 빈칸에 공통으로 들어갈 알맞은 단어를 〈보기〉에서 고르시오.

• 대청소를 해서 집이 아주 (   ).
• 오늘 중요한 고객을 만나야 하므로 다들 옷차림이 (   ).

보기
귀애하다　　너절하다　　말쑥하다

05 다음 문장의 빈칸에 들어갈 알맞은 단어를 〈보기〉에서 고르시오.

보기
걱실걱실히　　입때　　하릴없이

(1) 민규는 과연 소문대로 (   ) 일을 잘하는 친구였다.
(2) 표가 전부 매진되어 (   ) 취소한 표가 나오기를 기다리고 있다.

>> 정답과 해설 66쪽

06 다음 단어와 뜻을 바르게 연결하시오.

(1) 교사 • • ㉠ 학교의 건물.
(2) 사생 • • ㉡ 시의 제목이나 제재.
(3) 시제 • • ㉢ 실물이나 경치를 있는 그대로 그리는 일.

07 다음 문장의 괄호 안에서 문맥상 알맞은 단어를 고르시오.

> 문화재를 대중에게 이렇게 이른 시간 내에 공개하는 일은 (전례/전임)이/가 없기 때문에 매우 (예사/이례적)(이)라고 평가되고 있다.

08 다음 대화의 빈칸에 들어갈 말로 적절한 것은?

> **진수:** 나 지금 마트에 가려는데 혹시 사야 할 것 있어?
> **미주:** 그럼 시금치 한 (   )만 사 올래?

① 단 ② 말 ③ 축
④ 마리 ⑤ 켤레

09 다음 문장의 빈칸에 들어갈 알맞은 단어를 〈보기〉에서 고르시오.

> 보기
> 사붓이 싱둥겅둥 암팡스레

(1) 승아는 신발을 운동화로 갈아 신고 (   ) 소리 없이 집 밖으로 나섰다.
(2) 점심시간이 가까워질수록 아이들은 들떠서 수업을 (   ) 듣고 있었다.

10 다음 설명에 해당하는 단어를 쓰시오.

> 서로 거스르지 않는 사이라는 뜻으로, 허물이 없는 아주 친한 사이를 이르는 말.

필수 어휘 체크 전략

2주 개성적인 발상과 표현

경치다

동사 심하게 ❶ [ㄲㅈㄹ]을 듣거나 단단히 벌을 받다.

예 언니의 일기장을 몰래 훔쳐보다가 언니에게 걸려 경칠 뻔했다.

❷ [ㄱㅅ]하다

형용사 품위나 몸가짐의 수준이 높고 훌륭하다.

예 그는 단정한 옷차림을 하고 교양 있는 말투를 사용해서 분위기가 고상했다.

공출

명사 국민이 국가의 수요에 따라 농업 생산물이나 기물 따위를 의무적으로 ❸ [ㅈㅂ]에 내어놓음.

예 가혹한 식량 공출로 식민지의 백성들은 굶주려야 했다.

괴다

동사 ① 기울어지거나 쓰러지지 않도록 ❹ [ㅇㄹ]를 받쳐 안정시키다. ② 의식이나 잔칫상에 쓰는 음식이나 장작, 꼴 따위를 차곡차곡 쌓아 올리다.

예 원우는 턱을 괴고 생각에 빠져 들었다.

❺ [ㄱㄱ]

명사 서로 접촉하여 따라 움직이는 느낌.

예 우리는 눈빛만으로도 서로의 마음을 알 만큼 교감을 이루고 있다.

기약

명사 때를 정하여 ❻ [ㅇㅅ]함. 또는 그런 약속.

예 언제 만난다는 기약도 없이 그들은 헤어졌다.

❼ [ㄴㅎ]

명사 떨어진 꽃. 또는 꽃이 떨어짐.

예 봄철에는 낙화가 길 전면에 흰 눈처럼 하얗게 깔린다.

답 ❶ 꾸지람 ❷ 고상 ❸ 정부 ❹ 아래 ❺ 교감 ❻ 약속 ❼ 낙화

❶ [ㄴㅅ] 적

관형사 명사 쌀쌀한 태도로 업신여기어 비웃는. 또는 그런 것.

예 그 작가의 책은 냉소적이고 비판적인 생각을 담고 있다.

눈결

명사 ('눈결에' 꼴로 쓰여) ❷ [ㄴ]에 슬쩍 뜨이는 잠깐 동안.

예 눈결에 언뜻 보다.

달포

명사 한 달이 조금 넘는 ❸ [ㄱㄱ].

예 그가 떠난 지 달포가량 지났다.

❹ [ㅁㄹ] 하다

형용사 ① 생각하던 바와 달리 허망하다. ② 하는 짓이 만만히 볼 수 없을 만큼 똘똘하고 깜찍하다. ③ 처리하기가 매우 어렵고 묘하다.

예 이것은 삼척동자라도 곧이 듣지 않을 터무니없는 맹랑한 소립니다.

무심하다

형용사 ① 아무런 생각이나 ❺ [ㄱㅈ] 따위가 없다. ② 남의 일에 걱정하거나 관심을 두지 않다.

예 친구는 무심한 표정으로 창밖만 바라보고 있다.

부조리

명사 이치에 맞지 아니하거나 ❻ [ㄷㄹ]에 어긋남. 또는 그런 일.

예 사회의 모든 부조리를 추방하다.

불측하다

형용사 ① 미루어 헤아릴 수 없다. ② 생각이나 ❼ [ㅎㄷ] 따위가 괘씸하고 엉큼하다.

예 불측한 마음을 품다.

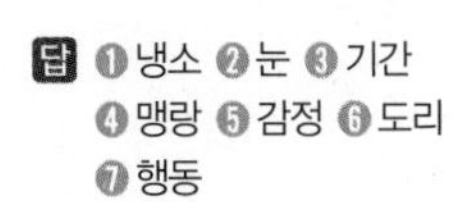
답 ❶ 냉소 ❷ 눈 ❸ 기간 ❹ 맹랑 ❺ 감정 ❻ 도리 ❼ 행동

필수 어휘 체크 전략

비천하다

형용사 지위나 ❶ [ㅅㅂ]이 낮고 천하다.

예 신분이 비천한 그는 제대로 대접받지 못하고 길거리를 떠돌며 살아갔다.

❷ [ㅅㅅ]하다

동사 한집안의 재산이나 신분, 직업 따위를 대대로 물려주고 물려받다.

예 신분을 세습하는 사회에서 하층민들은 권력으로부터 소외되었다.

순시하다

동사 돌아다니며 ❸ [ㅅㅈ]을 보살피다.

예 교장 선생님은 야간 자율 학습 시간에 늘 전교를 순시하셨다.

❹ [ㅅㅎ]

명사 어떤 현상이 더 높은 상태로 발전하는 일.

예 고흐가 남긴 작품은 사랑과 이별에 대한 고통의 예술적 승화로 일컬어진다.

아름

명사 (수량을 나타내는 말 뒤에 쓰여) 두 팔을 둥글게 모아 만든 둘레 안에 들 만한 ❺ [ㅂㄹ]을 세는 단위.

예 아버지가 어머니에게 드리려고 꽃을 한 아름 사 오셨다.

애달프다

형용사 ❻ [ㅁㅇ]이 안타깝거나 쓰라리다.

예 사랑하는 마음을 전달할 수 없으니 매우 애달프구나.

어룽어룽

부사 여러 가지 ❼ [ㅂㄲ]의 큰 점이나 줄 따위가 고르고 촘촘하게 무늬를 이룬 모양.

예 닭똥 같은 눈물이 뚝뚝 떨어져 바닥을 어룽어룽 적시었다.

답 ❶ 신분 ❷ 세습 ❸ 사정 ❹ 승화 ❺ 분량 ❻ 마음 ❼ 빛깔

어슴푸레하다

형용사 빛이 약하거나 멀어서 어둑하고 ❶ [ㅎㅁ]하다.

예 날이 새었지만 밖은 아직 어슴푸레하다.

어정어정하다

동사 키가 큰 ❷ [ㅅㄹ]이나 짐승이 천천히 이리저리 걷다.

예 진수는 하는 일 없이 정류장에서 어정어정하며 버스에서 내리는 사람들을 쳐다보았다.

에두르다

동사 ① 에워서 둘러막다. ② 바로 말하지 않고 ❸ [ㅈㅈ]하여 알아듣도록 둘러대다.

예 승아가 말을 에둘러 하기는 하였지만 그래도 대충 알아들을 수는 있었다.

❹ [ㅇㅁ]

명사 ① 물체의 뒤쪽 면. ② 겉으로 나타나거나 눈에 보이지 않는 부분.

예 이번 사건의 이면에는 발표되지 않은 또 다른 원인이 있었다.

일쑤

명사 ['-기(가) 일쑤이다' 구성으로 쓰여] 흔히 또는 으레 그러는 일.

부사 드물지 아니하게 ❺ [ㅎㅎ].

예 내 짝은 일쑤 지각을 한다.

❻ [ㅈㄷ]

형용사 동작이 재빠르다.

예 우리는 시간에 맞춰 가기 위해 발을 더욱 재게 놀렸다.

제기다

동사 팔꿈치나 ❼ [ㅂㄲㅊ] 따위로 지르다.

예 선수는 상대 선수의 옆구리를 무릎으로 힘껏 제겼다.

답 ❶ 희미 ❷ 사람 ❸ 짐작 ❹ 이면 ❺ 흔히 ❻ 재다 ❼ 발꿈치

필수 어휘 체크 전략

❶ [ㅈㄹ]하다

동사 비웃거나 깔보면서 놀리다.

예 범인은 경찰이 자신을 잡지 못하자 조롱하는 듯이 일부러 단서를 남겼다.

조밥

명사 좁쌀로만 짓거나 입쌀에 ❷ [ㅈㅆ]을 많이 두어서 지은 밥.

예 당시 사람들은 가난하여 흰쌀밥은커녕 조밥에 채소로 연명했다.

❸ [ㅈㅇㅈㅊ]

부사 밤낮으로 쉬지 아니하고 연달아.

예 부모님은 주야장천 고향을 떠난 자식 걱정뿐이었다.

증서

명사 권리나 의무, 사실 따위를 ❹ [ㅈㅁ]하는 문서.

예 여기 진품에만 주는 품질 증서가 있어요.

통찰

명사 예리한 ❺ [ㄱㅊㄹ]으로 사물이나 현상 등을 꿰뚫어 봄.

예 이 글에는 역사에 대한 글쓴이의 뛰어난 통찰이 드러나 있다.

❻ [ㅊ]

명사 길이의 단위. 1척은 한 치의 열 배로 약 30.3cm에 해당한다.

예 남자는 육 척 장신의 거구였다.

철벅거리다

동사 '철버덕거리다'의 준말. 옅은 물이나 ❼ [ㅈㅊ]을 거칠게 밟거나 치는 소리가 자꾸 나다. 또는 그런 소리를 자꾸 내다.

예 한밤에 개울물이 철벅거리는 소리가 계속 났었다.

답 ❶ 조롱 ❷ 좁쌀 ❸ 주야장천 ❹ 증명 ❺ 관찰력 ❻ 척 ❼ 진창

첩

명사 약봉지에 싼 ❶ ㅇ 의 뭉치를 세는 단위.

예 이 돈으로 약 한 첩이나 지어 먹도록 해라.

❷ ㅊㅁ

명사 남을 대하기에 떳떳한 도리나 얼굴.

예 체면 차리지 말고 편히 앉아 맘껏 드세요.

추적추적

부사 비나 ❸ ㅈㄴㄲㅂ 가 자꾸 축축하게 내리는 모양.

예 창밖에는 가을비가 추적추적 내렸다.

하롱하롱

부사 작고 가벼운 ❹ ㅁㅊ 가 떨어지면서 잇따라 흔들리는 모양.

예 꽃잎이 하롱하롱 떨어지다.

❺ ㅎㄹㅎㅅ

명사 형편에 맞지 않게 겉만 번드르르하게 꾸밈. 또는 그런 예절이나 법식.

예 제사의 허례허식을 개선해 제사상에 올리는 음식의 수를 줄입시다.

❻ ㅎㅅ 적

관형사 명사 몸과 마음을 바쳐 있는 힘을 다하는. 또는 그런 것.

예 자식에게 헌신적으로 사랑을 쏟다.

홍패

명사 문과의 회시(會試)에 ❼ ㄱㅈ 한 사람에게 주던 증서. 붉은색 종이에 성적, 등급, 성명을 먹으로 적었다.

예 그놈이 양반집 아들로만 태어났다면 어려서 홍패를 차고 어사화를 썼을 것이다.

답 ❶ 약 ❷ 체면 ❸ 진눈깨비 ❹ 물체 ❺ 허례허식 ❻ 헌신 ❼ 급제

필수 어휘 테스트

01 다음 단어와 뜻을 바르게 연결하시오.

(1) 공출 •
(2) 증서 •
(3) 통찰 •

• ㉠ 권리나 의무, 사실 따위를 증명하는 문서.
• ㉡ 예리한 관찰력으로 사물이나 현상 등을 꿰뚫어 봄.
• ㉢ 국민이 국가의 수요에 따라 농업 생산물이나 기물 따위를 의무적으로 정부에 내어놓음.

02 다음 설명에 해당하는 단어를 쓰시오.

① 생각하던 바와 달리 허망하다.
② 하는 짓이 만만히 볼 수 없을 만큼 똘똘하고 깜찍하다.

03 괄호 안에서 문맥상 알맞은 단어를 고르시오.

(1) 그 시인은 고독의 정신적 (기화/승화)를 주제로 시를 쓴다.
(2) 나는 우리 집 고양이가 말은 못하지만 나와 (교감/어감)을 나눈다고 믿는다.

04 다음 문장의 빈칸에 공통으로 들어갈 알맞은 단어를 〈보기〉에서 고르시오.

• 오른쪽 책상 다리가 짧아 책으로 (　　　　).
• 제사상에 올릴 과일과 약과를 차곡차곡 (　　　　).

보기
괴다　　제기다　　세습하다　　에두르다

05 다음 문장의 빈칸에 들어갈 알맞은 단어를 〈보기〉에서 고르시오.

보기
척　　첩　　쾌　　아름

(1) 아내는 한의원에서 약을 세 (　　　　) 지어 왔다.
(2) 인심 좋은 아주머니가 나물을 한 (　　　　)만큼 주셨다.

≫ 정답과 해설 67쪽

06 다음 단어와 뜻을 바르게 연결하시오.

(1) 재다 •　　　　　　　　　　• ㉠ 동작이 재빠르다.

(2) 경치다 •　　　　　　　　　• ㉡ 돌아다니며 사정을 보살피다.

(3) 순시하다 •　　　　　　　　• ㉢ 심하게 꾸지람을 듣거나 단단히 벌을 받다.

07 다음 문장의 괄호 안에서 맞춤법에 맞는 표기를 고르시오.

나는 차만 타면 속이 메스꺼워 멀미를 하기 (일수/일쑤)이다.

08 다음 문장의 빈칸에 공통으로 들어갈 단어로 적절한 것은?

• 제 성공의 (　　　　)에는 엄청난 노력이 숨어 있습니다.
• 나는 종이를 아끼기 위해 앞쪽만 쓴 종이 (　　　　)을 메모지로 썼다.

① 감면　　② 이면　　③ 전면
④ 측면　　⑤ 표면

09 다음 대화의 빈칸에 들어갈 알맞은 단어를 〈보기〉에서 고르시오.

작가: 젊은 시절에 저는 세상을 다 비웃는 (　　　　) 청년이었어요.
기자: 상상이 안 되는걸요. 지금은 굉장히 따뜻하고 긍정적이시잖아요.

보기

냉소적　　예찬적　　헌신적

10 다음 설명에 해당하는 단어를 쓰시오.

형편에 맞지 않게 겉만 번드르르하게 꾸밈. 또는 그런 예절이나 법식.

필수 어휘 체크 전략

3주 문학 작품의 재구성

❶ [ㄱㅇ]삼다

동사 남의 일이나 지나간 일을 보아 본받거나 경계하다.

예 이번 일을 거울삼아 다음에는 실수하지 않겠어!

공양미

명사 부처에게 바치는 ❷ [ㅆ].

예 심청이는 아버지 눈을 뜨게 하려고 절에 바칠 공양미 삼백 석을 받고 인당수에 몸을 던졌다.

관조적

관형사 명사 ① 고요한 마음으로 사물이나 현상을 ❸ [ㄱㅊ]하거나 비추어 보는. 또는 그런 것. ② 행동력이 없이 무관심하게 보거나 수수방관하는. 또는 그런 것.

예 작가는 비극적 사건을 다루면서도 관조적이고 담담한 필체를 사용하고 있다.

❹ [ㄱㄹ]

명사 ① 풀이나 나무 따위의 아랫동아리. 또는 그것들을 베고 남은 아랫동아리. ② 작물을 심어 기르고 거둔 자리.

예 아버지는 그전에 심었던 채소의 그루를 갈아엎고 새로 씨를 뿌리셨다.

근동

명사 가까운 이웃 ❺ [ㄷㄴ].

예 근동으로 이사하기 때문에 전학은 가지 않을 것 같아.

까먹다

동사 ① 껍질이나 껍데기 따위에 싸여 있는 것을 내어 먹다. ② ❻ [ㅅㅅ] 없이 써 버리다. ③ (속되게) 어떤 사실이나 내용 따위를 잊어버리다. ④ 군것질을 하는 데 돈을 쓰다.

예 내일이 시험인데 게임하느라 시간을 다 까먹어서 걱정이다.

❼ [ㄲㅌㅁㄹ]

명사 ① 끝이 되는 부분. ② 일의 실마리.

예 은호는 금방이라도 자리를 뜰 것처럼 의자 끄트머리에 걸터앉아 있었다.

답 ❶ 거울 ❷ 쌀 ❸ 관찰 ❹ 그루 ❺ 동네 ❻ 실속 ❼ 끄트머리

너르다

형용사 ① [1] ㄱㄱ 이 두루 다 넓다. ② 마음을 쓰는 것이나 생각하는 것이 너그럽고 크다.

예 황금빛으로 물든 너른 들판에서 농부들이 추수에 한창이었다.

[2] ㄴㄱ

명사 가슴 부위를 이루는 활 모양의 뼈. 갈비뼈.

예 의사는 재채기나 기침을 심하게 하면 늑골이 부러질 수도 있다고 말했다.

[3] ㄴㅅㄱㄹ 하다

형용사 꽤 늙어 보이다.

예 그는 머리가 하얗고 주름이 있어 나이보다 늙수그레하다.

[4] ㄷㄷ 하다

동사 남을 단단히 윽박질러서 혼을 내다.

예 빨리 끝내라고 나를 닦달하지 말고 도와주는 것이 어때?

대고

부사 무리하게 자꾸. 또는 계속하여 [5] ㅈㄲ .

예 건물이 얼마나 웅장한지 사람들은 대고 고개를 끄덕이며 감탄하였다.

대의명분

명사 ① 사람으로서 마땅히 지키고 행하여야 할 [6] ㄷㄹ 나 본분. ② 어떤 일을 꾀하는 데 내세우는 합당한 구실이나 이유.

예 그 행동은 대의명분에 어긋난다.

대합실

명사 공공시설에서 [7] ㅅㄴ 이 기다리며 머물 수 있도록 마련한 곳.

예 진수는 대합실에서 기차가 오기를 기다렸다.

답 ❶ 공간 ❷ 늑골 ❸ 늙수그레 ❹ 닦달 ❺ 자꾸 ❻ 도리 ❼ 손님

필수 어휘 체크 전략

동그마니

부사 사람이나 사물이 외따로 ❶ ㅇㄸ 하게 있는 모양.

예 할머니는 무슨 생각을 골똘히 하시는지 마루에 동그마니 앉아 계셨다.

❷ ㄷㄱ 하다

동사 ① 술법으로 자기 몸이 감추어지거나 다른 것으로 바뀌다. ② (비유적으로) 사물의 본디 형체나 성질이 바뀌거나 가리어지다.

예 어젯밤에 나는 사람으로 둔갑한 호랑이한테 잡아먹히는 황당한 꿈을 꾸었다.

듣다

동사 눈물, ❸ ㅂㅁ 따위의 액체가 방울져 떨어지다.

예 빗방울이 지붕에 듣는다.

미간

명사 두 ❹ ㄴㅆ 의 사이.

예 민채는 못마땅한 듯 미간을 찌푸리고 있었다.

❺ ㅁㅊ

명사 어떤 일을 하는 데 바탕이 되는 돈이나 물건, 기술, 재주 따위를 이르는 말.

예 장사 밑천이 없어 아는 사람들에게 돈을 빌려야 했다.

❻ ㅂㅌ

부사 ① 두 대상이나 물체의 사이가 썩 가깝게. ② 시간이나 길이가 아주 짧게.

예 원우는 선물받은 장미 꽃다발에 얼굴을 바투 갖다 대고 향기를 맡았다.

❼ ㅂㅈㄹㄹ 하다

형용사 ① 거죽에 기름기나 물기 따위가 묻어서 윤이 나고 미끄럽다. ② 말이나 행동 따위가 실속은 전혀 없이 겉만 그럴듯하다.

예 햅쌀로 지은 밥이 번지르르하다.

답 ❶ 오뚝 ❷ 둔갑 ❸ 빗물 ❹ 눈썹 ❺ 밑천 ❻ 바투 ❼ 번지르르

❶ [ㅅㅁ]하다

동사 ① 애틋하게 생각하고 그리워하다. ② 우러러 받들고 마음속 깊이 따르다.

예 시간이 지날수록 그녀를 사모하는 마음이 가슴에 사무쳤다.

생채기

명사 손톱 따위로 할퀴이거나 긁히어서 생긴 작은 ❷ [ㅅㅊ].

예 손톱으로 할퀴어서 얼굴에 생채기를 냈다.

솔깃이

부사 그럴듯해 보여 ❸ [ㅁㅇ]이 쏠리는 데가 있게.

예 학생들은 회장의 이야기가 흥미로웠는지 솔깃이 귀를 기울였다.

슴벅거리다

동사 ① ❹ [ㄴㄲㅍ]이 움직이며 눈이 자꾸 감겼다 떠졌다 하다. 또는 그렇게 되게 하다. ② 눈이나 살 속이 찌르듯이 자꾸 시근시근하다.

예 잠이 덜 깼는지 연재는 눈을 슴벅거리며 가만히 앉아 있었다.

❺ [ㅇㅈ]하다

형용사 ① 몹시 가냘프고 약하다. ② 애처롭고 애틋하다.

예 오랜만에 고향에 돌아온 두 사람은 애잔한 눈빛으로 서로를 마주 보았다.

엉기다

동사 사람이나 동물 따위가 한 ❻ [ㅁㄹ]를 이루거나 달라붙다.

예 강아지들이 엉겨서 장난을 치고 있다.

❼ [ㅇㄹ]하다

형용사 ① 광채가 찬란하다. ② 구슬 따위의 울리는 소리가 맑고 아름답다.

예 별이 영롱하게 하늘에서 반짝인다.

답 ❶사모 ❷상처 ❸마음 ❹눈꺼풀 ❺애잔 ❻무리 ❼영롱

필수 어휘 체크 전략

요행

명사 뜻밖에 얻는 ❶ [ㅎㅇ].

예 윤서는 요행을 바라고 시험공부를 열심히 하지 않았다.

움키다

동사 ① 손가락을 우그리어 물건 따위를 놓치지 않도록 ❷ [ㅎ] 있게 잡다. ② 새나 짐승 따위가 발가락으로 무엇을 꽉 잡다.

예 소년은 소녀가 개울에서 물을 움키는 모습을 가만히 바라보았다.

원경

명사 ① 멀리 보이는 ❸ [ㄱㅊ]. ② 사진이나 그림에서 먼 곳에 있는 것으로 찍히거나 그려진 대상.

예 사진을 보니 내 얼굴 뒤로 우리 집 뒷마당이 원경으로 찍혀 있었다.

❹ [ㅇㅇ]하다

형용사 의지가 굳세어서 끄떡없다.

예 민규는 초조했지만 의연한 태도를 보이려고 노력하였다.

❺ [ㅈㅁ]스럽다

형용사 ① 보기에 몹시 약하고 가냘픈 데가 있다. ② 보기에 태도나 행동이 자질구레하고 가벼운 데가 있다. ③ 얄밉도록 맹랑한 데가 있다.

예 내 동생은 어리지만 잔망스러운 아이라는 말을 종종 듣는다.

❻ [ㅈㅇ]

부사 꽤 어지간한 정도로.

예 승아는 예상치 못한 상황에 적이 당황한 눈치였다.

정

명사 돌에 ❼ [ㄱㅁ]을 뚫거나 돌을 쪼아서 다듬는 데 쓰는 쇠로 만든 연장.

예 조각가는 정으로 돌을 다듬었다.

답 ❶ 행운 ❷ 힘 ❸ 경치 ❹ 의연 ❺ 잔망 ❻ 적이 ❼ 구멍

점자책

명사 시각 장애인이 읽을 수 있도록 ❶ [ㅈㅈ] 로 만든 책.

예 구청에서 시각 장애인을 위해 민원 안내용 점자책을 만들었다.

❷ [ㅈㅇ] 가다

동사 여럿 가운데서 가장 뛰어난 것으로 꼽히다.

예 준우는 우리나라에서 제일가는 요리사가 되는 것이 꿈이다.

❸ [ㅉㅂ]

명사 짙은 푸른빛.

예 저 멀리 남쪽으로는 쪽빛 바다가 뻗어 있었다.

❹ [ㅊㄹ] 하다

형용사 맑고 서늘하다.

예 어느덧 청량한 바람이 부는 가을이 되었다.

❺ [ㅎㅆ] 하다

형용사 얼굴에 핏기나 생기가 없어 파리하다.

예 미주가 며칠 동안 밤을 새웠는지 얼굴이 해쓱하다.

황망하다

형용사 마음이 몹시 급하여 ❻ [ㄷㅎ] 하고 허둥지둥하는 면이 있다.

예 동생은 약속 시간에 늦어 황망하게 밖으로 나갔다.

희번덕대다

동사 ① 눈을 크게 뜨고 ❼ [ㅎㅈㅇ] 를 자꾸 번득이며 움직이다. 또는 그렇게 되게 하다. ② 물고기 따위가 몸을 젖히며 자꾸 번득이다.

예 찬희는 흥분했는지 눈까지 희번덕대며 말을 이어 갔다.

답 ❶ 점자 ❷ 제일 ❸ 쪽빛 ❹ 청량 ❺ 해쓱 ❻ 당황 ❼ 흰자위

필수 어휘 테스트

01 다음 단어와 뜻을 바르게 연결하시오.

(1) 근동 •
(2) 대합실 •
(3) 적이 •

• ㉠ 가까운 이웃 동네.
• ㉡ 꽤 어지간한 정도로.
• ㉢ 공공시설에서 손님이 기다리며 머물 수 있도록 마련한 곳.

02 다음 설명에 해당하는 단어를 쓰시오.

① 멀리 보이는 경치.
② 사진이나 그림에서 먼 곳에 있는 것으로 찍히거나 그려진 대상.

03 괄호 안에서 문맥상 알맞은 단어를 고르시오.

(1) 삼촌은 (기우/요행)을/를 바라며 복권을 여러 장 샀다.
(2) 지식인으로 거짓 행세한 그 사람은 자기 (끄트머리/밑천)이/가 드러나지 않도록 말을 삼갔다.

04 다음 문장의 빈칸에 공통으로 들어갈 알맞은 단어를 〈보기〉에서 고르시오.

• 이 집은 앞마당보다 뒷마당이 훨씬 (   ).
• 성호는 소견이 (   ).

보기
너르다　　번지르르하다　　청량하다

05 다음 문장의 빈칸에 들어갈 알맞은 단어를 〈보기〉에서 고르시오.

보기
대고　　동그마니　　바투　　슬깃이

(1) 윤지는 정원에 혼자 (   ) 서서 한숨을 쉬고 있었다.
(2) 서하가 포기하지 않고 끊임없이 제안하자 마침내 사람들이 (   ) 들었다.

>> 정답과 해설 68쪽

06 다음 단어와 뜻을 바르게 연결하시오.

(1) 늑골 •
(2) 미간 •
(3) 생채기 •

• ㉠ 두 눈썹의 사이.
• ㉡ 가슴 부위를 이루는 활 모양의 뼈. 갈비뼈.
• ㉢ 손톱 따위로 할퀴이거나 긁히어서 생긴 작은 상처.

07 다음 문장의 괄호 안에서 맞춤법에 맞는 표기를 고르시오.

빈혈로 (헤쓱해진/해쓱해진) 지수의 모습을 보니 안쓰러웠다.

08 다음 문장의 밑줄 친 말과 바꿔 쓸 수 있는 말로 적절한 것은?

연아는 온갖 어려움을 겪었지만 여전히 <u>의지가 굳세고 끄떡없다</u>.

① 애잔하다　② 의연하다　③ 황망하다
④ 잔망스럽다　⑤ 늠수그레하다

09 다음 대화의 빈칸에 들어갈 알맞은 단어를 〈보기〉에서 고르시오.

한솔: 지민아, 메뉴 봤어? 무엇을 주문할까?
지민: 내가 찾아봤는데 이게 이 식당에서 (　　　　) 요리래. 이것으로 하자.

보기
거울삼는　사모하는　제일가는

10 다음 설명에 해당하는 단어를 쓰시오.

① 사람으로서 마땅히 지키고 행하여야 할 도리나 본분.
② 어떤 일을 꾀하는 데 내세우는 합당한 구실이나 이유.

필수 어휘 체크 전략

정답과 해설

1주 화자와 서술자

필수 어휘 테스트 48~49쪽

01 (1) ㉢ (2) ㉡ (3) ㉠ 02 윗목 03 (1) 얼김 (2) 욱여넣었다 04 말쑥하다 05 (1) 걱실걱실히 (2) 하릴없이 06 (1) ㉠ (2) ㉢ (3) ㉡ 07 전례, 이례적 08 ① 09 (1) 사붓이 (2) 싱둥경둥 10 막역지간

01 (1) '봉당'은 '안방과 건넌방 사이의 마루를 놓을 자리에 마루를 놓지 아니하고 흙바닥 그대로 둔 곳.'을 뜻한다. (2) '사랑방'은 '집의 안채와 떨어져 있는, 바깥주인이 거처하며 손님을 접대하는 곳으로 쓰는 방.'을 뜻한다. (3) '수장고'는 '귀중한 것을 고이 간직하는 창고.'를 뜻한다.

02 '온돌방에서 아궁이로부터 먼 쪽의 방바닥.'을 뜻하는 단어는 '윗목'이다.

03 (1) '어떤 일이 벌어지는 바람에 자기도 모르게 정신이 얼떨떨한 상태.'를 뜻하는 단어의 올바른 표기는 '얼김'이다. (2) '주위에서 중심으로 함부로 밀어 넣다.'를 뜻하는 단어의 올바른 표기는 '욱여넣다'이다. 따라서 '욱여넣었다'가 적절하다.

04 빈칸에는 '지저분함이 없이 말끔하고 깨끗하다.' 또는 '세련되고 아담하다.'를 뜻하는 '말쑥하다'가 공통으로 들어가는 것이 적절하다.

오답 풀이
- 귀애하다: 귀엽게 여겨 사랑하다.
- 너절하다: ① 허름하고 지저분하다. ② 하찮고 시시하다.

05 (1) 빈칸에는 '성질이 너그러워 말과 행동을 시원스럽게 하는 모양.'을 뜻하는 '걱실걱실히'가 적절하다. (2) 빈칸에는 '달리 어떻게 할 도리가 없이.'를 뜻하는 '하릴없이'가 적절하다.

오답 풀이
- 입때: 지금까지. 또는 아직까지. 어떤 행동이나 일이 이미 이루어졌어야 함에도 그렇게 되지 않았음을 불만스럽게 여기거나 또는 바람직하지 않은 행동이나 일이 현재까지 계속되어 옴을 나타낼 때 쓰는 말이다.

06 (1) '교사'는 '학교의 건물.'을 뜻한다. (2) '사생'은 '실물이나 경치를 있는 그대로 그리는 일.'을 뜻한다. (3) '시제'는 '시의 제목이나 제재.'를 뜻한다.

07 '전례'는 '이전부터 있었던 사례.' 또는 '예로부터 전하여 내려오는 일 처리의 관습.'을 뜻하고, '이례적'은 '보통의 경우에서 벗어나 특이한. 또는 그런 것.'을 뜻한다.

오답 풀이
- 전임: 이전에 그 임무를 맡음. 또는 그런 사람이나 그 임무.
- 예사: 보통 있는 일.

08 빈칸에는 '짚, 땔나무, 채소 따위의 묶음을 세는 단위.'를 뜻하는 '단'이 들어가는 것이 적절하다.

오답 풀이
- 말: 부피의 단위. 곡식, 액체, 가루 따위의 부피를 잴 때 쓴다. 한 말은 한 되의 열 배로 약 18리터에 해당한다.
- 축: 오징어를 묶어 세는 단위. 한 축은 오징어 스무 마리를 이른다.
- 마리: 짐승이나 물고기, 벌레 따위를 세는 단위.
- 켤레: 신, 양말, 버선, 방망이 따위의 짝이 되는 두 개를 한 벌로 세는 단위.

09 (1) 빈칸에는 '소리가 거의 나지 않을 정도로 발을 가볍게 얼른 내디디는 소리. 또는 그 모양.'을 뜻하는 '사붓이'가 적절하다. (2) 빈칸에는 '정성을 들이지 않고 대강대강 일을 하는 모양.'을 뜻하는 '싱둥겅둥'이 적절하다.

오답 풀이
- 암팡스레: 몸은 작아도 야무지고 다부진 면이 있게.

10 '서로 거스르지 않는 사이라는 뜻으로, 허물이 없는 아주 친한 사이를 이르는 말.'은 '막역지간'이다.

다시 한번 살펴보며
어휘력을 길러 보세요.

2주 개성적인 발상과 표현

필수 어휘 테스트 56~57쪽

01 (1) ㉢ (2) ㉠ (3) ㉡ 02 맹랑하다 03 (1) 승화 (2) 교감 04 괴다 05 (1) 첩 (2) 아름 06 (1) ㉠ (2) ㉢ (3) ㉡ 07 일쑤 08 ② 09 냉소적 10 허례허식

01 (1) '공출'은 '국민이 국가의 수요에 따라 농업 생산물이나 기물 따위를 의무적으로 정부에 내어놓음.'을 뜻한다. (2) '증서'는 '권리나 의무, 사실 따위를 증명하는 문서.'를 뜻한다. (3) '통찰'은 '예리한 관찰력으로 사물이나 현상 등을 꿰뚫어 봄.'을 뜻한다.

02 '생각하던 바와 달리 허망하다.' 또는 '하는 짓이 만만히 볼 수 없을 만큼 똘똘하고 깜찍하다.'를 뜻하는 단어는 '맹랑하다'이다.

03 (1) '어떤 현상이 더 높은 상태로 발전하는 일.'을 뜻하는 '승화'가 들어가는 것이 적절하다. (2) '서로 접촉하여 따라 움직이는 느낌.'을 뜻하는 '교감'이 들어가는 것이 적절하다.

오답 풀이

- 기화: 액체가 기체로 변함. 또는 그런 현상.
- 어감: 말소리나 말투의 차이에 따른 느낌과 맛.

04 빈칸에는 '기울어지거나 쓰러지지 않도록 아래를 받쳐 안정시키다.' 또는 '의식이나 잔칫상에 쓰는 음식이나 장작, 꼴 따위를 차곡차곡 쌓아 올리다.'를 뜻하는 '괴다'가 공통으로 들어가는 것이 적절하다.

오답 풀이

- 제기다: 팔꿈치나 발꿈치 따위로 지르다.
- 세습하다: 한집안의 재산이나 신분, 직업 따위를 대대로 물려주고 물려받다.
- 에두르다: ① 에워서 둘러막다. ② 바로 말하지 않고 짐작하여 알아듣도록 둘러대다.

05 (1) 빈칸에는 '약봉지에 싼 약의 뭉치를 세는 단위.'를 뜻하는 '첩'이 적절하다. (2) 빈칸에는 '두 팔을 둥글게 모아 만든 둘레 안에 들 만한 분량을 세는 단위.'를 뜻하는 '아름'이 적절하다.

오답 풀이

- 척: 길이의 단위. 1척은 한 치의 열 배로 약 30.3cm에 해당한다.
- 쾌: 북어를 묶어 세는 단위. 한 쾌는 북어 스무 마리를 이른다.
- 아름: 두 팔을 둥글게 모아 만든 둘레 안에 들 만한 분량을 세는 단위.

06 (1) '재다'는 '동작이 재빠르다.'를 뜻한다. (2) '경치다'는 '심하게 꾸지람을 듣거나 단단히 벌을 받다.'를 뜻한다. (3) '순시하다'는 '돌아다니며 사정을 보살피다.'를 뜻한다.

07 '흔히 또는 으레 그러는 일.'을 뜻하는 단어의 올바른 표기는 '일쑤'이다.

08 빈칸에는 '물체의 뒤쪽 면.' 또는 '겉으로 나타나거나 눈에 보이지 않는 부분.'을 뜻하는 '이면'이 공통으로 들어가는 것이 적절하다.

오답 풀이

- 감면: 매겨야 할 부담 따위를 덜어 주거나 면제함.
- 전면: 물체의 앞쪽 면. 앞면.
- 측면: 앞뒤에 대하여 왼쪽이나 오른쪽의 면. 옆면.
- 표면: 사물의 가장 바깥쪽. 또는 가장 윗부분.

09 빈칸에는 따뜻하고 긍정적인 지금과 다른 모습이 들어가는 것이 자연스러우므로 '쌀쌀한 태도로 업신여기어 비웃는. 또는 그런 것.'을 뜻하는 '냉소적'이 들어가는 것이 적절하다.

오답 풀이

- 예찬적: 무엇이 훌륭하거나 좋거나 아름답다고 찬양하는. 또는 그런 것.
- 헌신적: 몸과 마음을 바쳐 있는 힘을 다하는. 또는 그런 것.

10 '형편에 맞지 않게 겉만 번드르르하게 꾸밈. 또는 그런 예절이나 법식.'을 뜻하는 단어는 '허례허식'이다.

3주 문학 작품의 재구성

필수 어휘 테스트 64~65쪽

01 (1) ㉠ (2) ㉢ (3) ㉡ 02 원경 03 (1) 요행 (2) 밑천 04 너르다 05 (1) 동그마니 (2) 솔깃이 06 (1) ㉡ (2) ㉠ (3) ㉢ 07 해쓱해진 08 ② 09 제일가는 10 대의명분

01 (1) '근동'은 '가까운 이웃 동네.'를 뜻한다. (2) '대합실'은 '공공시설에서 손님이 기다리며 머물 수 있도록 마련한 곳.'을 뜻한다. (3) '적이'는 '꽤 어지간한 정도로.'를 뜻한다.

02 '멀리 보이는 경치.' 또는 '사진이나 그림에서 먼 곳에 있는 것으로 찍히거나 그려진 대상.'을 뜻하는 단어는 '원경'이다.

03 (1) '뜻밖에 얻는 행운.'을 뜻하는 '요행'이 적절하다. (2) '어떤 일을 하는 데 바탕이 되는 돈이나 물건, 기술, 재주 따위를 이르는 말.'인 '밑천'이 적절하다.

오답 풀이
- 기우: 앞일에 대해 쓸데없는 걱정을 함. 또는 그 걱정. 옛날 중국 기(杞)나라에 살던 한 사람이 '만일 하늘이 무너지면 어디로 피해야 좋을 것인가?' 하고 침식을 잊고 걱정하였다는 데서 유래한다.
- 끄트머리: ① 끝이 되는 부분. ② 일의 실마리.

04 빈칸에는 '공간이 두루 다 넓다.' 또는 '마음을 쓰는 것이나 생각하는 것이 너그럽고 크다.'를 뜻하는 '너르다'가 공통으로 들어가는 것이 적절하다.

오답 풀이
- 번지르르하다: ① 거죽에 기름기나 물기 따위가 묻어서 윤이 나고 미끄럽다. ② 말이나 행동 따위가 실속은 전혀 없이 겉만 그럴듯하다.
- 청량하다: 맑고 서늘하다.

05 (1) 빈칸에는 '사람이나 사물이 외따로 오뚝하게 있는 모양.'을 뜻하는 '동그마니'가 적절하다. (2) 빈칸에는 '그럴듯해 보여 마음이 쏠리는 데가 있게.'를 뜻하는 '솔깃이'가 적절하다.

오답 풀이
- 대고: 무리하게 자꾸. 또는 계속하여 자꾸.
- 바투: ① 두 대상이나 물체의 사이가 썩 가깝게. ② 시간이나 길이가 아주 짧게.

06 (1) '늑골'은 '가슴 부위를 이루는 활 모양의 뼈. 갈비뼈.'를 뜻한다. (2) '미간'은 '두 눈썹의 사이.'를 뜻한다. (3) '생채기'는 '손톱 따위로 할퀴이거나 긁히어서 생긴 작은 상처.'를 뜻한다.

07 '얼굴에 핏기나 생기가 없어 파리하다.'를 뜻하는 단어의 올바른 표기는 '해쓱하다'이다. 따라서 '해쓱해진'이 적절하다.

08 밑줄 친 말과 바꿔 쓸 수 있는 단어는 '의지가 굳세어서 끄떡없다.'를 뜻하는 '의연하다'이다.

오답 풀이
- 애잔하다: ① 몹시 가냘프고 약하다. ② 애처롭고 애틋하다.
- 황망하다: 마음이 몹시 급하여 당황하고 허둥지둥하는 면이 있다.
- 잔망스럽다: ① 보기에 몹시 약하고 가냘픈 데가 있다. ② 보기에 태도나 행동이 자질구레하고 가벼운 데가 있다. ③ 얄밉도록 맹랑한 데가 있다.
- 늙수그레하다: 꽤 늙어 보이다.

09 빈칸에는 '여럿 가운데서 가장 뛰어난 것으로 꼽히다.'를 뜻하는 단어가 들어가는 것이 자연스럽다. 따라서 '제일가는'이 적절하다.

오답 풀이
- 거울삼다: 남의 일이나 지나간 일을 보아 본받거나 경계하다.
- 사모하다: ① 애틋하게 생각하고 그리워하다. ② 우러러 받들고 마음속 깊이 따르다.

10 '사람으로서 마땅히 지키고 행하여야 할 도리나 본분.' 또는 '어떤 일을 꾀하는 데 내세우는 합당한 구실이나 이유.'를 뜻하는 단어는 '대의명분'이다.

시험에 잘 나오는
대표 유형 ZIP

중학 국어
문학 3

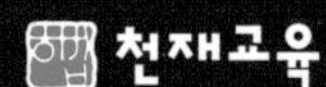

시험에 잘 나오는

대표 유형 ZIP

중학 국어
문학 3

이 책의 차례

중3 문학 대표 유형을
시험에 잘 나오는
문제로 확인해 봐.

대표 유형 01 운문에 담긴 심미적 인식 파악하기 – 내용

● **다음 시를 읽고, 물음에 답하시오.**

㉠나무 하나가 흔들린다
나무 하나가 흔들리면
나무 둘도 흔들린다
나무 둘이 흔들리면
㉡나무 셋도 흔들린다

이렇게 이렇게

㉢나무 하나의 꿈은
나무 둘의 꿈
나무 둘의 꿈은
나무 셋의 꿈

나무 하나가 고개를 젓는다
옆에서
나무 둘도 고개를 젓는다
옆에서
㉣나무 셋도 고개를 젓는다

아무도 없다
아무도 없이
나무들이 흔들리고 / 고개를 젓는다

㉤이렇게 이렇게 / 함께

– 강은교, 〈숲〉

01 ㉠~㉤에 대한 설명으로 적절하지 않은 것은?

① ㉠: 공동체를 구성하는 하나의 존재로서의 개인을 의미한다.

② ㉡: 개인들이 모여 공동체를 이루었다는 것을 의미한다.

③ ㉢: 개인이 가지고 있는 꿈을 의미한다.

④ ㉣: 공동체를 위해 개인의 의견을 억압하는 것을 의미한다.

⑤ ㉤: 조화롭게 사는 공동체적 삶을 의미한다.

해결 전략

작품 이해 나무들이 바람에 흔들리는 모습, ❶ [　　] 전체가 흔들리는 모습을 통해 숲의 아름다움을 표현한 시이다. 이러한 나무와 숲의 모습을 인간에 대입하면 개인들이 모여 공동체적 의식으로 조화롭게 사는 삶을 노래하고 있다고 볼 수 있다.

정답인 이유 ④ ㉣은 개인의 생각이 다른 사람에게 영향을 주고, 이런 영향을 주고받은 ❷ [　　]들이 모인 것을 의미한다.

답 ❶ 숲 ❷ 개인

다시 한번 확인!

• 시어 및 시구의 의미

시어 및 시구	의미
나무 ❶ [　　]	개인
나무 셋도 흔들린다	개인이 모여 공동체를 이룸.
나무 하나의 꿈	개인이 가지고 있는 꿈
나무 셋의 꿈	공동체 전체의 꿈
이렇게 이렇게 / 함께	조화롭게 사는 공동체적 삶

➔ 나무들이 모인 숲의 아름다움을 통해 ❷ [　　]적 의식으로 조화롭게 사는 삶을 노래하고 있음.

답 ❶ 하나 ❷ 공동체

대표 유형 02 운문에 담긴 심미적 인식 파악하기 – 표현

● 다음 시를 읽고, 물음에 답하시오.

생사(生死) 길은
예 있으매 머뭇거리고,
나는 간다는 말도
몯다 이르고 어찌 갑니까.
어느 가을 이른 바람에
이에 저에 떨어질 잎처럼,
한 가지에 나고
가는 곳 모르온저.
아아, 미타찰(彌陀刹)에서 만날 나
도(道) 닦아 기다리겠노라.

– 월명사, 〈제망매가(祭亡妹歌)〉 비

02 이 시의 표현상 특징에 대한 설명으로 적절한 것은?

① 화자의 심리를 자연물에 이입하여 드러내고 있다.

② 삶과 죽음의 문제를 자연의 섭리에 빗대어 표현하고 있다.

③ 인간과 자연의 모습을 대조하여 화자의 슬픔을 강조하고 있다.

④ 화자가 처한 상황을 반대로 표현하여 비극성을 강조하고 있다.

⑤ 모순된 표현을 통해 그 속에 담긴 화자의 진심을 드러내고 있다.

해결 전략

작품 이해 누이의 죽음으로 인한 슬픔을 종교적 믿음으로 승화하며 극복하고 있는 노래로, 신라의 ❶ ______ 이다. 화자는 삶과 죽음의 문제를 자연의 섭리에 비유하고 있다.

정답인 이유 ② 화자는 ❷ ______ 을/를 사용하여 누이의 이른 죽음을 가지에 붙었던 잎이 일찍 불어온 바람에 떨어지는 현상에 빗대어 표현하고 있다. 그리고 같은 가지에 났던 잎이 여기저기 떨어지는 현상에 빗대어 한 부모에게서 태어나 혈연으로 맺어진 이승의 인연도 죽으면 헤어지게 된다는 깨달음을 드러내고 있다.

답 ❶ 향가 ❷ 비유

다시 한번 확인!

• 시어의 비유적 의미

시어	의미
이른 ❶ ______	젊어서 죽음.
떨어질 잎	죽은 ❷ ______
한 가지	한 부모, 같은 부모

→ 누이의 죽음을 같은 가지에 난 잎이 여기저기 떨어지는 모습에 비유하여, 누이의 요절에 대한 슬픔과 안타까움을 표현함.

답 ❶ 바람 ❷ 누이

대표 유형 03 운문에 담긴 심미적 인식 파악하기 – 주제

● 다음 시를 읽고, 물음에 답하시오.

어린 매화나무는 꽃 피느라 한창이고
사백 년 고목은 꽃 지느라 한창인데
구경꾼들 고목에 더 몰려섰다
둥치도 가지도 꺾이고 구부러지고 휘어졌다
갈라지고 뒤틀리고 터지고 또 튀어나왔다
진물은 얼마나 오래 고여 흐르다가 말라붙었는지
주먹만큼 굵다란 혹이며 패인 구멍들이 험상궂다
거무죽죽한 혹도 구멍도 모양 굵기 깊이 빛깔이 다 다르다
새 진물이 번지는가 개미들 바삐 오르내려도
의연하고 의젓하다
사군자 중 으뜸답다
꽃구경이 아니라 상처 구경이다
상처 깊은 이들에게는 훈장(勳章)으로 보이는가
상처 도지는 이들에게는 부적(符籍)으로 보이는가
백 년 못 된 사람이 매화 사백 년의 상처를 헤아리랴마는
감탄하고 쓸어 보고 어루만지기도 한다
만졌던 손에서 향기까지 맡아 본다
진동하겠지 상처의 향기
상처야말로 더 꽃인 것을.

– 유안진, 〈상처가 더 꽃이다〉 미

03 이 시의 화자가 말하고자 하는 바로 가장 적절한 것은?

① 고통을 이겨 낸 상처가 꽃보다 아름답다.

② 상처 없이 평탄하게 살도록 노력해야 한다.

③ 겉으로 드러나는 아름다움에는 한계가 있다.

④ 한창 꽃이 피는 시기에 맞춰 꽃구경을 가야 한다.

⑤ 꿈을 이루려면 고통과 시련을 반드시 겪어야 한다.

해결 전략

작품 이해 사백 년 된 [❶] 의 모습을 통해 상처가 꽃보다 더 아름다움을 노래한 시이다. 겉으로 보기에는 아름답지 않을지라도 고통을 이겨 낸 상처가 아름답다는 심미적 인식을 담고 있다.

정답인 이유 ① 화자는 '상처야말로 더 꽃인 것을.'이라며 고통을 이겨 낸 상처가 꽃보다 더 아름답다고 말하고 있다.

오답인 이유 ③ 겉으로 보기에 아름답지 않은 상처가 아름답다는 [❷] 적 인식이 나타나 있으나, 겉으로 드러나는 아름다움에 한계가 있다는 내용과는 거리가 멀다.

⑤ 고목이 받는 고통이 나타나 있지만, 꿈을 이루려면 고통과 시련을 반드시 겪어야 한다는 내용과는 거리가 멀다.

답 ❶ 고목 ❷ 역설

다시 한번 확인!

• 이 시에 담긴 심미적 인식

• 꽃 피고 있는 어린 매화나무보다 꽃이 지고 있는 [❶] 에 구경꾼들이 더 몰림.
• 구경꾼들이 고목의 [❷] 을/를 보며 감탄하고 쓸어 보고 어루만지고 향기를 맡음.

➔

• 고목의 상처에서 진정한 아름다움을 느낌.
• 상처는 사람을 더 아름답고 성숙하게 함.

답 ❶ 고목 ❷ 상처

대표 유형 04 산문에 담긴 심미적 인식 파악하기 – 내용

● **다음 글을 읽고, 물음에 답하시오.**

내가 뤼브롱산에서 양을 치던 시절 이야깁니다. 나는 몇 주 동안 내내 사람 하나 보지 못하고, 기르던 라브리종 개와 양들과 함께 목초지에서 지냈지요. 어쩌다 약초를 따러 온 뤼르산의 은둔(세상일을 피하여 숨음.) 수도자나 피에몽 지방 숯쟁이의 시커먼 얼굴을 보는 정도였지요. 하지만 그런 사람들은 세정(세상의 사정이나 형편. 또는 세상 사람들의 인심.) 물정 모르고, 외롭게 살다 보니 말도 없고, 말하고 싶다는 생각조차 없어져 버린 사람들인지라, 산 아랫마을이며 도시에서 요즘 화젯거리가 무엇인지 같은 건 도무지 몰랐답니다. 그래서 산꼭대기에 이르는 오르막길에 한 달에 두 번씩, 보름마다 먹을 것을 날라다 주는 우리 농장 노새의 방울 소리가 들리고, 꼬마 미아로(농장의 심부름꾼 아이)의 똘망똘망한 얼굴이나 노라드 할머니의 불그레한 머리쓰개가 조금씩 조금씩 모습을 드러내면 ㉠나는 정말이지 너무나 행복했습니다. 산 아랫마을 소식, 누가 영세하고(세례를 받다.) 누가 결혼하는지 얘기해 달라고 부탁해서 듣곤 했지요. 그렇지만 뭐니 뭐니 해도 가장 관심 있었던 일은, 우리 주인댁 따님 스테파네트 아가씨, 근방 100리 안에서 가장 예쁜 그 아가씨 소식이었습니다. [중략] 산에 사는 초라한 양치기 주제에 그런 게 무슨 상관이냐고 누가 묻는다면, 난 대답하겠어요. 그때 내 나이 갓 스물이었고, 스테파네트 아가씨는 그때까지 내가 본 가장 아름다운 사람이었다고.

– 알퐁스 도데, 〈별〉 지

04 이 글의 내용을 바탕으로 할 때, ㉠의 까닭으로 가장 적절한 것은?

① 가족들의 안부를 확인할 수 있기 때문이다.

② 은둔 수도자나 숯쟁이들을 만날 수 있기 때문이다.

③ 자신과 양을 치는 일을 교대할 사람이 오기 때문이다.

④ 스테파네트 아가씨가 자신을 만나러 산에 오기 때문이다.

⑤ 산 아랫마을에서 일어난 이야기를 들을 수 있기 때문이다.

해결 전략

작품 이해 주인집 딸인 스테파네트 아가씨를 향한 ❶ ______ '나'의 순수한 사랑을 그린 소설이다. '나'가 자신의 과거를 ❷ ______ 하며 이야기를 들려주는 구조를 취하고 있다.

정답인 이유 ⑤ '나'가 보름마다 찾아오는 꼬마 미아로나 노라드 할머니에게 산 아랫마을 소식을 얘기해 달라고 부탁해서 들었다는 내용이 나타나 있다. '나'는 스테파네트 아가씨를 비롯하여 산 아랫마을의 소식을 들을 수 있기 때문에 행복한 것이다.

답 ❶ 양치기 ❷ 회상

다시 한번 확인!!

• '나'가 처한 상황과 심리

'나'의 상황		'나'의 심리
산에서 ❶ ______ 을/를 돌보면서 사람들을 거의 만나지 못하고 혼자 생활함.	➔	외로움
한 달에 두 번씩 꼬마 미아로나 노라드 할머니가 먹을 것을 가져옴.	➔	반가움, 행복함
산 아랫마을 소식 가운데 주인집 딸인 ❷ ______ 아가씨의 근황에 가장 관심이 있음.	➔	아가씨를 남몰래 좋아함.

답 ❶ 양 ❷ 스테파네트

대표 유형 05 산문에 담긴 심미적 인식 파악하기 – 표현

● **다음 글을 읽고, 물음에 답하시오.**

가 "스님, 빗 좀 빌릴 수 있을까요?"

스님은 갑자기 당황한 얼굴로 나를 바라보셨다. 그제야 파르라니 깎은 스님의 머리가 유난히 빛을 내며 내 눈에 들어왔다. 나는 거기가 비구니들만 사는 곳이라는 사실을 깜박 잊고 엉뚱한 주문을 한 것이었다. 본의 아니게 노스님을 놀린 것처럼 되어 버려서 어쩔 줄 모르고 서 있는 나에게, 스님은 웃으시면서 저쪽 구석에 가방이 하나 있을 텐데 그 속에 빗이 있을지 모르다고 하셨다. [중략] 적어도 오륙 년은 손을 대지 않은 것처럼 보이는 그 가방은 아마도 누군가 산으로 들어오면서 챙겨 들고 온 세속의 짐이었음에 틀림없었다. 가방 속에는 과연 허름한 옷가지들과 빗이 한 개 들어 있었다.

나 나는 그 빗으로 머리를 빗으면서 자꾸만 웃음이 나오는 걸 참을 수가 없었다. 절에서 빗을 찾은 나의 엉뚱함도 우물가에서 숭늉 찾는 격이려니와, 빗이라는 말 한마디에 그토록 당황하고 어리둥절해하던 노스님의 표정이 자꾸 생각나서였다. 그러나 그 순간 나는 보았다. 시간을 거슬러 올라가 검은 머리칼이 있던, 빗을 썼던 그 까마득한 시절을 더듬고 있는 그분의 눈빛을. 이십 년 또는 삼십 년, 마치 물길을 거슬러 올라가는 연어 떼처럼 참으로 오랜 시간이 그 눈빛 위로 스쳐 지나가는 듯했다. 그 순식간에 이루어진 회상의 끄트머리에는 그리움인지 무상함인지 모를 묘한 미소가 반짝하고 빛났다. 나의 실수 한마디가 산사(山寺)의 생활에 익숙해져 있던 그분의 잠든 시간을 흔들어 깨운 셈이니, 그걸로 작은 보시는 한 셈이라고 오히려 스스로를 위로해 보기까지 했다.

– 나희덕, 〈실수〉 천(노

05 이 글의 표현상 특징에 대한 설명으로 적절한 것은?

① 다른 글의 구절을 인용하여 글쓴이의 생각을 뒷받침하고 있다.
② 비유적 표현을 사용하여 스님의 눈빛을 생생하게 표현하고 있다.
③ 속담을 활용하여 실수의 부정적인 면을 강조하여 드러내고 있다.
④ 원래 표현하려는 내용과 반대로 표현하여 주제를 드러내고 있다.
⑤ 모순된 표현을 사용하여 실수가 스님에게 미친 영향을 드러내고 있다.

해결 전략

작품 이해 흔히 부정적으로 인식하는 ❶ ______ 을/를 새로운 시각에서 바라보며 긍정적인 의미를 이끌어 낸 수필이다.

정답인 이유 ② (나)에서 글쓴이는 '마치 물길을 거슬러 올라가는 ❷ ______ 떼처럼'이라는 비유적 표현을 사용함으로써 과거를 회상하는 스님의 눈빛을 생생하게 드러내고 있다.

오답인 이유 ③ 이 글에 '우물가에서 숭늉 찾는 격'이라는 속담을 활용한 표현이 있지만, 실수의 부정적인 면을 강조하고 있는 것은 아니다.

답 ❶ 실수 ❷ 연어

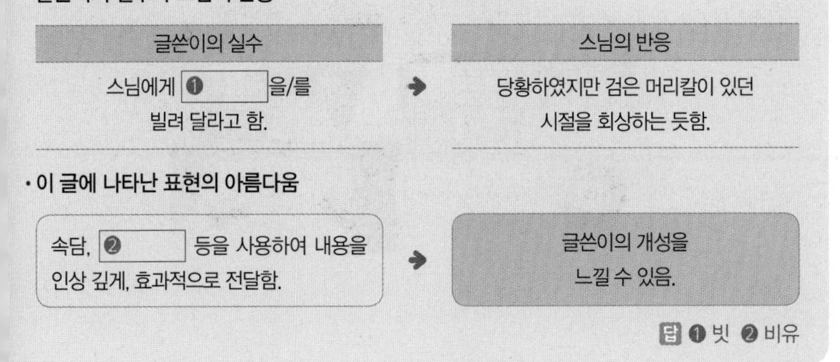

대표 유형 06 산문에 담긴 심미적 인식 파악하기 – 주제

● **다음 글을 읽고, 물음에 답하시오.**

가 하기야 그에게는 자신의 트럭 안에 있는 온갖 야채와 과일이 국내 최고라는 자신이 차고도 넘친다. 최고의 품질만을 고집하고 있다는 장사에 대한 그의 소신은 실제에 있어서도 과히 틀린 바는 없다. 그는 오이 하나를 사는 손님일지라도 이 오이의 산지는 어디이고 도매가격은 또 얼마나 높은 최상품인가를 일일이 설명하느라고 늘 입이 쉴 새가 없다.

나 그는 자신이 파는 물건이 최고라는 소리를 듣기 위해서 트럭 행상을 하는 사람처럼 보인다. 손님이 없을 때는 늘 자신의 물건들을 정리하고 다듬는 일에 몰두해 있는 사람이고 호박 한 개를 집을 때도 두 손으로 조심조심 그것을 받들어 올린다.

다 "이보다 더 좋은 마늘 파는 사람 있으면 어디 나와 보라고 하세요. 정말이에요. 그런 사람이 나 말고 또 있다면, 만약 그렇다면 나 그날로 이 장사 집어치울 거예요. 아니, 정말 그렇게 한다니까요."

내가 보기에는 만약 그런 사람이 나타나면 장사를 집어치우는 것으로 끝낼 그가 결코 아니다. 아마 그 이상의 불행한 일이 일어날지도 모른다. 세상에서 예술가들만큼 자존심이 센 사람은 없으니까. 그리고 최고의 가치만을 추구하는 ㉠주홍 트럭의 그는 분명 예술가임이 틀림없으니까.

– 양귀자, 〈길모퉁이에서 만난 사람〉 천(박)

06 ㉠을 통해 글쓴이가 전달하고자 한 바로 가장 적절한 것은?

① 장사를 할 때에는 무엇보다 신용이 중요하다.

② 예술가들은 자존심이 세므로 대할 때 주의해야 한다.

③ 어떤 일을 하든지 즐기면 경제적으로 크게 성공할 수 있다.

④ 자신의 일에 자부심을 갖고 열심히 살아가는 모습이 아름답다.

⑤ 물건을 많이 팔려면 손님에게 물건의 장점을 잘 설명해야 한다.

해결 전략

작품 이해 평범한 이웃의 삶에 관한 심미적 성찰을 담은 소설이다. 서술자는 자신이 파는 야채와 과일이 최고라는 자부심을 갖고 열심히 살아가는 트럭 ❶ [ ] 을/를 관찰하고 있다.

정답인 이유 ④ 서술자는 자신이 파는 물건이 최고라는 자부심을 갖고 있는 '주홍 트럭의 그'를 ❷ [ ] (이)라고 표현하고 있는데, 이를 통해 자신의 일에 자부심을 갖고 열심히 살아가는 모습의 아름다움을 전달하고 있다.

오답인 이유 ② (다)에 '예술가들만큼 자존심이 센 사람은 없으니까.'라는 표현이 있지만 예술가들을 대할 때 주의해야 한다는 내용과는 거리가 멀다.

⑤ (가)에 물건이 좋다는 것을 손님에게 설명하는 모습이 나타나 있는데, 이는 '그'가 자신이 파는 물건이 최고라는 자부심이 있기 때문이다.

답 ❶ 행상 ❷ 예술가

다시 한번 확인!

• 이 글에 나타난 심미적 인식

서술자는 '주홍 트럭의 그'가 최고의 가치를 추구하는 ❶ [ ] (이)라고 말하며 ❷ [ ], 예찬적 태도를 보임. → 자신의 일에 자부심을 갖고 열심히 살아가는 모습이 아름다움.

답 ❶ 예술가 ❷ 긍정적/우호적

대표 유형 07 독자의 심미적 체험 파악하기 ❶

● **다음 시를 읽고, 물음에 답하시오.**

내가 그의 이름을 불러 주기 전에는
그는 다만 / 하나의 몸짓에 지나지 않았다.

내가 그의 이름을 불러 주었을 때
그는 나에게로 와서 / 꽃이 되었다.

내가 그의 이름을 불러 준 것처럼
나의 이 빛깔과 향기에 알맞는
누가 나의 이름을 불러 다오.
그에게로 가서 나도
그의 꽃이 되고 싶다.

우리들은 모두 / 무엇이 되고 싶다.
너는 나에게 나는 너에게
잊혀지지 않는 하나의 눈짓이 되고 싶다.

– 김춘수, 〈꽃〉 천(박)

07 이 시를 읽은 독자의 감상으로 적절하지 않은 것은?

① 나도 누군가에게 '하나의 눈짓'이 되고 싶다는 생각이 들었어.

② 내 주변을 돌아보니 '꽃'과 같은 친구들이 많다는 것을 깨달았어.

③ 인간과 자연이 공존하는 방법을 찾아야 한다는 깨달음을 얻었어.

④ '이름을 부르다'라는 표현이 인상적이어서 그 의미를 곱씹어 보았어.

⑤ 나도 좋아하는 아이가 있어서 누군가에게 의미 있는 존재가 되고 싶은 화자에게 공감할 수 있었어.

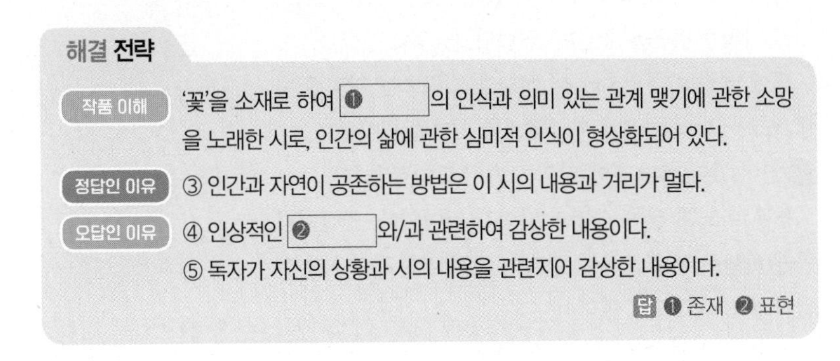
해결 전략

작품 이해 '꽃'을 소재로 하여 ❶ [ ] 의 인식과 의미 있는 관계 맺기에 관한 소망을 노래한 시로, 인간의 삶에 관한 심미적 인식이 형상화되어 있다.

정답인 이유 ③ 인간과 자연이 공존하는 방법은 이 시의 내용과 거리가 멀다.

오답인 이유 ④ 인상적인 ❷ [ ] 와/과 관련하여 감상한 내용이다.
⑤ 독자가 자신의 상황과 시의 내용을 관련지어 감상한 내용이다.

답 ❶ 존재 ❷ 표현

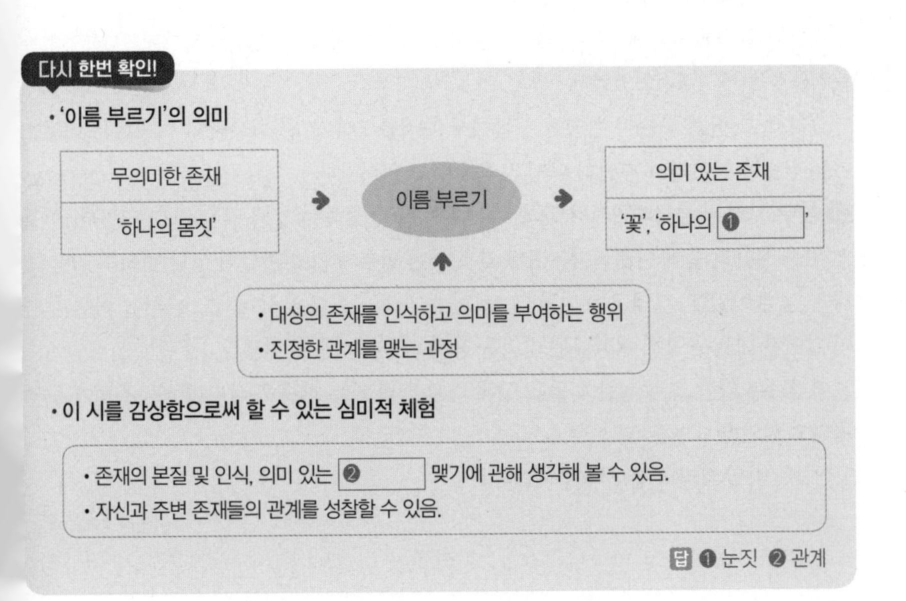

대표 유형 08 독자의 심미적 체험 파악하기 ❷

● 다음 글을 읽고, 물음에 답하시오.

㉮ 연은 언제나 머나먼 하늘 여행을 꿈꾸고 있는 작은 새처럼 보였고, 그래서 언젠가는 실줄을 끊고 마을의 하늘을 떠나가 버릴 것처럼 어머니의 마음을 불안하게 했다.

하지만 연이 그렇게 하늘에 떠올라 있는 동안엔 어머니도 아직은 마음을 놓을 수 있었다. [중략]

연에 실린 아들의 마음이 하늘을 내려오는 저녁 연처럼 조용히 다시 마을로 가라앉기를 기다릴 뿐이었다.

㉯ 연이 있어야 할 곳에 연의 모습이 보이질 않았다.

연은 어느새 실이 끊어져 날아간 것이었다. 빗살처럼 곧게 하늘로 뻗어 오르던 연실이 머리 위를 구불구불 힘없이 흘러 내려오고 있었다.

실이 뻗쳐 올라가 있던 쪽 하늘을 자세히 살펴보니, 아직도 한 점 까만 새처럼 허공 속으로 아득히 멀어져 가고 있는 것이 있었다.

어머니는 아예 밭 언덕에 주저앉아 연의 흔적이 시야에서 사라질 때까지 그 하염없는 눈길을 하늘에 못 박고 있었다.

그리고 그 연의 모습이 완전히 시야에서 자취를 감추고 난 다음에야 어머니는 비로소 가는 한숨을 삼키면서 천천히 다시 자리를 털고 일어났다.

㉰ 앞뒤 사정을 궁금해하거나 집을 나간 녀석을 원망하는 기색 같은 것도 없었다. 아들의 뒤를 서둘러 쫓아 나서려기는커녕 걸음 한번 멈추지 않고 말없이 그냥 녀석의 곁을 지나쳐 갈 뿐이었다. 그러고는 내처 그 텅 빈 초가의 사립문을 들어서고 나서야 아들의 연이 날아간 하늘을 향해 어머니는 발길을 잠깐 머물러 섰을 뿐이었다. [중략]

어머니는 다만 그 무심한 하늘을 향해 다시 한번 가는 한숨을 삼키며 허망스럽게 중얼거리고 있었다.

"아가, 어딜 가거나 몸이나 성하거라……."

– 이청준, 〈연〉 천(노)

08 이 글을 읽은 독자의 감상으로 적절하지 않은 것은?

① '연'의 상태에 따라 달라지는 어머니의 심리가 인상적이었어.

② '연'이 지니고 있는 상징적 의미를 파악하며 읽는 재미가 있었어.

③ 넓은 세상으로 떠나고 싶은 아들의 마음도 한편으로 이해할 수 있었어.

④ 미래에 자녀가 독립할 때 내가 느낄 마음을 간접적으로 경험한 것 같아.

⑤ 자신의 곁을 떠난 아들을 향한 어머니의 원망과 슬픔이 특히 기억에 남아.

해결 전략

작품 이해 '연'을 중심 소재로 하여 방황하는 ❶ ______ 을/를 바라보는 어머니의 마음을 그린 소설이다. 아들이 떠난 사실을 알게 된 뒤에도 아들을 원망하기보다는 염려하면서 안녕을 기원하는 어머니의 사랑이 감동적으로 그려져 있다.

정답인 이유 ⑤ (다)에서 어머니는 떠난 아들을 원망하지 않고 ❷ ______ 을/를 기원하고 있다.

오답인 이유 ③ '연'을 통해 아들이 고향을 떠나고 싶은 욕망을 가지고 있음을 짐작할 수 있으므로 적절한 감상이다.

답 ❶ 아들 ❷ 안녕

다시 한번 확인!

• **실이 끊어져 날아간 연의 의미**

'연'은 아들, 도회지를 향한 아들의 동경과 희망, 자유를 향한 의지 등을 상징함.

➔

• **이 글을 감상함으로써 할 수 있는 심미적 체험**

- '연'의 상징적 의미를 생각해 보며 의미를 풍부하게 해석할 수 있음.
- 아들의 안녕을 기원하며 슬픔을 누르는 어머니의 모습을 통해 절제된 슬픔의 아름다움, 어머니의 ❷ ______ 을/를 깨달을 수 있음.

답 ❶ 어머니 ❷ 사랑

대표 유형 09 시의 사회 · 문화적 배경 파악하기

● **다음 시를 읽고, 물음에 답하시오.**

옛날 밥상머리에는
할아버지 할머니 얼굴이 있었고
어머니 아버지 얼굴과
형과 동생과 누나의 얼굴이 맛있게 놓여 있었습니다.
가끔 이웃집 아저씨와 아주머니
먼 친척들이 와서
밥상머리에 간식처럼 앉아 있었습니다.
어떤 때는 외지에 나가 사는
고모와 삼촌이 외식처럼 앉아 있기도 했습니다.
이런 얼굴들이 풀잎 반찬과 잘 어울렸습니다.

그러나 지금 내 새벽 밥상머리에는
고기반찬이 가득한 늦은 밥상머리에는
아들도 딸도 아내도 없습니다.
모두 밥을 사료처럼 퍼 넣고
직장으로 학교로 동창회로 나간 것입니다.

밥상머리에 얼굴 반찬이 없으니
인생에 재미라는 영양가가 없습니다.

– 공광규, 〈얼굴 반찬〉 비

09 이 시에 반영된 사회·문화적 배경으로 적절한 것은?

① 노인을 위한 사회적 제도가 부족하다.

② 집밥보다 외식을 선호하는 경향이 생겨났다.

③ 개인주의가 확대되면서 가족 공동체가 약화되었다.

④ 환경 오염이 심각해 먹거리에 대한 불안감이 커졌다.

⑤ 평균 수명이 늘어남에 따라 고령 인구의 비율이 높아졌다.

해결 전략

작품 이해 과거와 현재의 ❶ [ ] 풍경을 대조하면서 공동체 의식이 사라지고 개인화된 현대 사회에 대한 문제의식을 드러낸 시이다.

정답인 이유 ③ 화자는 ❷ [ ] 이/가 소박해도 함께 밥을 먹는 사람들이 많았던 과거와 달리 반찬은 풍요로워졌으나 함께 밥을 먹을 사람이 없는 현재를 부정적으로 보고 있다. 개인주의 확대로 가족 공동체가 약화된 사회·문화적 배경이 반영되어 있음을 알 수 있다.

답 ❶ 밥상 ❷ 반찬

다시 한번 확인!!

• 이 시에 반영된 사회·문화적 배경

과거		현재
가족이 모여 함께 밥을 먹고 가끔 이웃이나 친척도 함께 밥을 먹음.	↔	밥을 함께 먹을 사람이 없음.
반찬이 소박함.(풀잎 반찬)		반찬이 풍요로움.(❶ [ ] 반찬)

↓

산업화로 대가족 중심의 가족 공동체가 ❷ [ ] 중심의 가족 공동체로 바뀌고, 이 과정에서 개인주의가 확대되면서 가족 공동체가 약화됨.

답 ❶ 고기 ❷ 핵가족

대표 유형 10 시의 사회·문화적 배경 고려하여 감상하기

● **다음 글을 읽고, 물음에 답하시오.**

가 천만리 머나먼 길에 고운 님 여의옵고(이별하고)
내 마음 둘 데 없어 냇가에 앉았으니
저 물도 내 안(마음) 같아서 울어 밤길 예놋다(흘러가는구나)

– 왕방연, 〈천만리 머나먼 길에〉 지

나 1455년 수양 대군은 어린 조카인 단종의 왕위를 빼앗고 왕이 된다. 이 사람이 곧 세조이다. 이때 세조의 왕위 찬탈에 동조한 이들도 있었지만 그렇지 않은 사람들도 있었다. 후자에 속한 사람들은 두 임금을 섬길 수 없다는 신념으로 단종 복위 운동을 펼친다. 위기를 느낀 세조는 단종을 영월로 유배 보내는데, 단종을 유배지로 호송하는 임무를 맡았던 인물이 왕방연이라고 전해진다. 〈천만리 머나먼 길에〉는 왕방연이 단종을 호송하고 돌아오는 길에 지은 작품이라고 한다.

10 (나)를 참고하여 (가)를 감상한 내용으로 적절하지 않은 것은?

① '천만리'는 단종이 있는 영월에 대한 심리적 거리감으로 볼 수 있겠군.

② '고운 님'은 세조에게 왕위를 빼앗기고 유배당한 단종을 의미하겠군.

③ 단종과 이별한 애절한 마음을 노래하고 있는 시조로 볼 수 있겠군.

④ 냇물에 감정을 이입하여 안타깝고 괴로운 심정을 표현하고 있군.

⑤ 화자는 세조의 왕위 찬탈에 동조한 작가 자신을 의미하겠군.

해결 전략

작품 이해 임과 이별한 애절한 마음을 냇물에 이입하여 드러낸 시조로, 창작 배경을 고려할 때 유배된 ❶ ______에 대한 안타까움과 슬픔을 표현한 작품으로 볼 수 있다.

정답인 이유 ⑤ 화자를 작가로 해석할 수 있지만 작가가 ❷ ______의 왕위 찬탈에 동조하였다고 해석할 근거가 부족하다.

오답인 이유 ① '천만리'는 이별한 슬픔에 따른 심리적 거리감을 극대화한 표현으로, 단종과 이별한 슬픔의 깊이를 드러내고 있다.
② 화자는 '고운 님'과 이별한 상황이므로, (나)의 사회·문화적 배경을 참고할 때 '고운 님'은 유배당한 단종을 의미한다.
④ 냇물에 감정을 이입하여 단종과 이별한 슬픔을 드러내고 있다.

답 ❶ 단종 ❷ 세조

다시 한번 확인!!

• 사회·문화적 배경을 고려한 시어의 의미

❶ ______	단종과 이별한 슬픔의 깊이를 강조함.
고운 님	영월로 유배당한 ❷ ______을/를 가리킴.
물	감정 이입의 대상으로 단종과의 이별로 인한 슬픔을 나타냄.

답 ❶ 천만리 ❷ 단종

대표 유형 11 화자의 태도 평가하기

● **다음 시를 읽고, 물음에 답하시오.**

이 마을도 비었습니다
국도에서 지방도로 접어들어도 호젓하지 않았습니다
폐교된 분교를 지나도 빈 마을이 띄엄띄엄 추웠습니다
그러다가 빨래 널린 어느 집은 생가(生家)보다 반가웠습니다
빨랫줄에 줄 타던 옷가지들이 담 너머로 윙크했습니다
초겨울 다저녁때에도 초봄처럼 따뜻했습니다
꽃보다 꽃다운 빨래꽃이었습니다
꽃보다 향기로운 사람 냄새가 풍겼습니다
어디선가 금방 개 짖는 소리도 들린 듯했습니다
온 마을이 꽃밭이었습니다
골목길에 설핏 빨래 입은 사람들은 더욱 꽃이었습니다
사람보다 기막힌 꽃이 어디 또 있습니까
지나와 놓고도 목고개는 자꾸만 뒤로 돌아갔습니다.

– 유안진, 〈빨래꽃〉 교

11 이 시의 화자를 적절하게 평가한 학생끼리 짝지은 것은?

> 윤서: 화자는 인간적인 정을 그리워하고 있어.
> 승아: 화자는 농촌 지역이 빨리 개발되기를 바라고 있어.
> 준우: 화자는 복잡한 도시를 떠나 자연에서 살아가기를 소망하고 있어.
> 한솔: 화자는 산업화로 농촌 인구가 줄어드는 것을 안타까워하고 있어.

① 윤서, 준우　② 윤서, 한솔　③ 승아, 준우
④ 승아, 한솔　⑤ 준우, 한솔

해결 전략

작품 이해 사람이 드문 시골 마을에서 ❶ ______ 이/가 널려 있는 집을 발견하고 느낀 생기와 반가움을 노래한 시이다. 이 시에는 산업화·도시화로 사람들이 도시로 몰리고 농촌 인구가 줄어든 사회·문화적 배경이 나타나 있다.

정답인 이유 ② 화자는 사람이 드문 시골 마을에서 사람이 살고 있는 집을 발견하고 그 집 빨래에서 느낀 생기와 반가움을 '❷ ______'(으)로 표현함으로써 사람들이 도시로 빠져나가는 오늘날 농촌의 현실을 안타까워하며 인간적인 정을 그리워하고 있다. 따라서 적절하게 평가한 학생은 윤서, 한솔이다.

답 ❶ 빨래 ❷ 빨래꽃

다시 한번 확인!

- **이 시에 나타난 사회·문화적 배경**

• 이 마을도 비었습니다 • 폐교된 분교를 지나도 빈 마을이 띄엄띄엄 추웠습니다	➔	산업화·도시화로 사람들이 ❶ ______ (으)로 떠나 농촌 인구가 줄어듦.

- **화자의 정서 변화**

폐교된 분교와 빈 마을을 볼 때		빨랫줄에 널린 빨래를 볼 때
쓸쓸함, 안타까움을 느낌.	➔	생기, ❷ ______, 따뜻함을 느낌.

답 ❶ 도시 ❷ 반가움

대표 유형 12 오늘날의 삶에 비추어 시 감상하기

● **다음 시를 읽고, 물음에 답하시오.**

물 먹는 소 목덜미에
할머니 손이 얹혀졌다.
이 하루도
함께 지났다고,
서로 발잔등이 부었다고,
서로 적막하다고,

– 김종삼, 〈묵화〉 [지]

12 이 시를 읽고 쓴 감상문에서 내용이 적절하지 않은 것은?

> 이 시에는 ①할머니가 소 목덜미에 손을 얹으며 소를 위로하는 모습이 나타나 있다. ②할머니와 소가 풍요롭고 편안한 일상을 보내고 있으며, ③둘의 관계가 하루하루의 삶을 함께 나누는 관계임을 알 수 있다. 특히 ④서로 적막하다는 표현에서 소가 할머니의 유일한 벗이라는 것을 짐작할 수 있다. 이 시의 할머니처럼 오늘날에도 동물을 가족 또는 친구처럼 여기며 함께 살아가는 사람이 많다. ⑤이 시는 사람이 동물과 서로 위로하고 교감하며 사는 삶의 가치가 담긴 작품으로, 오늘날의 독자에게도 감동과 깨달음을 준다.

해결 전략

작품 이해 할머니의 고단한 삶, 할머니와 ❶ ______ 의 유대감을 절제된 언어 표현과 간결한 형식으로 나타내 여백의 미를 느끼게 하는 시이다.

정답인 이유 ② 5행에서 ❷ ______ 와/과 소가 고된 농사일로 고달프고 힘겨운 삶을 살고 있음을 알 수 있다.

오답인 이유 ③ 3~4행에서 할머니와 소가 삶을 함께 나누는 동반자적 관계임을 알 수 있다.
④ 6행에서 할머니의 쓸쓸함과 외로움을 짐작할 수 있다.

답 ❶ 소 ❷ 할머니

다시 한번 확인!!

• 이 시에 나타난 삶의 모습과 가치

할머니와 ❶ ______ 이/가 농사일을 함께하고 고단한 삶을 위로하며 살아감.	➔	• 사람과 동물이 서로 위로하고 ❷ ______ 하며 사는 삶의 가치 • 주변의 대상과 함께 살아가는 동반자적 관계의 가치

답 ❶ 소 ❷ 교감

대표 유형 13 소설의 사회·문화적 배경 파악하기

● 다음 글을 읽고, 물음에 답하시오.

(가) 길동이 자라 여덟 살이 되자 남달리 총명하여 하나를 들으면 백 가지를 알았다. 아들을 사랑하는 홍 판서의 마음도 더욱 깊어졌지만 길동의 근본이 천한 출생인 것은 어쩔 수가 없었다. 홍 판서는 길동이 호부호형하기라도 하면 곧바로 꾸짖어 못 하게 했다. 그렇다 보니 길동은 열 살이 넘도록 감히 아버지와 형을 제대로 부르지 못했고, 종들에게도 천대를 받아 그 한이 뼈에 사무쳐 마음을 가누지 못했다.

호부호형: 아버지를 아버지라고 부르고 형을 형이라고 부르다.

(나) 서당에서 글을 읽던 길동이 문득 책상을 밀치고 탄식했다.

"대장부가 세상에 나서 공자나 맹자를 본받지 못한다면 차라리 병법을 익히는 게 낫지 않겠는가. 대장인을 허리춤에 비껴 차고 동서를 정벌해 나라에 큰 공을 세우고 이름을 만대에 빛내는 것이 대장부의 통쾌한 일이리라. 이내 한 몸 어찌 이토록 쓸쓸한가. 아버지와 형님이 계시는데도 아버지를 아버지라 부르지 못하고, 형을 형이라 부르지 못하니 심장이 터질 지경이구나. 어찌 원통하지 않겠는가?"

대장인: 대장이 가지던 도장.

길동은 말을 마치고는 뜰에 내려와 검술을 공부했다.

(다) "신의 아비가 나라의 은혜를 많이 입었는데 제가 어찌 감히 나쁜 짓을 하겠사옵니까. 하지만 저는 원래 천한 종의 몸에서 태어나 아버지를 아버지라 부르지 못했고 형을 형이라 부르지 못했사옵니다. 이것이 평생 한으로 맺혀 집을 버리고 도적의 무리로 들어갔습니다. 그러나 백성을 범하는 일은 추호도 없었고 각 읍 수령이 의롭지 못하게 착취한 재물만 빼앗았을 뿐입니다. 십 년이 지나면 조선을 떠나 다른 곳으로 가려 하니, 엎드려 빌건대 성상께서는 근심하지 마시고 신을 잡으라는 명령을 거두옵소서!"

추호: 매우 적거나 조금인 것을 비유적으로 이르는 말.

여덟 길동은 이렇게 말하고는 한꺼번에 넘어졌는데, 모두 풀로 만든 허수아비로 변해 버렸다. 임금이 더욱 놀라 진짜 길동을 잡으라는 공문을 팔도에 다시 내려보냈다.

– 허균, 〈홍길동전〉 [창]

13 이 글을 통해 알 수 있는 당시의 사회·문화적 배경으로 적절하지 않은 것은?

① 부정한 방법으로 재물을 얻는 관리들이 있었다.

② 출세하여 이름을 세상에 떨치는 것을 높이 평가하였다.

③ 양반과 종 사이에서 태어난 서자는 종들에게도 천대를 받았다.

④ 신분과 상관없이 개인의 능력에 따라 인재를 고르게 등용하였다.

⑤ 서자는 아버지를 아버지라 부르지 못하고 형을 형이라 부르지 못하였다.

해결 전략

작품 이해 적서 ❶ [ ] 이/가 심하고, 부패한 탐관오리가 횡포를 부리는 불합리한 현실에 맞서 싸우는 홍길동의 모습을 그린 고전 소설이다.

정답인 이유 ④ (나)의 '공자나 맹자를 본받지 못한다면'에서 길동은 ❷ [ ] (이)기 때문에 문관으로 출세할 수 없음을 알 수 있다. 따라서 신분과 상관없이 개인의 능력에 따라 인재를 고르게 등용하였다는 내용은 적절하지 않다.

오답인 이유 ① (다)의 '각 읍 수령이 의롭지 못하게 착취한 재물'에서 알 수 있다.
② (나)의 '나라에 큰 공을 세우고 ~ 통쾌한 일이리라.'에서 알 수 있다.
⑤ (가)의 '홍 판서는 길동이 호부호형하기라도 하면 ~ 제대로 부르지 못했고'에서 알 수 있다.

답 ❶ 차별 ❷ 서자

다시 한번 확인!!

- 이 글에 반영된 사회·문화적 배경

• 길동이 ❶ [ ] 을/를 아버지라 부르지 못하고, 형을 형이라 부르지 못함. • 종들이 길동을 천대함. • 길동이 출세하여 이름을 떨치기를 소망함.	→	• 적서 차별이 심하여 서자는 ❷ [ ] 할 수 없고 벼슬에 제한이 있음. • 입신양명(立身揚名)을 중요한 가치로 삼음.

답 ❶ 아버지/홍 판서 ❷ 호부호형

대표 유형 14 소설의 사회·문화적 배경 고려하여 감상하기

● **다음 글을 읽고, 물음에 답하시오.**

용골대가 모든 장졸을 뒤로 물린 후, 왕비와 세자, 대군을 모시고 장안의 재물과 미녀를 거두어 돌아갈 채비를 꾸렸다. 오랑캐에게 잡혀가는 사람들의 슬픈 울음소리가 장안을 진동했다. / 박씨가 계화를 시켜 용골대에게 소리쳤다.

"무지한 오랑캐 놈들아! 내 말을 들어라. 조선의 운수가 사나워 은혜도 모르는 너희에게 패배를 당했지만, 왕비는 데려가지 못할 것이다. 만일 그런 뜻을 둔다면 내 너희를 몰살할 것이니 당장 왕비를 모셔 오너라."

하지만 용골대는 오히려 코웃음을 날렸다.

"참으로 가소롭구나. 우리는 이미 조선 왕의 항서를 받았다. 데려가고 안 데려가고는 우리 뜻에 달린 일이니, 그런 말은 입 밖에 내지도 마라."

오히려 욕설만 무수히 퍼붓고 듣지 않자 계화가 다시 소리쳤다.

"너희의 뜻이 진실로 그러하다면 이제 내 재주를 한 번 더 보여 주겠다."

계화가 주문을 외자 문득 공중에서 두 줄기 무지개가 일어나며 모진 비가 천지를 뒤덮을 듯 쏟아졌다. 뒤이어 얼음이 얼고 그 위로는 흰 눈이 날리니, 오랑캐 군사들의 말발굽이 땅에 붙어 한 걸음도 옮기지 못하게 되었다. 그제야 용골대는 사태가 예사롭지 않음을 깨달았다. [중략]

무수히 애원하자 그제야 박씨가 발을 걷고 나왔다.

"원래는 너희의 씨도 남기지 않고 모두 죽이려 했었다. 하지만 내가 사람 목숨 죽이는 것을 좋아하지 않기에 용서하는 것이니, 네 말대로 왕비는 모셔 가지 마라. 너희가 부득이 세자와 대군을 모셔 간다면 그 또한 하늘의 뜻이기에 거역하지 못하겠구나. 부디 조심하여 모셔 가라. 그렇게 하지 않으면 신장과 갑옷 입은 군사를 몰아 너희를 다 죽인 뒤, 너희 국왕을 사로잡아 분함을 풀고 무죄한 백성까지 남기지 않을 것이다."

– 작자 미상, 〈박씨전〉 천(노)

14 〈보기〉를 참고하여 이 글을 감상한 내용으로 적절하지 않은 것은?

보기

1636년, 청 태종이 병자호란을 일으켰다. 용골대가 이끄는 청나라 군이 거침없이 진격하자 인조는 남한산성으로 피신했으나 상황은 점점 나빠져 결국 항복을 결정했다. 이후 조선은 항복의 대가로 엄청난 배상금과 함께 소현 세자와 봉림 대군, 여러 신하와 백성 수십만 명을 인질로 보내야 했다.

① 이 글에는 병자호란의 치욕을 보상받고 싶은 심리가 반영되어 있군.
② 박씨 대신 계화가 나서 싸우는 모습은 신분제의 붕괴를 보여 주는군.
③ 박씨가 용골대에게서 왕비만 구한 것은 역사적 사실을 고려한 것이군.
④ 박씨는 허구적 인물이지만 실존 인물들을 등장시켜 사실감을 부여하였군.
⑤ 박씨가 용골대를 물리치는 모습은 당대 민중에게 대리 만족을 주었겠군.

해결 전략

작품 이해 조선 시대에 있었던 ❶ ______ 을/를 배경으로 하여 박씨 부인의 영웅적 기상과 재주를 그린 고전 소설이다.

정답인 이유 ② 계화가 용골대와 맞서 싸운 것은 박씨의 지시에 따른 것이지, 신분제의 붕괴를 보여 주는 것이 아니다.

오답인 이유 ①, ⑤ 병자호란의 ❷ ______ (이)라는 역사적 사실을 승리로 바꾼 것은 전쟁의 상처를 보상받으려는 당대 민중의 소망이 반영된 것이다.

답 ❶ 병자호란 ❷ 패배

다시 한번 확인!

• 이 글의 내용과 역사적 사실의 관계

역사적 사실	허구적 내용
• 청나라와의 전쟁으로 많은 백성이 죽음. • 많은 사람이 청나라에 ❶ ______ (으)로 끌려감.	박씨가 ❷ ______ 을/를 물리침.

➔ 병자호란의 치욕을 문학에서나마 보상받으려는 당대 민중의 심리를 반영함.

답 ❶ 인질/포로 ❷ 용골대

대표 유형 15 인물의 태도 평가하기

● **다음 글을 읽고, 물음에 답하시오.**

(가) 안미숙　(안경우에게) 김순례 아냐?

안경우　아냐, 안중댁이라고 그러는 거 같던데…….

허영분　그거야 어머님 고향이 안중이고…….

강태국　(안경우를 밀치고 나와) 저리 비켜요! (한심하여 옷들을 주워 올리며) 이름도 모르고, 무슨 옷을 맡겼는지도 모르고……. 그래, 그 어머님 자식들은 맞나요? 세탁소 그렇게 막 하는 거 아닙니다.

(나) 안유식　(일단은 떠밀려 나와) 흐흠, 미안하오. (궁리를 하듯) 우리 어머니가, 병이 오래 되셨는데, 뭐, 오늘을 넘기기가 힘들다고 한단 말이지요. 그래서 하는 말인데……. (또 궁리) 으흠, (포기하고) 아는 사람은 알겠지만, 우리 어머님이 재산이 꽤 됩니다. [중략] 저렇게 식물인간으루다가 누워 지내다가 오늘 돌아가신다 하니까, 무슨 정신이 나는지 '세탁', '세탁' 이렇게 두 마디 간신히 하고 입을 달싹 못 하시니 노인네는 인전 가신다고 봐야겠고 재산은 보전해야 되는 게 장남의…….

(다) 안유식　아, 김 박사님. 예? 임종이요? 아니 찾지도 못했는데……. 아, 예, 그런 게 있어요. 아, 가야지요. (소리 지른다.) 지금 간다니까! (끊는다.)

임종: ① 죽음을 맞이함. ② 부모가 돌아가실 때 그 곁에 지키고 있음.

안미숙　엄마 간대?

허영분　어머님도, 조금만 더 인심 쓰시지 않고. 세탁이 뭐야, 달룽 세탁! [중략]

안유식　(강태국에게 명함을 주며) 나중에라도 생각나는 게 있으면 전화 주시고……. 저희가 다시 오겠습니다. (강태국에게 슬쩍) 명함 보시면 아시겠지만 만에 하나 불미스러운 일이 생기믄, 뭐, 말하지 않아도 아시겠죠?

(라) 강태국　당신들이 사람이야? 어머님 임종은 지키고 온 거야?

사람들　아니!

강태국　에이, 나쁜 사람들. (옷을 가지고 문으로 향하며) 나 못 줘! (울분에 차서) 이게 무엇인지나 알어? 나 당신들 못 줘. 내가 직접 할머니 갖다드릴 거야.

– 김정숙, 〈오아시스 세탁소 습격 사건〉 비

15 이 글에 등장하는 인물들에 대한 평가로 적절하지 않은 것은?

① 강태국은 인간의 도리를 중요하게 생각하는 인물이다.

② 안미숙은 어머니의 죽음을 슬퍼하지 않는 비정한 인물이다.

③ 안유식은 자신의 직업에 자부심을 가지고 있는 정직한 인물이다.

④ 안경우는 어머니의 이름조차 모르는 무심하고 이기적인 인물이다.

⑤ 허영분은 시어머니의 재산을 중요하게 여기는 탐욕스러운 인물이다.

해결 **전략**

작품 이해 평범하고 소박한 ❶ [ ] 을/를 배경으로, 인간의 도리보다 돈을 중시하는 물질 만능주의와 이기주의가 만연한 세태를 풍자한 희곡이다.

정답인 이유 ③ (다)에서 안유식이 강태국에게 ❷ [ ] 을/를 주는 것은 사회적 지위를 내세워 강태국을 위협하기 위한 행동이며, 자신의 직업에 자부심을 가지고 있는 정직한 인물이라고 보기는 어렵다.

오답인 이유 ① (라)의 "당신들이 사람이야? 어머님 임종은 지키고 온 거야?"라는 대사에서 알 수 있다.
② (다)의 "엄마 간대?"라는 대사에서 알 수 있다.
⑤ (다)에서 유산에 대해 자세하게 이야기하지 않은 것을 원망하고 있다.

답 ❶ 세탁소 ❷ 명함

다시 한번 확인!

• **이 글에 나타난 등장인물의 대조**

안유식, 허영분, 안경우, 안미숙		강태국
어머니의 임종을 앞두고 유산 찾기에만 신경을 쓰고 강태국이 찾은 어머니의 옷 보따리를 빼앗으려 함.		할머니의 옷 보따리를 찾았으나, 유산만 생각하는 탐욕스러움에 치를 떨며 돌려주지 않음.
↓		
인간의 도리보다 ❶ [ ] 을/를 중요하게 여기며 탐욕적이고 비인간적임.		물질보다는 ❷ [ ] 의 도리를 중요하게 여김.

답 ❶ 물질/돈 ❷ 인간

대표 유형 16 오늘날의 삶에 비추어 소설 감상하기 ❶

● 다음 글을 읽고, 물음에 답하시오.

(가) 사람들은 거리에 가득 넘쳐 있었다. 크고 작은 자동차는 뺑빵거리면서 씽씽 달려가고 달려오고 하였다. 5층 건물, 3층 건물이 즐비한 거리는 언제나처럼 분주했다. 아무도 나를 붙잡고 왜 뛰느냐고, 노새를 찾아 나선 길이냐고 묻지 않았다. 아무도 네가 찾는 노새가 방금 저쪽으로 뛰어갔다고 걱정 말라고 일러 주지 않았다. 나는 이 사람에게 툭 부딪치고, 저 사람에게 탁 부딪치면서 사뭇 뛰었다. 그러나 뛰면서도 둘레둘레 사방을 쳐다보는 것을 잊지 않았다. [중략]

"이제부터 내가 노새다. 이제부터 내가 노새가 되어야지 별수 있니? 그놈이 도망쳤으니까, 이제 내가 노새가 되는 거지."

기분 좋게 취한 듯한 아버지는 놀라는 나를 보고 히힝 한 번 웃었다. 나는 어쩐지 그런 아버지가 무섭지만은 않았다.

(나) 나는 / "아버지." / 하고 뒤를 따랐으나 아버지는 돌아보지도 않고 어두운 골목길을 나가고 있었다.

나는 그 순간 또 한 마리의 노새가 집을 나가는 것 같은 착각을 일으켰다. 그러고는 무엇인가가 뒤통수를 때리는 것을 느꼈다. 아, 우리 같은 노새는 어차피 이렇게 비행기가 붕붕거리고, 헬리콥터가 앵앵거리고, 자동차가 빵빵거리고, 자전거가 쌩쌩거리는 대처에서는 발붙이기 어려운 것인가 하는 생각이 들었다. 언젠가 남편이 택시 운전사인 칠수 어머니가 하던 말,

"최소한도 자동차는 굴려야지 지금이 어느 땐데 노새를 부려."

했다는 말이 생각났다. 그러나 그것은 잠깐 동안이고 나는 금방 아버지를 쫓았다. 또 한 마리의 노새를 찾아 캄캄한 골목길을 마구 뛰었다.

– 최일남, 〈노새 두 마리〉 미 비

16 이 글을 읽은 독자의 감상으로 적절하지 않은 것은?

① 노새를 잃은 상황에서도 생계를 위해 최선을 다하려는 아버지의 모습이 감동적이야.

② 노새를 통해 도시에 빠르게 적응한 아버지를 상징적으로 보여 주고 있어.

③ 시대가 변해도 가족을 위하는 마음은 변치 않는 가치라는 생각이 들었어.

④ 오늘날에도 시대 변화에 적응하지 못하고 힘겹게 사는 사람이 있을 거야.

⑤ 우리 주변에 소외된 이웃은 없는지 관심을 가져야겠다는 생각이 들었어.

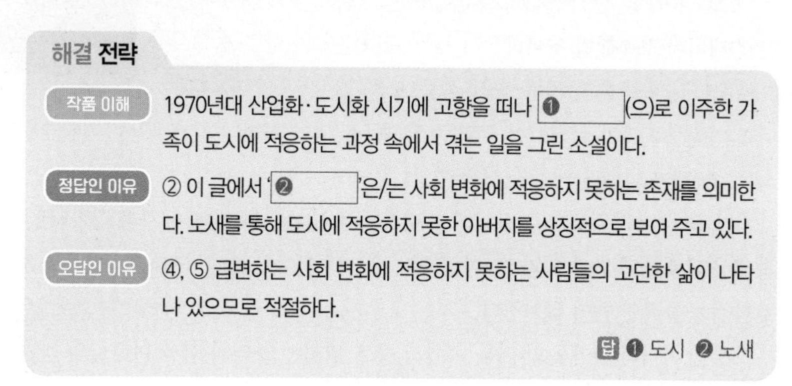

해결 전략

작품 이해 1970년대 산업화·도시화 시기에 고향을 떠나 ❶ (으)로 이주한 가족이 도시에 적응하는 과정 속에서 겪는 일을 그린 소설이다.

정답인 이유 ② 이 글에서 '❷ '은/는 사회 변화에 적응하지 못하는 존재를 의미한다. 노새를 통해 도시에 적응하지 못한 아버지를 상징적으로 보여 주고 있다.

오답인 이유 ④, ⑤ 급변하는 사회 변화에 적응하지 못하는 사람들의 고단한 삶이 나타나 있으므로 적절하다.

답 ❶ 도시 ❷ 노새

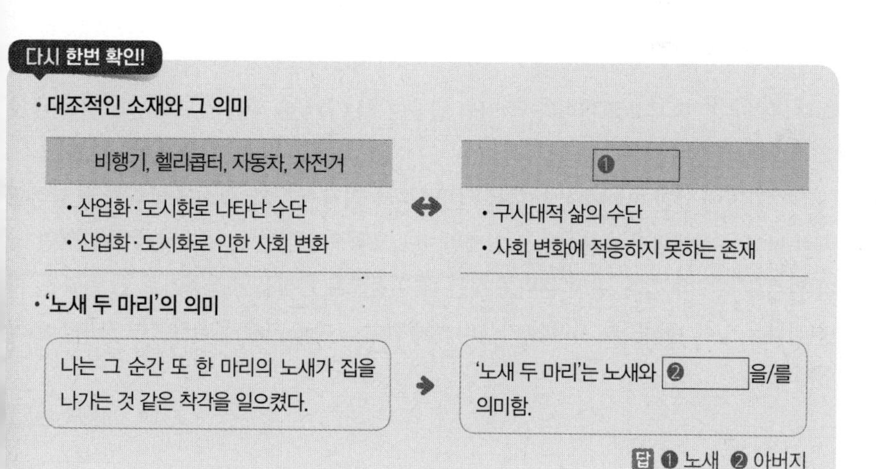

다시 한번 확인!

• 대조적인 소재와 그 의미

비행기, 헬리콥터, 자동차, 자전거	↔	❶
• 산업화·도시화로 나타난 수단 • 산업화·도시화로 인한 사회 변화		• 구시대적 삶의 수단 • 사회 변화에 적응하지 못하는 존재

• '노새 두 마리'의 의미

나는 그 순간 또 한 마리의 노새가 집을 나가는 것 같은 착각을 일으켰다. → '노새 두 마리'는 노새와 ❷ 을/를 의미함.

답 ❶ 노새 ❷ 아버지

대표 유형 17 오늘날의 삶에 비추어 소설 감상하기 ❷

● **다음 글을 읽고, 물음에 답하시오.**

아낙네들은 이제 퀴퀴하고 질척질척한 느낌의 생활 속의 이야기들을 거의 잊어버리고 있었다. 누가 누구보다 미남 탤런트고, 어느 가수가 누구보다 노래를 잘 부른다고 우김질하는 것이 한결 재미가 고소했던 것이다.

텔레비전 바람은 좀처럼 잠잘 줄을 모른 채 더러 가정불화까지 일으키며 꾸역꾸역 밤골을 먹어 가더니만, 3개월쯤 지난 7월이 되어서는 100개가 넘는 안테나가 서게 되었다.

지난해와는 달리 무더운 밤인데도 당산나무 밑에는 모깃불이 지펴지지 않았다. 어둠 속에서 담뱃불이 빨갛게 타고, 어른들이 나누는 이야기 소리가 개구리 울음소리에 섞여 두런두런 들리던 밤이 없어졌다.

그뿐만 아니라 앞개울의 어둠 속에서 물을 튀기는 소리와 함께 여자들의 간지러운 웃음소리도 들을 수가 없었다. 반딧불을 쫓는 애들의 왁자한 외침도 자취를 감추었고, 감자나 옥수수 추렴을 하는 아낙네들의 나들이도 씻은 듯이 없어졌다. 집집마다 텔레비전 앞에 매달려 있는 탓이었다. [중략]

가을로 접어들면서 잔칫집이 생겼지만 일손이 예전과 같지 않았다. 누구도 예전과 같이 밤늦게까지 일을 도와주려 들지 않았다. 날이 어둑어둑해지자 이런저런 이유를 대며 슬슬 자리를 뜨기 시작한 것이다. 주인의 입장에서는 품삯을 주는 것도 아닌데 붙들어 앉힐 수 없는 노릇이었다.

주인은 전에 없던 이 야릇한 변화를 얼핏 알아차리지 못했고, 평소에 앙큼한 짓 잘하던 어린 딸년이 텔레비전 때문이라고 일깨워서야 그렇구나 싶었고, 텔레비전 없는 집만 골라 일손을 모아야 했다. 잔치 준비를 하는 데 처음으로 품삯을 지불하기로 한 주인은, 마당 감나무 잎에 내려앉기 시작한 가을의 썰렁함이 그대로 가슴에 옮겨지는 것을 느끼고 있었다.

– 조정래, 〈마술의 손〉 동

17 다음은 이 글을 읽고 쓴 감상문이다. 이에 대한 설명으로 가장 적절한 것은?

> 마을 사람들이 텔레비전 보는 일에 빠져 이웃과의 소통이 단절되는 모습을 보며 나의 스마트폰 사용 습관을 돌아보았다. 스마트폰으로 많은 정보를 얻을 수 있었지만, 가족이나 친구들과의 대화가 부족해졌음을 깨달았다.

① 작가의 창작 의도를 비판적으로 평가하였다.

② 비슷한 내용을 다룬 다른 작품과 비교하여 감상하였다.

③ 작품의 내용을 바탕으로 독자가 자신의 삶을 성찰하였다.

④ 작품을 창작한 작가의 삶과 관련지어 작품을 해석하였다.

⑤ 소재에 관한 전문 지식을 활용하여 작품의 내용을 이해하였다.

해결 **전략**

작품 이해 시골 마을에 전기가 들어오고 ❶ ______ 이/가 보급되면서 변화하는 마을 사람들의 삶을 그린 소설로, 자본주의적 근대화를 비판하고 있다.

정답인 이유 ③ 이 글에는 텔레비전이 보급된 뒤 마을 사람들이 이야기를 나누고 어울리던 모습이 사라졌음이 나타나 있다. 감상문에서 독자는 이러한 내용을 바탕으로 자신의 ❷ ______ 사용 습관을 돌아보고 있다.

답 ❶ 텔레비전 ❷ 스마트폰

다시 한번 확인!!

• 이 글에 나타난 마을 사람들의 삶

전기 공사 및 텔레비전 보급 전		전기 공사 및 텔레비전 보급 후
• 당산나무 밑에서 이야기를 나누고 앞개울에서 물놀이를 하는 등 마을 사람들이 서로 어울려 지냄. • 사람들이 ❶ ______ 이/가 생기면 밤늦게까지 서로 일을 도움.	➜	• 집집마다 ❷ ______ 앞에만 매달려 있음. • 잔칫집이 생겨도 밤늦게까지 도와주려 하지 않아 텔레비전 없는 집을 골라 품삯을 지불하며 일손을 모음.

답 ❶ 잔칫집 ❷ 텔레비전

대표 유형 18 해석의 근거 파악하기 ①

● **다음 글을 읽고, 물음에 답하시오.**

가 처마 끝에 명태(明太)를 말린다
명태(明太)는 꽁꽁 얼었다
명태(明太)는 길다랗고 파리한 물고긴데
꼬리에 길다란 고드름이 달렸다
해는 저물고 날은 다 가고 별은 서러웁게 차갑다
나도 길다랗고 파리한 명태(明太)다
문(門)턱에 꽁꽁 얼어서
가슴에 길다란 고드름이 달렸다

– 백석, 〈멧새 소리〉 지

나 이 시는 백석의 여러 시 중 드물게 짧고 간결한 시다. 시는 어느 집 처마 끝에 고드름을 매단 채 꽁꽁 얼어붙어 있는 명태를 그리고 있다. 명태는 기다란 데다 얼기까지 했고, 꼬리에 기다란 고드름을 매달고 있어서 더더욱 파리해 보인다. 게다가 "해는 저물고 날은 다" 간 저물녘의 겨울 별이니 서럽도록 차갑기도 할 것이다. '별이 차갑다'라는 모순되는 감각의 이미지는 이런 맥락에서 생성되었다. [중략]

시인 백석은 평북 정주에서 태어나 오산 학교를 거쳐 일본에 유학하고, 이 시를 발표할 당시(1938년)에는 함흥에서 교사로 근무하고 있었다. 원산보다도 훨씬 북쪽인 동해의 항구 도시 함흥, 그곳에서 섬세한 감성의 젊은 시인이 쓸쓸하게 겨울을 넘기고 있었다. 그가 보는 모든 것, 그가 듣는 모든 것이 시가 되었다. "나도 길다랗고 파리한 명태다"라고 썼듯이, ㉠시 속의 명태는 어쩌면 백석 자신의 모습인지도 모른다.

시인의 다른 모습인 화자는 "문턱에 꽁꽁 얼어서 / 가슴에 길다란 고드름"을 매달고 있다. 여기서 화자가 다른 데도 아니고 '문턱'에 얼어 있다는 데 주목할 필요가 있다. 화자가 문턱을 오래 서성였다는 뜻일 텐데, 가슴에 '길다란 고드름'까지 달고 있으니 누군가를 기다리며 오래 속울음을 울고도 남았을 법하다. 하지만 화자가 그렇게 기다리는 사람은 겨우내 오지 않고 있다. 겨울 별이 더욱 '서러웁게' 차가운 까닭이다.

– 정끝별, 〈시 읽기의 네 갈래 길〉 지

18 ㉠과 같은 해석의 근거로 적절한 것끼리 묶은 것은?

> ⓐ 따뜻한 '볕'이 '차갑다'는 모순되는 감각을 드러내고 있다.
> ⓑ 화자는 시인의 다른 모습인데, 화자가 자신을 명태라고 표현하고 있다.
> ⓒ 이 시를 발표할 당시 일본의 억압과 수탈이 심해져 우리 민족이 고통을 겪었다.
> ⓓ 이 시를 발표할 당시 시인은 고향을 떠나 함흥에서 쓸쓸하게 겨울을 보내고 있었다.

① ⓐ, ⓑ ② ⓐ, ⓒ ③ ⓑ, ⓒ ④ ⓑ, ⓓ ⑤ ⓒ, ⓓ

해결 전략

작품 이해 (가)는 고향을 떠나 살아가는 유랑민의 비극적인 삶을 노래한 시이다. (나)는 (가)에 대한 비평문으로, 시의 내용과 표현, 시인의 삶 등을 고려하여 작품을 다양하게 해석하고 해석을 뒷받침하는 구체적인 ❶ [ ] 을/를 제시하고 있다.

정답인 이유 ④ 함흥에 머물며 ❷ [ ] 을/를 보내던 시인의 상황과 '나도 길다랗고 파리한 명태다'라는 표현을 바탕으로 이 시의 '명태'는 시인 백석의 모습을 의미한다고 해석하고 있다.

답 ❶ 근거 ❷ 겨울

다시 한번 확인!

• ㉮에 대한 ㉯의 해석

• 원산보다도 훨씬 북쪽인 동해의 항구 도시 함흥, 그곳에서 섬세한 감성의 젊은 시인이 쓸쓸하게 겨울을 넘기고 있었다.
• "나도 길다랗고 파리한 명태다"라고 썼듯이, 시 속의 ❶ [ ] 은/는 어쩌면 백석 자신의 모습인지도 모른다.

➜

• '명태'는 시인 백석의 모습을 의미함.
• 이 시는 ❷ [ ] 의 쓸쓸한 내면을 담고 있음.

답 ❶ 명태 ❷ 시인

대표 유형 19 해석의 근거 파악하기 ❷

● **다음 시를 읽고, 물음에 답하시오.**

나는 나룻배
당신은 행인.

당신은 흙발로 나를 짓밟습니다.
나는 당신을 안고 물을 건너갑니다.
나는 당신을 안으면 깊으나 얕으나 급한 여울이나 건너갑니다.

만일 당신이 아니 오시면 나는 바람을 쐬고 눈비를 맞으며 밤에서 낮까지 당신을 기다리고 있습니다.

당신은 물만 건너면 나를 돌아보지도 않고 가십니다그려.
그러나 당신이 언제든지 오실 줄만은 알아요.
나는 당신을 기다리면서 날마다 날마다 낡아 갑니다.

나는 나룻배
당신은 행인.

– 한용운, 〈나룻배와 행인〉

19 이 시를 다음과 같이 해석한 근거로 가장 적절한 것은?

> '당신'은 강을 건너기 위해 '나'를 필요로 하는 나약한 존재이며, 반대로 '나'는 사랑의 힘을 통해 어떤 역경도 이겨 낼 수 있는 강인한 존재이다.
>
> – 한계전, 〈한계전의 명시 읽기〉 금

① 이 시에는 수미상관의 구조가 나타난다.

② 이 시의 '당신'은 '나'보다 우월한 존재이다.

③ 이 시를 지은 시인은 독립운동에 참여했던 승려이다.

④ 이 시의 '당신'은 '나'에게 무관심하고 '나'는 '당신'을 맹목적으로 기다린다.

⑤ 이 시의 '나'는 '당신'에게 강을 건너기 위한 도구로 여겨지면서도 '당신'에게 헌신하는 존재이다.

해결 전략

작품 이해 '나'와 '당신'의 관계를 ❶ [ ] 와/과 행인에 빗대어, 인내와 희생을 통한 참된 사랑의 실천을 노래한 시이다.

정답인 이유 ⑤ '당신'은 '나'를 도구나 수단으로 보고 있지만 이와 상관없이 '나'가 '당신'에게 ❷ [ ] 하는 태도에 주목하여 '나'를 사랑의 힘으로 역경을 이겨 낼 수 있는 강인하고 능동적인 존재로 해석하고 있다.

답 ❶ 나룻배 ❷ 헌신

다시 한번 확인!!

• 이 시의 '나'와 '당신'에 대한 다양한 해석

	작품 자체	승려로서의 시인의 삶	창작 당시의 시대 상황
'❶ [ ]'	'당신'을 기다리는 이	승려	독립운동가
'❷ [ ]'	사랑하는 임	불교적 진리, 부처, 중생	빼앗긴 조국, 조국의 광복

답 ❶ 나 ❷ 당신

대표 유형 20 근거를 들어 작품 해석하기 ❶

● 다음 글을 읽고, 물음에 답하시오.

가 아무도 그에게 수심(水深)을 일러 준 일이 없기에
흰나비는 도무지 바다가 무섭지 않다.

청(靑)무우밭인가 해서 내려갔다가는
어린 날개가 물결에 절어서 / 공주처럼 지쳐서 돌아온다.

삼월달 바다가 꽃이 피지 않아서 서글픈
나비 허리에 새파란 초생달이 시리다.

– 김기림, 〈바다와 나비〉

나 이 시는 1930년대 한국 문단의 모더니즘을 주도하면서 서구 문명 지향의 '새로운 생활'을 동경하였던 김기림 시인의 대표작이다. 이미지를 중시한 1930년대 모더니스트의 시답게 '흰나비'와 '청무우밭', '초생달'과 삼월의 '바다'가 대비를 이루는 흰색과 청색의 시각적 이미지가 선명하다. [중략]

먼저 "어린 날개가 물결에 절어서"라는 구절부터 살펴보자. '절다'라는 동사는 '무언가가 배어들거나 무언가에 의하여 영향을 받게 되다.' 혹은 '걸을 때 기우뚱거리다.'라는 뜻으로 쓰인다. 바다 물결과 그 짜디짠 소금기에 흰나비의 날개가 젖어서 절었을 수도 있고, 그래서 날개를 기우뚱하게 절 수도 있겠다.

– 정끝별, 〈나비의 '허리'를 보다〉 동

20 (나)에 대한 설명으로 적절한 것끼리 묶은 것은?

㉠ 독자에게 주는 감동과 교훈 등에 주목하여 (가)를 해석했다.
㉡ 시인이 모더니스트로서 이미지를 중시한 점에 주목하여 (가)를 해석했다.
㉢ '절다'의 뜻을 두 가지로 해석할 수 있는 점에 주목하여 (가)를 해석했다.
㉣ 시에서 반복되는 음운을 통해 형성된 운율에 주목하여 (가)를 해석했다.

① ㉠, ㉡ ② ㉠, ㉣ ③ ㉡, ㉢
④ ㉡, ㉣ ⑤ ㉢, ㉣

해결 전략

작품 이해 (가)는 '바다'와 '나비'의 ❶ [ ] 대비를 통해 새로운 세계에 대한 동경과 좌절을 노래한 시이다. (나)는 (가)에 대한 ❷ [ ](으)로, 시인의 특징, 시구의 의미, 시대적 상황 등을 근거로 하여 작품을 해석하고 있다.

정답인 이유 ③ (나)의 첫 번째 문단에서는 모더니스트로서 이미지를 중시한 시인의 특징에 주목하여 해석하고 있고, 두 번째 문단에서는 '절다'의 뜻에 따라 시구를 두 가지 의미로 해석하고 있다.

답 ❶ 색채 ❷ 비평문

다시 한번 확인!!

• ㉮에 대한 ㉯의 해석

해석		근거
'흰나비'와 '청무우밭', '초생달'과 '바다'가 대비를 이루는 흰색과 ❶ [ ]의 시각적 이미지가 선명함.	➔	시인이 모더니스트로서 이미지를 중시하였음.
'어린 날개가 물결에 ❷ [ ]'는 바다 물결과 소금기에 날개가 젖어서 절었다, 날개를 기우뚱하게 전다의 의미로 해석할 수 있음.	➔	동사 '절다'가 두 가지 뜻으로 쓰임.

답 ❶ 청색 ❷ 절어서

대표 유형 21 근거를 들어 작품 해석하기 ❷

● 다음 글을 읽고, 물음에 답하시오.

그 사이 용왕은 병이 더욱 깊어져 움직이지를 못했는데, 토끼를 보고는 새 정신이 왈칵 솟았다. 용왕은 창문을 열어 큰 소리로 토끼에게 분부를 내렸다.

"과인은 옥황상제의 명을 받아 이 남해를 지켜 왔다. 또 인간에게는 비를 주고, 바다의 생물을 위하여 은혜를 널리 베풀며 열심히 살아왔다. 그러다가 우연히 병을 얻게 되어 오늘에 이르렀구나. 토끼의 간이 아니면 다른 약이 없는 처지에 별주부가 충성심을 발휘해 그 험한 육지에 가서 너를 잡아 왔느니라.

네 간을 내어 먹고 짐의 병이 낫는다면, 토끼 너의 공을 어찌 잊겠느냐. 우리 용궁 최고의 건축물인 기린각 능운대에 네 이름을 새겨 길이 보존할 것이다. 그게 아니면 네가 원하는 것은 다 이루어 주마. 목숨을 바쳐 명분을 이루는 것 또한 의미 있는 삶이 아니겠느냐. 그러니 조금도 서러워하지 말고 어서 칼을 받거라."

용왕의 청천벽력(靑天霹靂) 같은 분부를 받은 토끼는 아무 대답도 못하고 고개를 들어 임금을 바라보며 눈물만 뚝뚝 떨어뜨렸다. [중략]

"이달 15일에 명산으로 널리 알려진 낭야산에서 저희 짐승들의 모임이 있었습니다. 그때 제 간을 빼내 파초잎에 곱게 싸서 낭야산 최고봉에 우뚝 선 노송 가지에 높이 매달아 놓고 모임에 나갔다가 저 별주부를 만나 곧바로 따라왔습니다. 다음 달 초하룻날이나 되어야 배 속에 다시 넣을 간을 어찌 가져올 수 있었겠습니까?"

– 작자 미상, 〈토끼전〉 천(노)

21 다음은 이 글에 대한 독자의 해석이다. 빈칸에 들어갈 말로 가장 적절한 것은?

> 유진: 용왕은 권력을 이용해 토끼의 간을 얻어 병을 치료하려고 해. 토끼의 목숨을 빼앗아서라도 자신의 병을 치료하려는 이기적인 용왕의 모습을 중심으로 볼 때 이 글의 주제는 (   )(이)야.

① 위기를 극복하는 지혜의 중요성
② 타인을 위해 베풀고 배려하는 삶의 가치
③ 맡은 일에 최선을 다하는 우직한 충성심의 가치
④ 빠른 상황 파악 능력과 상황에 따른 융통성의 필요성
⑤ 자신을 위해 백성을 희생시키는 지배 계층을 향한 비판

해결 전략

작품 이해 판소리계 소설이자 ❶ ______ 을/를 의인화한 우화 소설로, 조선 시대의 다양한 계층의 인물들을 풍자하고 있다.

정답인 이유 ⑤ 권력을 이용해 자신의 병 치료라는 욕심을 채우려는 ❷ ______ 의 행동에 주목할 때, 이 글의 주제는 자신의 욕심을 채우려고 백성을 희생시키는 지배 계층을 향한 비판이라고 할 수 있다.

답 ❶ 동물 ❷ 용왕

다시 한번 확인!

• 이 글의 등장인물이 상징하는 계층과 창작 의도

토끼	백성	➔	고난을 극복하는 ❶ ______ 와/과 헛된 욕심을 버리는 태도를 강조함.
용왕	지배 계층	➔	자신을 위해 힘없는 ❷ ______ 을/를 희생시키는 지배 계층을 비판함.
별주부	신하	➔	우직한 충성심을 강조함.

답 ❶ 지혜 ❷ 백성

대표 유형 22 다양한 해석 비교하기

● 다음 시를 읽고, 물음에 답하시오.

봄은
남해에서도 북녘에서도
오지 않는다.

너그럽고
빛나는
봄의 그 눈짓은,
제주에서 두만까지
우리가 디딘
아름다운 논밭에서 움튼다.

겨울은,
바다와 대륙 밖에서
그 매운 눈보라 몰고 왔지만
이제 올
너그러운 봄은, 삼천리 마을마다
우리들 가슴속에서
움트리라.

움터서,
강산을 덮은 그 미움의 쇠붙이들
눈 녹이듯 흐물흐물
녹여 버리겠지.

– 신동엽, 〈봄은〉

22 **다음은 이 시에 대한 독자의 해석이다. 이에 대한 설명으로 적절하지 않은 것은?**

> 민호: 지금은 '미움의 쇠붙이들'이 '강산을 덮은' 겨울이지만 '이제 올 너그러운 봄'은 그 '미움의 쇠붙이들'을 녹여 버릴 것이라고 기대하고 있는 것으로 보아, 이 시는 절망스러운 상황에서 희망을 노래한 시야.
> 한주: 이 시가 우리나라의 분단 현실을 바탕으로 쓰였다고 알고 있어. 그렇다면 '봄'은 우리의 힘으로 남과 북이 통일된 상황을 의미하는 것이고, 이 시는 통일에 대한 염원을 노래한 시라고 할 수 있어.

① 민호는 시에 나타난 표현을 바탕으로 해석하였다.

② 한주는 시에 반영된 시대 상황을 바탕으로 해석하였다.

③ 민호는 절망스러운 상황에서 희망을 노래한 시로 해석하였다.

④ 한주는 남과 북이 분단된 현실을 참고하여 시어의 의미를 파악하였다.

⑤ 민호와 한주의 해석이 다른 까닭은 해석의 대상이 된 시가 다르기 때문이다.

해결 전략

작품 이해 상징적 소재인 '❶ ______'와/과 '겨울'의 대립을 통해 시상을 전개하며 통일에 대한 ❷ ______을/를 노래한 시이다.

정답인 이유 ⑤ 민호와 한주 모두 시 〈봄은〉을 해석하고 있다.

답 ❶ 봄 ❷ 염원

다시 한번 확인!

• **문학 작품 해석의 다양성**

• 민호는 시 〈봄은〉을 절망스러운 상황에서 희망을 노래한 시로 해석함.
• 한주는 시 〈봄은〉을 ❶ ______에 대한 염원을 노래한 시로 해석함.

→ 같은 문학 작품이라도 작품을 해석하는 방법이나 ❷ ______의 지식, 경험, 가치관 등에 따라 다양하게 해석할 수 있음.

답 ❶ 통일 ❷ 독자

memo

[이미지 출처]

• 4쪽 숲 _ 셔터스톡

• 6쪽 정자 _ 게티이미지뱅크

시험에 잘 나오는

대표 유형 ZIP

시험에 잘 나오는 대표 유형 ZIP

중학 국어
문학 2

시험에 잘 나오는

대표 유형 ZIP

중학 국어
문학 2

이 책의

차례

중2 문학 대표 유형을
시험에 잘 나오는
문제로 확인해 봐.

대표 유형 01 화자 이해하기 ❶

● **다음 시를 읽고, 물음에 답하시오.**

나는 나룻배
당신은 행인.

당신은 흙발로 나를 짓밟습니다.
나는 당신을 안고 물을 건너갑니다.
나는 당신을 안으면 깊으나 옅으나 급한 여울이나 건너갑니다.

만일 당신이 아니 오시면 나는 바람을 쐬고 눈비를 맞으며 밤에서 낮까지 당신을 기다리고 있습니다.
당신은 물만 건너면 나를 돌아보지도 않고 가십니다그려.
그러나 당신이 언제든지 오실 줄만은 알아요.
나는 당신을 기다리면서 날마다 날마다 낡아 갑니다.

나는 나룻배
당신은 행인.

– 한용운, 〈나룻배와 행인〉 천(박) 교

01 이 시의 화자에 대한 설명으로 적절하지 않은 것은?

① 시에 표면적으로 드러나 있다.

② 자신을 '나룻배'에 비유하고 있다.

③ '당신'을 인내하며 기다리고 있다.

④ '당신'을 향해 헌신하는 태도를 드러내고 있다.

⑤ 자신의 곁을 떠난 '당신'을 강하게 비판하고 있다.

해결 전략

개념 확인 화자는 시에서 말하는 이를 가리킨다. 이 시의 화자는 '나'로, '당신'을 향한 절대적인 믿음과 ❶ ____ 을/를 노래하고 있다.

정답인 이유 ⑤ 이 시에서 화자가 자신의 곁을 '당신'을 강하게 비판하는 모습은 나타나 있지 않다.

오답인 이유 ③ '만일 당신이 아니 오시면~당신을 기다리고 있습니다.'에 '당신'을 향한 화자의 인내와 ❷ ____ 이/가 드러나 있다.

답 ❶ 사랑 ❷ 기다림

다시 한번 확인!

• 화자와 시적 대상

화자	시적 대상
• '나' • 자신을 ❶ ____ 에 빗댐.	• 당신 • '당신'을 ❷ ____ 에 빗댐.

• '나'와 '당신'의 태도

나 → 헌신, 희생, 인내, 믿음 → 당신

당신 → 무심함, 무정함 → 나

답 ❶ 나룻배 ❷ 행인

대표 유형 02 화자 이해하기 ❷

● **다음 시를 읽고, 물음에 답하시오.**

오십 리 길 짐차에 실려 왔어유
멀미도 가시기 전에
낯선 거리 쏴댕기면서
지 몸 살 사람 찾고 있지유
목마름은 이냥저냥 견딜 수 있슈
헌디, 볼기짝 쥐어뜯으며
살결이 거칠다느니
단맛이 무르다느니 허진 말어유
지 몸이 그냥 지 몸인가유
이만한 몸띵이 하나 살리기 위해서도
하느님 손 농부 손 고루 탔어유
그러니께 지폐 한 장으루다
우리 식구 사돈에 팔촌까지 두루 사 가는 선상님들
몸값이나 후하게 쳐주셔야겄슈

– 이재무, 〈딸기〉 천(박)

02 이 시의 화자에 대한 설명으로 적절하지 않은 것은?

① 이 시의 화자는 사람이 아니다.

② 자신을 사 갈 손님을 기다리고 있다.

③ 좋지 못한 자신의 상태에 불만을 가지고 있다.

④ 자연물의 관점에서 내용을 실감 나게 전달하고 있다.

⑤ 자신이 자라는 데 자연과 농부의 도움이 있었다고 말하고 있다.

해결 전략

작품 이해 이 시의 화자는 사투리를 쓰는 ❶ ______ (이)다. 이를 통해 내용을 실감 나게 전달하고 시를 읽는 재미를 주고 있다.

정답인 이유 ③ 화자는 딸기의 상태가 좋지 않다는 말은 하지 말고 손님이 제값에 사 주기를 바라고 있다. 자신의 상태에 관한 화자의 불만은 드러나 있지 않다.

오답인 이유 ① 화자는 사람이 아닌 딸기이다.
② '지 몸 살 사람 찾고 있지유'에 나타나 있다.
④ 자연물인 딸기의 관점에서 농작물이 수확되기까지의 수고로움과 농작물의 ❷ ______ 을/를 전달하고 있다.
⑤ '이만한 몸띵이 하나~농부 손 고루 탔어유'에 나타나 있다.

답 ❶ 딸기 ❷ 가치

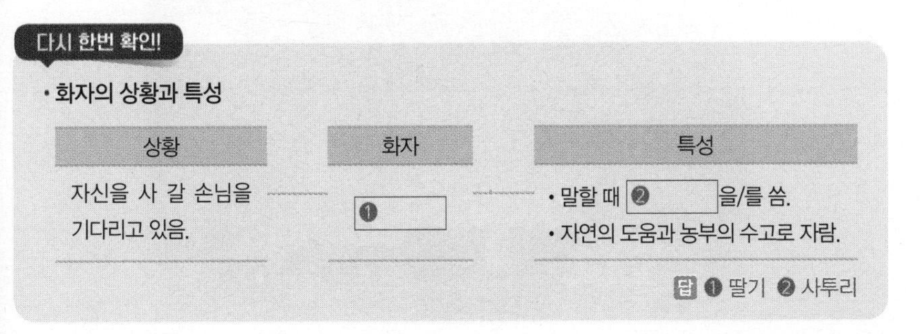

다시 한번 확인!

• 화자의 상황과 특성

상황	화자	특성
자신을 사 갈 손님을 기다리고 있음.	❶ ______	• 말할 때 ❷ ______ 을/를 씀. • 자연의 도움과 농부의 수고로 자람.

답 ❶ 딸기 ❷ 사투리

대표 유형 03 시적 상황 파악하기

● **다음 시를 읽고, 물음에 답하시오.**

높은 가지를 흔드는 매미 소리에 묻혀
내 울음 아직은 노래 아니다.

차가운 바닥 위에 토하는 울음,
풀잎 없고 이슬 한 방울 내리지 않는
지하도 콘크리트 벽 좁은 틈에서
숨 막힐 듯, 그러나 나 여기 살아 있다
귀뚜르르 뚜르르 보내는 타전 소리가
누구의 마음 하나 울릴 수 있을까.

지금은 매미 떼가 하늘을 찌르는 시절
그 소리 걷히고 맑은 가을이
어린 풀숲 위에 내려와 뒤척이기도 하고
계단을 타고 이 땅 밑까지 내려오는 날
발길에 눌려 우는 내 울음도
누군가의 가슴에 실려 가는 노래일 수 있을까.

– 나희덕, 〈귀뚜라미〉 미

03 이 시의 화자가 처해 있는 상황으로 적절하지 않은 것은?

① '높은 가지를 흔드는 매미 소리'에 자신의 울음이 묻히고 있다.

② '이슬 한 방울 내리지 않는' 열악한 환경에 처해 있다.

③ '지하도 콘크리트 벽 좁은 틈'에서 가을을 기다리고 있다.

④ '숨 막힐 듯'한 곳에서도 자신의 존재를 알리고 있다.

⑤ '매미 떼'의 도움을 받아 고난을 극복하고 있다.

해결 전략

작품 이해 이 시는 ❶ ______ 을/를 화자로 설정하여 누군가의 가슴에 감동을 주는 노래를 부르고 싶은 소망을 노래하고 있다.

정답인 이유 ⑤ 매미 소리 때문에 귀뚜라미의 울음이 들리지 않고 있으므로, ❷ ______ 떼의 도움을 받아 고난을 극복하고 있다는 설명은 적절하지 않다.

오답인 이유 ① 현재 귀뚜라미의 울음은 매미 소리에 묻히는 작은 소리이다.
②, ③ 귀뚜라미는 열악하고 어려운 환경에서 가을을 기다리고 있다.
④ 귀뚜라미는 어려운 환경에서도 자신을 알리려는 의지를 드러내고 있다.

답 ❶ 귀뚜라미 ❷ 매미

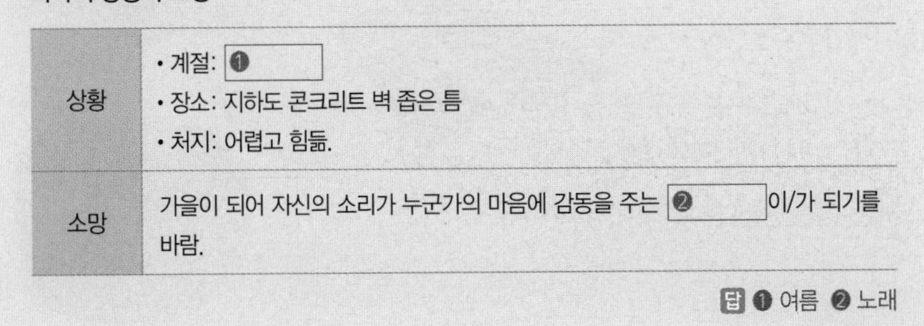

다시 한번 확인!

- 이 시의 화자: '나'(귀뚜라미)
- 화자의 상황과 소망

상황	• 계절: ❶ ______ • 장소: 지하도 콘크리트 벽 좁은 틈 • 처지: 어렵고 힘듦.
소망	가을이 되어 자신의 소리가 누군가의 마음에 감동을 주는 ❷ ______ 이/가 되기를 바람.

답 ❶ 여름 ❷ 노래

대표 유형 04 화자의 정서와 태도 파악하기 ❶

● 다음 시를 읽고, 물음에 답하시오.

열무 삼십 단을 이고
시장에 간 우리 엄마
안 오시네, 해는 시든 지 오래
나는 찬밥처럼 방에 담겨
아무리 천천히 숙제를 해도
엄마 안 오시네, 배춧잎 같은 발소리 타박타박
안 들리네, 어둡고 무서워
금 간 창틈으로 고요히 빗소리
빈방에 혼자 엎드려 훌쩍거리던

아주 먼 옛날
지금도 내 눈시울을 뜨겁게 하는
그 시절, 내 유년의 윗목

– 기형도, 〈엄마 걱정〉 천(박) 천(노)

04 이 시에 나타난 화자의 정서와 태도로 적절하지 않은 것은?

① 어른이 되어 유년 시절을 회상하며 슬픔을 느끼고 있다.

② 유년 시절에 엄마를 기다리며 늦게 오는 엄마를 원망하였다.

③ 엄마를 기다리던 유년 시절의 자신에게 안타까움을 느끼고 있다.

④ 유년 시절 해가 진 뒤에도 빈방에 혼자 있으면서 두려움을 느꼈다.

⑤ 자신에게 유년 시절은 차갑고 시린 느낌을 주는 시절이라고 생각하고 있다.

해결 전략

작품 이해 이 시에는 어른이 된 화자가 자신의 유년 시절을 ❶ ______ 하며 느끼는 슬픔이 드러나 있다.

정답인 이유 ② 화자는 유년 시절에 시장에 간 엄마를 집에서 혼자 기다렸는데, 늦게 오는 엄마를 원망하는 태도는 나타나 있지 않다.

오답인 이유 ①, ③ 이 시의 화자는 어른이 된 '나'로 유년 시절을 회상하며 슬픔과 안타까움을 느끼고 있다.
④ 1연의 '어둡고 무서워'에서 화자가 유년 시절에 느낀 정서를 알 수 있다.
⑤ 2연의 '내 유년의 ❷ ______'에서 화자에게 유년 시절이 차갑고 시린 느낌을 주는 시절임을 짐작할 수 있다.

답 ❶ 회상 ❷ 윗목

다시 한번 확인!

- **이 시의 화자**: '나'(어른이 된 '나')
- **화자의 상황과 정서**

	1연	2연
상황	유년 시절 혼자 집에서 시장에 가신 ❶ ______ 을/를 기다림.	어른이 되어 자신의 ❷ ______ 을/를 회상함.
정서	외로움, 두려움, 쓸쓸함	슬픔, 서글픔, 안타까움

답 ❶ 엄마 ❷ 유년 시절

대표 유형 05 화자의 정서와 태도 파악하기 ❷

● **다음 시를 읽고, 물음에 답하시오.**

고향에 고향에 돌아와도 / 그리던 고향은 아니러뇨.

산꿩이 알을 품고
뻐꾸기 제철에 울건만,

마음은 제 고향 지니지 않고
머언 항구로 떠도는 구름.

오늘도 뫼 끝에 홀로 오르니
흰 점 꽃이 인정스레 웃고,

어린 시절에 불던 풀피리 소리 아니 나고
메마른 입술에 쓰디쓰다.

고향에 고향에 돌아와도 / 그리던 하늘만이 높푸르구나.

– 정지용, 〈고향〉 천(노)

05 이 시에 나타난 화자의 정서와 태도로 적절하지 <u>않은</u> 것은?

① 고향 어디에서도 위안을 얻지 못하고 있다.

② 고향에 돌아왔지만 마음이 계속 방황하고 있다.

③ 고향이 자신에게 안정을 주지 못하는 곳임을 깨닫고 있다.

④ 산업화 때문에 변해 버린 고향의 풍경을 안타까워하고 있다.

⑤ 돌아온 고향이 마음속으로 그리워하던 고향이 아니라고 생각하고 있다.

해결 전략

작품 이해 이 시는 ❶ [ ] 에 돌아온 화자가 변함없는 고향의 모습을 확인하지만 마음속에 간직한 과거의 고향이 아님을 깨닫고 그 상실감을 노래하고 있는 작품이다.

정답인 이유 ④ 2연과 4연에서 고향의 자연은 변하지 않았음을 알 수 있다. 또한 고향이 산업화 때문에 변하였다는 내용은 나타나 있지 않다.

오답인 이유 ①, ②, ③ 3연 '마음은 제 고향~떠도는 ❷ [ ] '에서 화자가 마음의 안식처를 상실하였다는 것을 알 수 있다.

⑤ 1연에서 고향에 돌아왔지만 마음속으로 그리던 과거의 고향이 아니라고 말하고 있다.

답 ❶ 고향 ❷ 구름

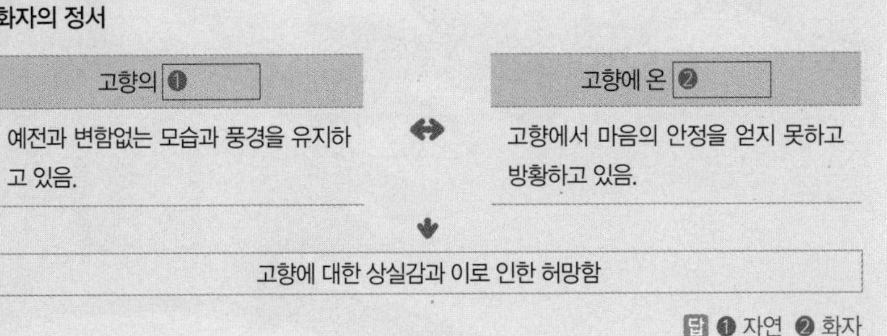

대표 유형 06 화자의 어조 파악하기

● 다음 시를 읽고, 물음에 답하시오.

나는 북관(北關)에 혼자 앓어누워서
어느 아츰 의원을 뵈이었다
의원은 여래(如來) 같은 상을 하고 관공(關公)의 수염을 드리워서
먼 옛적 어느 나라 신선 같은데
새끼손톱 길게 돋은 손을 내어
묵묵하니 한참 맥을 짚더니
문득 물어 고향이 어데냐 한다
평안도 정주라는 곳이라 한즉
그러면 아무개 씨 고향이란다
그러면 아무개 씰 아느냐 한즉 / 의원은 빙긋이 웃음을 띠고
막역지간(莫逆之間)이라며 수염을 쓴다
나는 아버지로 섬기는 이라 한즉
의원은 또다시 넌즈시 웃고 / 말없이 팔을 잡어 맥을 보는데
손길은 따스하고 부드러워
고향도 아버지도 아버지의 친구도 다 있었다

– 백석, 〈고향〉 천(노)

06 이 시에 나타난 화자의 어조에 대한 설명으로 적절한 것은?

① 비판하는 어조로 의원의 불친절함을 드러내고 있다.
② 감탄하는 어조로 북관 지역의 아름다움을 드러내고 있다.
③ 다정다감한 어조로 고향을 향한 그리움을 드러내고 있다.
④ 슬픈 어조로 고향에 가지 못하는 안타까움을 드러내고 있다.
⑤ 쓸쓸한 어조로 변해 버린 고향에 대한 실망감을 드러내고 있다.

해결 전략

작품 이해 이 시의 화자는 낯선 타향에서 홀로 앓아누웠다가 아버지로 섬기는 이와 친구라는 ❶ [ ] 을/를 만나고, 그의 손길에서 고향과 가족을 떠올리고 있다.

정답인 이유 ③ 화자는 의원의 따스한 ❷ [ ] 에서 고향과 가족을 향한 그리움을 느끼고 있는데, 이를 다정다감한 어조로 표현하고 있다.

오답인 이유 ① 화자는 의원의 손길이 따스하고 부드럽다고 말하고 있다.
② 북관은 화자가 타향살이하고 있는 곳으로, 화자는 해당 지역의 아름다움을 드러내고 있지 않다.
④ 고향에 가지 못하는 안타까움은 나타나 있지 않다.
⑤ 변해 버린 고향에 대한 실망감은 나타나 있지 않다.

답 ❶ 의원 ❷ 손길

다시 한번 확인!

- 이 시의 화자: '나'
- 화자의 정서와 어조

정서	어조
의원의 손길에 고향과 ❶ [ ] 을/를 떠올림. → 반가움, 따뜻함, 친근함	다정다감한 어조로 ❷ [ ] 와/과 가족을 향한 그리움을 드러냄.

답 ❶ 가족 ❷ 고향

대표 유형 07 서술자 파악하기

● 다음 글을 읽고, 물음에 답하시오.

㉮ 나는 금년 여섯 살 난 처녀 애입니다. 내 이름은 박옥희이구요. 우리 집 식구라고는 세상에서 제일 이쁜 우리 어머니와 단 두 식구뿐이랍니다. 아차 큰일 났군, 외삼촌을 빼놓을 뻔했으니.

지금 중학교에 다니는 외삼촌은 어디를 그렇게 싸돌아다니는지 집에는 끼니 때나 외에는 별로 붙어 있지를 않으니까 어떤 때는 한 주일씩 가도 외삼촌 코빼기도 못 보는 때가 많으니까요, 깜빡 잊어버리기도 예사지요, 무얼.

우리 어머니는, 그야말로 세상에서 둘도 없이 곱게 생긴 우리 어머니는, 금년 나이 스물네 살인데 과부랍니다.

㉯ 그때 나는 얼마나 이 아저씨가 정말 우리 아버지였더라면 하고 생각했는지 모릅니다. 나는 정말로 한 번만이라도,

"아빠!" / 하고 불러 보고 싶었습니다. 그리고 그날 그렇게 아저씨하고 손목을 잡고 골목골목을 지나오는 것이 어찌도 재미가 좋았는지요.

나는 대문까지 와서,

"난 아저씨가 우리 아빠래문 좋겠다."

하고 불쑥 말했습니다. 그랬더니 아저씨는 얼굴이 홍당무처럼 빨개져서 나를 몹시 흔들면서,

"그런 소리 하문 못써."

하고 말하는데 그 목소리가 몹시 떨렸습니다. 나는 아저씨가 몹시 성이 난 것처럼 보여서 아무 말도 못하고 안으로 뛰어 들어갔습니다.

– 주요섭, 〈사랑손님과 어머니〉 창 동

07 이 글의 서술자 '나'에 대한 설명으로 적절하지 않은 것은?

① '나'는 여섯 살 난 어린아이이다.

② '나'는 어머니가 매우 곱다고 생각하고 있다.

③ '나'는 아저씨가 아버지였으면 하고 바라고 있다.

④ '나'는 아저씨의 속마음을 정확하게 파악하고 있다.

⑤ '나'는 중학교에 다니는 외삼촌과 같은 집에서 살고 있다.

해결 전략

작품 이해 이 소설은 여섯 살 난 옥희의 눈으로 바라본 ❶ [ ] 와/과 아저씨의 사랑을 그리고 있다.

정답인 이유 ④ 서술자 '나'는 어린아이인 ❷ [ ] (이)다. (나)에서 '나'는 당황하고 부끄러워 빨개진 아저씨의 얼굴을 성이 난 것처럼 보인다고 말하는데, 이를 통해 아저씨의 속마음을 정확하게 파악하지 못하고 있음을 알 수 있다.

오답인 이유 ① (가)에서 올해 여섯 살이 되었다고 말하고 있다.
② (가)의 '세상에서 제일 이쁜 우리 어머니', '세상에서 둘도 없이 곱게 생긴 우리 어머니'에서 짐작할 수 있다.
③ (나)에서 아저씨가 아버지였으면 좋겠다고 생각하고 있음이 드러나 있다.
⑤ (가)에서 중학교에 다니는 외삼촌도 식구라고 말하고 있다.

답 ❶ 어머니 ❷ 옥희

다시 한번 확인!

- **이 글의 서술자**
  - 서술자: '❶ [ ]'(옥희)
  - 특징

어린아이라서 어른들의 심리를 정확하게 파악하지 못함. ➔ 통속적일 수 있는 어머니와 아저씨의 ❷ [ ] 이/가 순수하게 그려짐.

답 ❶ 나 ❷ 사랑

대표 유형 08 시점과 특징 파악하기

● 다음 글을 읽고, 물음에 답하시오.

예배당에 가서 찬미하고 기도하다가 기도하는 중간에 갑자기 나는, '혹시 아저씨두 예배당에 오지 않았나?' 하는 생각이 나서 눈을 뜨고 고개를 들어 남자석을 바라다보았습니다. 그랬더니 하, 바로 거기에 아저씨가 와 앉아 있겠지요. 그런데 아저씨는 어른이면서도 눈 감고 기도하지 않고 우리 아이들처럼 눈을 번히 뜨고 여기저기 두리번두리번 바라봅니다. 나는 얼른 아저씨를 알아보았는데 아저씨는 나를 못 알아보았는지 내가 방그레 웃어 보여도 웃지도 않고 멀거니 보고만 있겠지요. 그래 나는 손을 흔들었지요. 그러니까 아저씨는 얼른 고개를 숙이고 말더군요. 그때에 어머니가 내가 팔 흔드는 것을 깨닫고 두 손으로 나를 붙들고 끌어당기더군요. 나는 어머니 귀에다 입을 대고,

"저기 아저씨두 왔어."

하고 속삭이니까 어머니는 흠칫하면서 내 입을 손으로 막고 막 끌어 잡아다가 앞에 앉히고 고개를 누르더군요. 보니까 어머니가 또 얼굴이 홍당무처럼 빨개졌군요.

그날 예배는 아주 잼병이었어요. 웬일인지 예배 다 끝날 때까지 어머니는 성이 나서 강대만 향하여 앞으로 바라보고 앉았고, 이전 모양으로 가끔 나를 내려다보고 웃는 일이 없었어요. 그리고 아저씨를 보려고 남자석을 바라다보아도 아저씨도 한 번도 바라다보아 주지 않고 성이 나서 앉아 있고, 어머니는 나를 보지도 않고 공연히 꽉꽉 잡아당기지요. 왜 모두들 그리 성이 났는지!

– 주요섭, 〈사랑손님과 어머니〉 창 동

08 이 글의 시점에 대한 설명으로 적절한 것은?

① 이야기 밖의 서술자가 자신이 겪은 일을 서술하고 있다.

② 이야기 안의 서술자가 자신이 관찰한 사건을 서술하고 있다.

③ 이야기 밖의 서술자가 개입하여 인물에 대해 평가하고 있다.

④ 이야기 밖의 서술자가 사건을 관찰하여 객관적으로 서술하고 있다.

⑤ 이야기 밖의 서술자가 등장인물의 심리까지 파악하여 서술하고 있다.

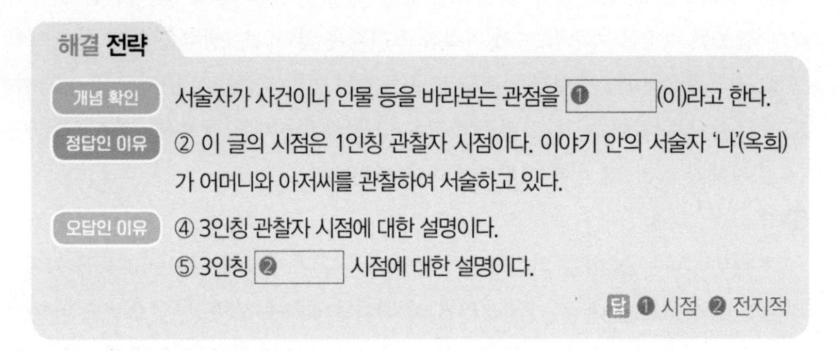

해결 전략

개념 확인 서술자가 사건이나 인물 등을 바라보는 관점을 ❶ ____ (이)라고 한다.

정답인 이유 ② 이 글의 시점은 1인칭 관찰자 시점이다. 이야기 안의 서술자 '나'(옥희)가 어머니와 아저씨를 관찰하여 서술하고 있다.

오답인 이유 ④ 3인칭 관찰자 시점에 대한 설명이다.
⑤ 3인칭 ❷ ____ 시점에 대한 설명이다.

답 ❶ 시점 ❷ 전지적

다시 한번 확인!

• **이 글의 시점:** 1인칭 관찰자 시점

서술자의 위치	이야기 ❶ ____
서술자	부수적 인물 '나'
특징	• '나'가 어머니와 아저씨를 관찰하여 이야기를 전달함. • 어머니와 아저씨의 ❷ ____ 이/가 정확하게 드러나지 않음.

답 ❶ 안 ❷ 심리/속마음

대표 유형 09 서술자의 특징 파악하기

● 다음 글을 읽고, 물음에 답하시오.

가 1

왜 안 했을까. 그때 나를 스쳐 가던 그 아이, 그 아이의 표정 때문인지도 몰라. 땟국물이 흐르던 목덜미, 전신에서 풍겨 나던 뭔가 찌든 듯한 그 냄새, 그 너절한 인상이 내 실수와 잘못된 과정을 바로잡는 게 너절하고 귀찮은 일이라는 생각을 하게 했을 거야. 어쩌면 그 결과 한 아이가 가지게 될지도 모르는 씻지 못할 좌절감이 내게도 약간 느껴졌는지도 모르지. 상관없어. 나는 그런 상하고는 담을 쌓고 살아도 행복해. 그런 스트레스를 받는 것 자체가 싫어. 왜 내가 그렇게 살아야 하는데?

나 0

그 뒤부터 나는 늘 나를 의심하면서 살았어. 누군가 나보다 뛰어난 재능을 가지고 있고 누군가 나와 똑같은 대상을 두고 훨씬 더 뛰어난 작품을 그렸고, 앞으로도 더 뛰어난 작품을 그릴 수 있다는 생각을 벗어나 본 적이 없어. 그러니까 어떤 작품이라도, 그게 포스터물감으로 그리는 반공 포스터라도 내가 가진 능력 전부를, 그 이상을 쏟아부어야 했지. 언제나, 어디서나. 그 결과가 오늘의 나일까. 의심의 결과, 좌절의 결과, 누군가 내 비밀을 알고 있다는 생각의 결과.

나는 화가가 된 후 풍경화를 그린 적은 없어. 나는 그림의 원형, 본질로 돌아갔어. 선과 원, 점, 그리고 바탕이 되는 사물의 원형, 본질을 최대한 추상화하고 이상화한 상태로 만들어 갔어.

– 성석제, 〈내가 그린 히말라야시다 그림〉 미 지

09 (가)와 (나)의 서술자에 대한 설명으로 적절하지 않은 것은?

① (가)의 서술자는 현재 자신의 삶에 만족하고 있다.

② (가)의 서술자는 스트레스를 받는 일을 피하고 싶어 한다.

③ (가)의 서술자는 상을 받는 일에 크게 가치를 두고 있지 않다.

④ (나)의 서술자는 뛰어난 재능을 가진 사람을 적극적으로 돕고 있다.

⑤ (나)의 서술자는 자신의 능력을 의심하며 작업에 최선을 다하고 있다.

해결 전략

작품 이해 이 소설은 장원작의 ❶ ______ 이/가 바뀐 사건을 바라보는 두 인물(1의 '나'와 0의 '나')의 시점이 교차하며 이야기가 전개되고 있다.

정답인 이유 ④ (나)의 서술자인 0의 '나'는 ❷ ______ 에 더 재능이 뛰어난 사람이 있을 수 있다는 생각에 자신의 재능을 의심하며 최선을 다했다고 말하고 있다. 뛰어난 재능을 가진 사람을 돕는다는 내용은 없다.

오답인 이유 ①, ②, ③ (가)의 '나는 그런 상하고는~스트레스를 받는 것 자체가 싫어.'에서 알 수 있다.

⑤ (나)의 '그 뒤부터 나는 늘 나를 의심하면서~그 이상을 쏟아부어야 했지.'에서 알 수 있다.

답 ❶ 주인 ❷ 그림/미술

다시 한번 확인!

• **시점**: 1인칭 ❶ ______ 시점

• **이 글의 서술자**

서술자	1의 '나'	0의 '나'
가정 환경	부유한 집의 고명딸	가난한 농부의 ❷ ______
장원작의 주인이 바뀐 사건에 관한 대처	잘못을 바로잡는 과정이 귀찮아 사실을 밝히지 않음.	부끄러운 마음에 사실을 밝히지 않음.

답 ❶ 주인공 ❷ 아들

대표 유형 10 서술자 설정의 효과 이해하기

● **다음 글을 읽고, 물음에 답하시오.**

동리에서도 소문이 났거니와 나도 한때는 걱실걱실히 일 잘하고 얼굴 이쁜 계집애인 줄 알았더니 시방 보니까 그 눈깔이 꼭 여우 새끼 같다.

나는 대뜸 달려들어서 나도 모르는 사이에 큰 수탉을 단매로 때려 엎었다. 닭은 푹 엎어진 채 다리 하나 꼼짝 못 하고 그대로 죽어 버렸다. [중략]

나는 비슬비슬 일어나며 소맷자락으로 눈을 가리고는 얼김에 엉 하고 울음을 놓았다. 그러다 점순이가 앞으로 다가와서

"그럼 너 이담부텀 안 그럴 터냐?" 하고 물을 때에야 비로소 살길을 찾은 듯싶었다. 나는 눈물을 우선 씻고 뭘 안 그러는지 명색도 모르건만

"그래!" 하고 무턱대고 대답하였다.

"요담부터 또 그래 봐라. 내 자꾸 못살게 굴 터니?"

"그래그래, 인젠 안 그럴 테야!"

"닭 죽은 건 염려 마라. 내 안 이를 테니."

그리고 뭣에 떠다밀렸는지 나의 어깨를 짚은 채 그대로 픽 쓰러진다. 그 바람에 나의 몸뚱이도 겹쳐서 쓰러지며 한창 피어 퍼드러진 노란 동백꽃 속으로 폭 파묻혀 버렸다.

알싸한 그리고 향긋한 그 냄새에 나는 땅이 꺼지는 듯이 온 정신이 고만 아찔하였다.

– 김유정, 〈동백꽃〉 천(박) 천(노) 미 금 교

10 이 글에서 서술자를 '나'로 설정하여 얻은 효과로 적절하지 않은 것은?

① 적극적인 서술자를 설정하여 사건이 빠르게 전개된다.
② 어수룩한 서술자를 설정하여 해학적 분위기를 형성한다.
③ 눈치 없는 서술자를 설정하여 독자가 읽는 재미를 느끼게 한다.
④ 둔한 서술자를 설정하여 점순이의 의도를 독자가 짐작하게 한다.
⑤ 순박한 서술자를 설정하여 두 사람의 사랑이 순수해 보이게 한다.

해결 전략

작품 이해 농촌 소년과 소녀의 ❶ [　　] 을/를 그린 소설로, 어수룩하고 순박한 '나'를 ❷ [　　] (으)로 설정하여 작품의 해학성을 높이고 있다.

정답인 이유 ① '나'는 적극적인 성격이 아니므로 적절하지 않다.

오답인 이유 ③, ④ '나'는 눈치가 없고 둔하여 점순이의 의도를 제대로 파악하지 못하는데, 이를 통해 독자가 점순이의 의도를 상상하며 읽으면서 재미를 느끼게 한다.
⑤ '나'의 순박함이 사춘기 소년과 소녀의 사랑을 순수해 보이게 한다.

답 ❶ 사랑 ❷ 서술자

다시 한번 확인!

• 이 글의 서술자 '나'의 특성과 효과

서술자 '나'의 특성	• 눈치가 없고 둔하며, 사랑의 감정에 눈뜨지 못함. • 점순이의 말과 행동에 담긴 의도를 제대로 파악하지 못하고 자신이 판단한 대로 서술함.
'나'를 서술자로 설정한 효과	• 독자가 ❶ [　　] 의 심리를 상상하며 읽게 됨. • 어수룩하고 눈치 없는 '나'를 서술자로 설정함으로써 재미를 느끼게 함. • 사춘기 소년과 소녀의 ❷ [　　] 이/가 순수하게 느껴지게 함. • 작품 전체가 해학적인 분위기를 띠게 함.

답 ❶ 점순이 ❷ 사랑

대표 유형 11 시의 운율 이해하기 ❶

● 다음 시를 읽고, 물음에 답하시오.

가 먼 훗날 당신이 찾으시면
그때에 내 말이 '잊었노라'

당신이 속으로 나무라면
'무척 그리다가 잊었노라'

그래도 당신이 나무라면
'믿기지 않아서 잊었노라'

오늘도 어제도 아니 잊고
먼 훗날 그때에 '잊었노라'

– 김소월, 〈먼 후일〉 천(박) 천(노) 비 지 교

나 나 보기가 역겨워 / 가실 때에는
말없이 고이 보내 드리우리다

영변에 약산 / 진달래꽃
아름 따다 가실 길에 뿌리우리다

가시는 걸음걸음 / 놓인 그 꽃을
사뿐히 즈려밟고 가시옵소서

나 보기가 역겨워 / 가실 때에는
죽어도 아니 눈물 흘리우리다

– 김소월, 〈진달래꽃〉 지 동

11 (가)와 (나)의 공통적인 운율 형성 방법으로 적절한 것은?

① 3음보로 끊어 읽는 것이 반복되고 있다.

② 일곱 글자와 다섯 글자가 반복되고 있다.

③ 각 연의 마지막에 동일한 시어가 반복되고 있다.

④ 대칭되는 연의 처음에 동일한 음성 상징어가 위치하고 있다.

⑤ 첫 연과 마지막 연이 같거나 비슷한 수미상관 구조를 취하고 있다.

해결 전략

작품 이해 (가)와 (나)는 전통 시가의 운율인 3음보를 바탕으로 하여 다양한 운율 형성 방법을 보여 주는 시이다.

정답인 이유 ① (가)는 '먼 훗날∨당신이∨찾으시면'과 같이, (나)는 '나 보기가∨역겨워 / 가실 때에는 / 말없이∨고이 보내∨드리우리다'와 같이 ❶ ______(으)로 끊어 읽는 것이 반복되면서 운율을 형성하고 있다.

오답인 이유 ②, ⑤ (나)에만 해당하는 설명이다.
③ (가)에만 해당하는 설명으로, 각 연의 마지막에 '❷ ______'(이)라는 시어가 반복되고 있다.

답 ❶ 3음보 ❷ 잊었노라

다시 한번 확인!

• ㉮와 ㉯의 운율 형성 방법

㉮ 〈먼 후일〉	• 3음보의 반복: 먼 훗날∨당신이∨찾으시면 / 그때에∨내 말이∨'잊었노라' • 같은 시어의 반복: '먼 훗날', '당신이', '나무라면', '잊었노라'가 반복됨. • 같은 ❶ ______의 반복: '~면 / ~노라'가 반복됨.
㉯ 〈진달래꽃〉	• 7·5조, 3음보의 반복: 나 보기가∨역겨워 / 가실 때에는 / 말없이∨고이 보내∨드리우리다 • 어미 '❷ ______'의 반복: 드리우리다, 뿌리우리다, 흘리우리다 • 수미상관 구조: 1연과 4연의 시구가 같거나 비슷함.

답 ❶ 문장 구조 ❷ -우리다

대표 유형 12 시의 운율 이해하기 ❷

● 다음 시를 읽고, 물음에 답하시오.

씹던 껌을 아무 데나 퉤, 뱉지 못하고
종이에 싸서 쓰레기통으로 달려가는
너는 참 바보다.
개구멍으로 쏙 빠져나가면 금방일 것을
비잉 돌아 교문으로 다니는
너는 참 바보다.
얼굴에 검댕 칠을 한 연탄장수 아저씨한테
쓸데없이 꾸벅, 인사하는
너는 참 바보다.
호랑이 선생님이 전근 가신다고
계집애들도 흘리지 않는 눈물을 찔끔거리는
너는 참 바보다.
그까짓 게 뭐 그리 대단하다고
민들레 앞에 쪼그리고 앉아 한참 바라보는
너는 참 바보다.
내가 아무리 거짓으로 허풍을 떨어도
눈을 동그랗게 뜨고 머리를 끄덕여 주는
너는 참 바보다.
바보라고 불러도 화내지 않고
씨익 웃어 버리고 마는 너는
정말 정말 바보다.

—그럼, 난 뭐냐?
그런 네가 좋아 그림자처럼
네 뒤를 졸졸 따라다니는
나는?

– 신형건, 〈넌 바보다〉 미

12 이 시의 운율 형성 방법과 그 효과를 설명한 것으로 적절한 것은?

① 동일한 시구를 반복함으로써 주제를 강조하고 있다.

② 동일한 단어를 반복함으로써 화자의 부정적 정서를 강조하고 있다.

③ 글자 수를 규칙적으로 반복함으로써 '너'에 관한 평가를 드러내고 있다.

④ 시 전체를 일정한 간격으로 끊어 읽게 함으로써 밝은 분위기를 드러내고 있다.

⑤ 시의 처음과 끝에 유사한 시구를 배치함으로써 주제를 효과적으로 전달하고 있다.

해결 전략

작품 이해 이 시는 착하고 바른 '너'를 '❶ ______'(이)라고 반복하여 반어적으로 표현함으로써 '너'를 본받고 싶은 화자의 마음을 강조하고 있다.

정답인 이유 ① 이 시는 '너는 참 바보다.'라는 시구를 반복함으로써 운율을 형성하고 '너'를 본받고 싶은 화자 '❷ ______'의 마음을 강조하고 있다.

오답인 이유 ② 동일한 단어를 반복하고 있지만, 화자의 부정적 정서의 강조는 아니다. ③, ④, ⑤ 이 시에 일정한 글자 수의 반복, 일정한 음보의 반복, 수미상관 구조는 나타나 있지 않다.

답 ❶ 바보 ❷ 나

다시 한번 확인!

• 이 시의 운율 형성 방법

운율 형성 요소		효과
'정말', '바보', '❶ ______' 등 같은 시어나 시구를 반복하여 운율을 형성함.	➔	• '너'의 행동을 본받고 싶은 화자의 마음을 ❷ ______함. • 말하고자 하는 바를 강조함.

답 ❶ 너는 참 바보다 ❷ 강조

대표 유형 13 시에 쓰인 반어 이해하기

● 다음 시를 읽고, 물음에 답하시오.

먼 훗날 당신이 찾으시면
그때에 내 말이 '잊었노라'

당신이 속으로 나무라면
'무척 그리다가 잊었노라'

그래도 당신이 나무라면
'믿기지 않아서 잊었노라'

오늘도 어제도 아니 잊고
먼 훗날 그때에 '㉠ 잊었노라'

– 김소월, 〈먼 후일〉 천(박) 천(노) 비 지 교

13 ㉠에 대한 설명으로 적절하지 않은 것은?

① '당신'을 잊을 수 없다는 의미를 담고 있다.

② 속마음을 인상 깊게 드러냄으로써 화자의 정서가 강조된다.

③ 원래 표현하려는 내용을 실제 의미와는 반대되는 말로 표현하고 있다.

④ 겉으로는 앞뒤가 맞지 않는 표현이지만 그 이면에 담긴 진실을 강조하고 있다.

⑤ 겉으로 드러난 의미와 실제 의미가 달라 의도를 한 번 더 생각해 보게 함으로써 깊이 있는 감상을 유도한다.

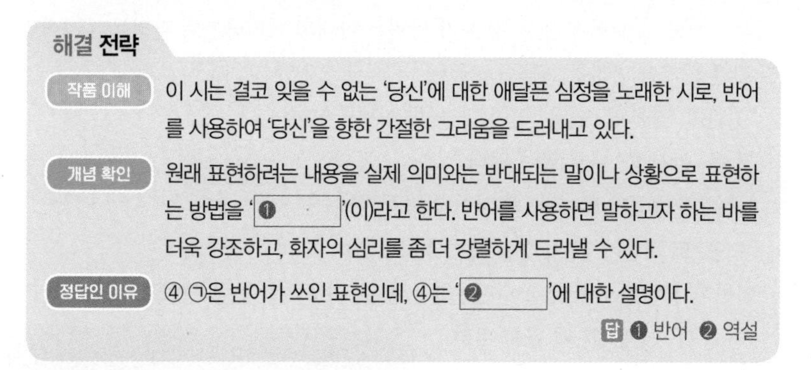

해결 전략

작품 이해 이 시는 결코 잊을 수 없는 '당신'에 대한 애달픈 심정을 노래한 시로, 반어를 사용하여 '당신'을 향한 간절한 그리움을 드러내고 있다.

개념 확인 원래 표현하려는 내용을 실제 의미와는 반대되는 말이나 상황으로 표현하는 방법을 '❶ ______'(이)라고 한다. 반어를 사용하면 말하고자 하는 바를 더욱 강조하고, 화자의 심리를 좀 더 강렬하게 드러낼 수 있다.

정답인 이유 ④ ㉠은 반어가 쓰인 표현인데, ④는 '❷ ______'에 대한 설명이다.

답 ❶ 반어 ❷ 역설

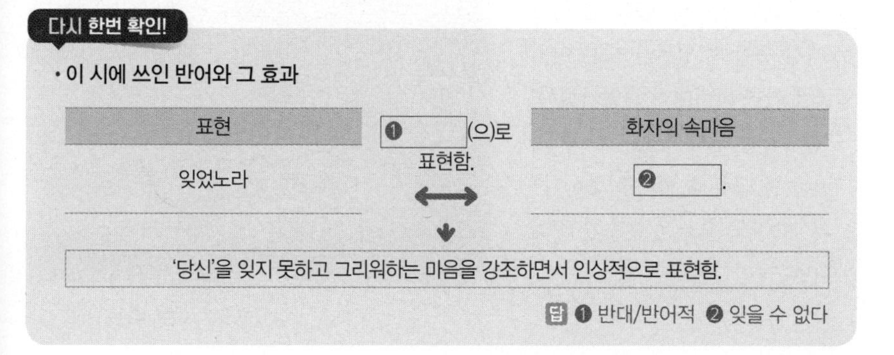

다시 한번 확인!

• 이 시에 쓰인 반어와 그 효과

표현		화자의 속마음
잊었노라	❶ ______(으)로 표현함. ⟷	❷ ______.

↓

'당신'을 잊지 못하고 그리워하는 마음을 강조하면서 인상적으로 표현함.

답 ❶ 반대/반어적 ❷ 잊을 수 없다

대표 유형 14 소설에 쓰인 반어 이해하기

● 다음 글을 읽고, 물음에 답하시오.

방 안에 들어서며 설렁탕을 한구석에 놓을 사이도 없이 주정꾼은 목청을 있는 대로 다 내어 호통을 쳤다.

"이년, 주야장천(晝夜長川) 누워만 있으면 제일이야. 남편이 와도 일어나지를 못해!"

라고 소리와 함께 발길로 누운 이의 다리를 몹시 찼다. 그러나 발길에 차이는 건 사람의 살이 아니고 나뭇등걸과 같은 느낌이 있었다. [중략]

발로 차도 그 보람이 없는 걸 보자 남편은 아내의 머리맡으로 달려들어 그야말로 까치집 같은 환자의 머리를 꺼들어 흔들며,

"이년아, 말을 해, 말을! 입이 붙었어? 이년!" / "……."

"으응, 이것 봐, 아무 말이 없네." / "……."

"이년아, 죽었단 말이냐, 왜 말이 없어?" / "……."

"으응, 또 대답이 없네. 정말 죽었나 보이."

이러다가 누운 이의 흰창이 검은창을 덮은, 위로 치뜬 눈을 알아보자마자,

"이 눈깔! 이 눈깔! 왜 나를 바라보지 못하고 천장만 보느냐? 응."

하는 말끝엔 목이 메었다. 그러자 산 사람의 눈에서 떨어진 닭똥 같은 눈물이 죽은 이의 뻣뻣한 얼굴을 어룽어룽 적신다. 문득 김 첨지는 미친 듯이 제 얼굴을 죽은 이의 얼굴에 한데 비비대며 중얼거렸다.

"설렁탕을 사다 놓았는데 왜 먹지를 못하니, 왜 먹지를 못하니? 괴상하게도 오늘은 운수가 좋더니만……."

– 현진건, 〈운수 좋은 날〉 천(노)

14 **'운수 좋은 날'이라는 제목이 주는 효과로 가장 적절한 것은?**

① 노력보다는 운이 더 필요한 때가 있음을 효과적으로 전달한다.

② 열심히 일하면 김 첨지의 삶이 나아질 거라는 희망을 보여 준다.

③ 아내의 죽음이라는 결말을 반어적으로 표현하여 상황의 비극성을 강조한다.

④ 우연히 많은 돈을 벌면서 점차 물질 중심적으로 변해 가는 김 첨지를 비판한다.

⑤ 행운과 불행은 함께 오기 때문에 작은 행운에 일희일비하지 않아야 한다는 주제 의식을 인상 깊게 드러낸다.

해결 전략

작품 이해 1920년대 도시 하층민의 삶을 '김 첨지'라는 인력거꾼의 하루를 통해 보여 주는 소설로, 상황적 ❶ [ ] 이/가 잘 나타나 있다.

정답인 이유 ③ 김 첨지가 돈을 많이 번 좋은 날이지만 실제로는 아내가 죽은 가장 불행한 날이므로 '❷ [ ] 좋은 날'이라는 제목은 김 첨지의 상황을 반어적으로 표현하여 결말의 비극성을 더욱 강조하고 있다.

답 ❶ 반어 ❷ 운수

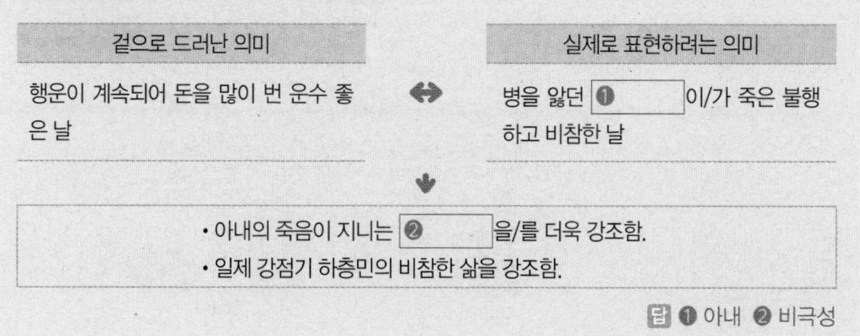

대표 유형 15 시에 쓰인 역설 이해하기

● 다음 시를 읽고, 물음에 답하시오.

길이 끝나는 곳에서도
길이 있다
길이 끝나는 곳에서도
길이 되는 사람이 있다
스스로 봄 길이 되어
끝없이 걸어가는 사람이 있다
강물은 흐르다가 멈추고
새들은 날아가 돌아오지 않고
하늘과 땅 사이의 모든 꽃잎은 흩어져도
보라
사랑이 끝나는 곳에서도
사랑으로 남아 있는 사람이 있다
스스로 사랑이 되어
한없이 봄 길을 걸어가는 사람이 있다

– 정호승, 〈봄 길〉 비

15 다음 중 이 시의 주된 표현 방법이 사용되지 않은 것은?

① 우리는 소리 없는 함성을 질렀다.

② 나는 부드럽지만 단단한 사람이 되고 싶다.

③ 열심히 일하고 돌아온 사람의 고약한 발 냄새는 향기롭다.

④ 가장 친한 친구가 전학을 가게 된 이 여름은 차갑기만 하다.

⑤ 알록달록 물든 천들이 널려 있는 풍경이 마치 커다란 그림 같다.

해결 **전략**

작품 이해 이 시는 역설을 통해 절망적인 상황에서도 좌절하지 않고 어려움을 극복해 나가는 삶의 태도를 강조하고 있다.

개념 확인 겉보기에는 ❶ ______(이)지만 그 속에 어떤 진실을 담는 표현 방법을 '역설'이라고 한다.

정답인 이유 ⑤ 이 시에는 역설이 쓰였는데, ⑤에는 역설이 아니라 ❷ ______이/가 쓰였다.

답 ❶ 모순 ❷ 비유(직유법)

다시 한번 확인!!

• 이 시에 쓰인 역설

역설적 표현	의미
• 길이 끝나는 곳에서도 / 길이 있다 • 길이 끝나는 곳에서도 / 길이 되는 사람이 있다. • 사랑이 끝나는 곳에서도 / 사랑으로 남아 있는 사람이 있다	절망이라고 생각되는 상황에도 ❶ ______이/가 있으며, 사랑이 끝났다고 생각되는 상황에서도 계속하여 ❷ ______을/를 지키려고 노력하는 사람이 있음.

답 ❶ 희망 ❷ 사랑

대표 유형 16 산문에 쓰인 역설 이해하기

● **다음 글을 읽고, 물음에 답하시오.**

한국을 떠나 미국의 애리조나주 투손시의 인디언 축제에 참가했을 때의 일이다. 인디언 천막 안에서 인디언 노인들과 흥미 있는 대화를 주고받으리라 기대했던 나는 아주 뜻밖의 일을 경험했다. 천막 안으로 들어가 그들과 마주 앉자마자, 나는 내 소개를 하기 시작했다. 나는 글을 쓰는 작가이며, 인디언 세계에 무척 관심이 많고, 잘 부탁한다는 말까지 잊지 않았다. 인디언들의 철학과 역사를 많이 알고 있다는 것도 넌지시 내비쳤다.

그런데 그들은 아무런 반응도 보이지 않았다. 다만 허리를 꼿꼿이 세우고 묵묵히 앉아 있을 뿐이었다. 천막 안이 어슴푸레해서 그들의 시선이 나를 향하고 있는 건지 허공을 바라보고 있는 건지도 알 수 없었다. [중략]

훗날에야 나는 그것이 인디언 부족들의 전통인 것을 알았다. 누군가를 만나면 그들은 대화를 시작하기 전에 그렇게 한동안 침묵으로 상대방을 느끼는 것이다. 자기 앞에 있는 존재를 가장 잘 느끼는 방법은 말을 통한 것이 아니라 침묵을 통한 것임을 그들은 깨닫고 있었다. [중략]

인디언들은 여러 부족으로 이루어져 있고, 부족마다 언어도 매우 다르다. 그래서 나는 인디언을 만나면 그들의 부족 언어를 묻곤 했다.

"당신의 모국어는 무엇입니까?"

그러면 그들은 이렇게 답하곤 했다.

㉠"우리의 모국어는 침묵입니다."

– 류시화, 〈나의 모국어는 침묵〉 미

16 ㉠에 대한 대화 내용으로 적절하지 않은 것은?

① 윤서: 모국어는 의사소통을 위한 수단이고 침묵은 아무 말도 없는 상태를 가리키니까 앞뒤가 맞지 않아.

② 민채: 겉보기에는 모순이지만 그 속에 어떤 진실을 담고 있는 게 아닐까?

③ 지민: 모국어를 사용할 수 없는 상황을 에둘러 비판하고 있어.

④ 준우: 역설을 사용하면 전달하고자 하는 바를 인상적으로 나타낼 수 있어.

⑤ 은호: 모순된 표현 이면에 어떤 의미가 담겨 있는지 생각해 봄으로써 깊이 있는 감상도 할 수 있어.

해결 전략

개념 확인 역설은 ❶ [ ] 된 표현 이면의 진실을 강조하여 나타내고, 모순된 표현에 어떤 의미가 담겼는지 깊이 생각해 보게 한다. 이를 통해 독자의 주의를 끌고 참신한 느낌을 줄 수 있다.

정답인 이유 ③ '자기 앞에 있는 존재를 가장 잘 느끼는 방법은 말을 통한 것이 아니라 침묵을 통한 것'이라는 구절을 참고할 때, ㉠에는 말보다 ❷ [ ] (으)로 상대방을 더 잘 느낄 수 있다는 의미가 담겨 있다.

답 ❶ 모순 ❷ 침묵

다시 한번 확인!

• 이 글에 나타난 역설

역설적 표현	의미
"우리의 ❶ [ ] 은/는 침묵입니다."	말보다 침묵으로 상대방을 더 잘 느낄 수 있음.

↓

효과	• 전달하고자 하는 바를 ❷ [ ] (으)로 나타낼 수 있음. • 독자의 주의를 끌고 참신한 느낌을 줄 수 있음.

답 ❶ 모국어 ❷ 인상적

대표 유형 17 시에 쓰인 풍자 이해하기

● **다음 시를 읽고, 물음에 답하시오.**

㉮ 두꺼비 파리를 물고 두엄 위에 치달아 앉아

건넛산 바라보니 백송골이 떠 있거늘 가슴이 끔찍하여 풀쩍 뛰어 내닫다가 두엄 아래 자빠졌구나.

모쳐라, 날랜 나이니 망정이지 어혈 질 뻔했구나

– 작자 미상, 〈두꺼비 파리를 물고〉 [미] [비]

㉯ 자고 일어나

달리기를 하면 발목 삘까 봐

조깅을 한다.

땀이 나

찬물로 씻으면 피부병 걸릴까 봐

냉수로 샤워만 한다.

아침밥은 먹지 못하고

식사만 하고

달걀을 부쳐 먹지 않고

계란 프라이만 해

먹는다.

– 서정홍, 〈우리말 사랑 1〉 [천(박)]

17 (가)와 (나)에 대한 설명으로 적절하지 않은 것은?

① (가)는 힘없는 백성을 괴롭히는 탐관오리의 횡포를 풍자하고 있다.

② (나)는 습관적으로 외래어나 한자어를 쓰는 모습을 비판하고 있다.

③ (가)는 파리를 괴롭히던 두꺼비가 백송골을 보고 놀라 자빠지는 모습을 우스꽝스럽게 표현하고 있다.

④ (나)는 '발목 삘까 봐', '피부병 걸릴까 봐'와 같이 비꼬아서 대상을 풍자하고 있다.

⑤ (가)와 (나)는 모두 대상의 부정적인 면을 직접적으로 비판하고 있다.

해결 전략

개념 확인 풍자는 개인 또는 사회의 부조리 등을 간접적으로 비판하며 ❶ 을/를 유발하는 표현 방법이다. 대상을 비꼬거나 조롱하여 우스꽝스럽게 만드는 경우가 많다.

정답인 이유 ⑤ (가)와 (나)는 대상의 부정적인 면을 직접적으로 비판하는 것이 아니라, 대상의 부정적인 면을 우스꽝스럽게 그리거나 비꼬아서 ❷ (으)로 비판하고 있다.

답 ❶ 웃음 ❷ 간접적

다시 한번 확인!

• ㉮와 ㉯에 나타난 풍자

	비판의 대상	표현의 특징
㉮	• 백성을 괴롭히는 탐관오리의 모습 • 허세를 부리는 ❶ 의 모습	• 두꺼비(탐관오리)가 백송골(중앙 관리)의 등장에 놀라 자빠지는 모습을 우스꽝스럽게 그림. • 겁먹은 모습을 감추려고 허세를 부리는 두꺼비의 모습을 통해 양반들의 허세를 비꼬고 있음.
㉯	습관적으로 ❷ (이)나 한자어를 쓰는 모습	'발목 삘까 봐', '피부병 걸릴까 봐'와 같이 비꼬고 있음.

답 ❶ 양반 ❷ 외래어

대표 유형 18 소설에 쓰인 풍자 이해하기

● 다음 글을 읽고, 물음에 답하시오.

㉮ 정선군에 어떤 양반이 살았다. 양반은 어질고 책 읽기를 좋아해서 고을에 군수가 새로 부임할 때마다 반드시 그 집에 찾아가 인사를 차렸다. 하지만 집이 가난해서 해마다 군(郡)에서 환자를 빌려다가 먹었는데, 몇 해가 지나고 보니 빌린 곡식이 일천 섬에 이르렀다. / 관찰사가 각 고을을 순시하다가 환자 장부를 살펴보고는 몹시 노하여 말했다.

"어떤 놈의 양반이 관아 곡식을 이처럼 축냈단 말이냐!"

관찰사는 양반을 옥에 가두도록 명했다. 군수는 양반이 가난해서 빌린 곡식을 갚을 길이 없는 형편임을 딱하게 여겨 차마 가두지 못했지만, 그렇다고 해서 달리 뾰족한 방법을 찾을 수도 없었다. 양반은 밤낮으로 울기만 할 뿐 아무런 대책이 없었다. 그러자 양반의 아내가 나무랐다.

"평생 당신은 책 읽기를 좋아하더니만 환자 갚는 데는 아무 소용도 없구려. 쯧쯧, 양반! 양반은 한 푼어치도 안 되는구려!"

㉯ "양반은 비천한 일은 일절 않고, 훌륭한 옛사람과 같이 되기를 바라며 뜻을 고상하게 가져야 한다. 언제나 오경이면 일어나 유황에 불을 붙여 등잔불을 켜고는 눈은 코끝을 보고 두 발꿈치는 모아서 엉덩이에 괴고 앉아 《동래박의》를 얼음에 박 밀듯 줄줄 외어야 한다. 굶주림을 참고 추위를 견디며 가난하단 소리는 입 밖에 꺼내지 말아야 한다. [중략] 아무리 더워도 버선을 벗지 말고, 맨상투로 식사를 해서는 안 된다. 밥 먹을 때 국을 먼저 떠먹어서는 안 되고, 마실 때 후루룩 소리를 내서는 안 된다."

– 박지원, 〈양반전〉 천(박) 천(노) 지 동

18 (가)와 (나)에서 풍자하고 있는 양반의 모습이 바르게 짝지어진 것은?

	(가)	(나)
①	강약약강의 모습	학문을 게을리하는 모습
②	경제적으로 무능한 모습	허례허식에 얽매인 모습
③	학문을 게을리하는 모습	부당한 특권을 누리는 모습
④	허례허식에 얽매인 모습	지나치게 체면을 중시하는 모습
⑤	현실 문제를 해결하지 못하는 모습	백성들에게 횡포를 부리는 모습

해결 전략

작품 이해 이 글은 빚을 갚지 못해 양반 신분을 파는 무능한 양반의 모습, 양반의 ❶ ____ 와/과 횡포가 드러나는 양반 신분 매매 증서의 내용 등을 통해 당대 사회와 양반의 부정적인 측면을 비판하고 있다.

정답인 이유 ② (가)에서는 "양반은 한 푼어치도 안 되는구려!"라는 아내의 말을 통해 양반의 경제적 무능력을 ❷ ____ 하고 있고, (나)에서는 양반이 지켜야 할 일을 나열하면서 지나치게 체면을 중시하며 허례허식에 얽매여 있는 양반의 모습을 비판하고 있다.

답 ❶ 허례허식 ❷ 비판

다시 한번 확인!!

• 이 글에서 풍자하고 있는 양반의 모습

가	나
경제적으로 ❶ ____ 하며 현실적인 문제에 대처하는 능력이 부족한 모습	지나치게 ❷ ____ 을/를 중요하게 여기며 허례허식에 얽매여 있는 모습

답 ❶ 무능 ❷ 체면

대표 유형 19 재구성 시 고려한 점 파악하기

● **다음 글을 읽고, 물음에 답하시오.**

(가) "어쩌믄 그렇게 자식 복이 없을까."

"글쎄 말이지. 이번 앤 꽤 여러 날 앓는 걸 약두 변변히 못 써 봤다더군. 지금 같애서는 윤 초시네두 대가 끊긴 셈이지. 그런데 참, 이번 계집애는 어린것이 여간 잔망스럽지가 않어. 글쎄, 죽기 전에 이런 말을 했다지 않어? 자기가 죽거든 자기 입던 옷을 꼭 그대루 입혀서 묻어 달라구……."

– 황순원, 〈소나기〉 천(박)

(나) 〈S# 102〉 소년의 집 마당

엄마 그래, 장산 잘 치렀어요?

아버지 악상이지, 뭐.

엄마 어르신은…… 괜찮으세요?

아버지 괜찮을 리가 있나. 그러다 돌아가실까 걱정이야. 큰놈은 괜찮아?

엄마 생전 가야 한겨울에도 감기 한 번 앓지 않더니 웬일인가 모르겠네. 자라 보고 놀란 가슴 솥뚜껑 보구 놀란다구 속 타 죽겠네, 증말.

아버지 너무 걱정 말아요. 애들은 앓고 나면 몸이든 마음이든 자라기 마련이니까.

– 염일호, 〈소나기〉 천(박)

19 (나)는 (가)를 재구성한 작품이다. (가)를 (나)로 재구성할 때 고려한 점으로 적절하지 않은 것은?

① 갈래를 소설에서 드라마 대본으로 바꾸었다.
② 원작보다 소년의 부모님의 비중을 크게 하였다.
③ 소년의 부모님이 나누는 대화를 대사로 제시하였다.
④ 소년과 소녀가 이별하게 된 이유를 다르게 설정하였다.
⑤ 소녀가 죽은 뒤에 소년이 어떤 일을 겪는지를 추가하였다.

해결 전략

작품 이해 (나)는 소설을 드라마 대본으로 갈래를 바꾸어 재구성한 작품이다. 원작보다 부모님의 비중이 커졌으며, 소녀가 죽은 뒤의 장면이 추가되어 있다.

정답인 이유 ④ (가)의 부모님의 대화와 (나)의 '장사', '❶ [ ]'을/를 통해 (가)와 (나) 모두 소녀의 죽음이 이별의 원인임을 알 수 있다.

오답인 이유 ① (가)의 갈래는 소설, (나)의 갈래는 드라마 대본이다.
② (나)는 원작보다 소년의 ❷ [ ]의 비중이 크다.
③ (가)에는 인물의 대화가, (나)에는 인물의 대사가 제시되어 있다.
⑤ (나)에는 소녀가 죽은 뒤 소년이 병을 앓는 내용이 추가되어 있다.

답 ❶ 악상 ❷ 부모님

다시 한번 확인!

• **원작과 재구성된 작품의 비교**

	㉮ 원작 〈소나기〉	㉯ 재구성된 작품 〈소나기〉
갈래	현대 ❶ [ ]	드라마 대본
인물	소년의 부모님의 등장하나 비중이 작음.	원작보다 소년의 부모님의 비중이 커짐.
사건	소년이 소녀의 죽음을 알게 되는 것으로 이야기가 끝남.	소년이 소녀의 ❷ [ ]을/를 알게 된 뒤의 장면이 추가됨.

답 ❶ 소설 ❷ 죽음

대표 유형 20 재구성하면서 달라진 부분 파악하기

● 다음 글을 읽고, 물음에 답하시오.

가 흥부가 품을 파는데 상하 전답 김매고, 전세 대동 방아 찧기, 보부상단 삯짐 지고, 초상난 집 부고 전하기, 묵은 집에 토담 쌓고, 새집에 땅 돋우고, 대장간 풀무 불기, 십 리 길 가마 메고, 오 푼 받고 말편자 걸기, 두 푼 받고 똥재 치고, 닷 냥 받고 송장 치기. 생전 못 해 보던 일로 이렇듯 벌기는 버는데 하루 품을 팔면 네댓새씩 앓고 나니 생계가 막막했다. [중략]

"어따 이놈 흥부 놈아! 하늘이 사람 낼 때 제각기 정한 분수가 있어서 잘난 놈은 부자 되고 못난 놈은 가난한데 내가 이리 잘사는 게 네 복을 뺏었느냐? 누구한테 떼쓰자고 이 흉년에 곡식을 달라느냐?"

– 작자 미상, 〈흥부전〉 미

나 "여보, 이제 흥부네 가족이 찾아오면 절대 도와주지 마시오. 도와주는 것도 한두 번이지 자꾸 도와주니까 의지만 하고 스스로 일할 생각을 하지 않는 것 같구려."

"그러다 굶어 죽으면 어떡해요?"

"내게 다 생각이 있으니 당신은 절대 도와주면 안 돼요. 마음이 아파도 냉정하게 대하시오."

그때 흥부가 도움을 청하러 왔어요.

"형님, 좀 도와주십시오. 아내와 아이들이 굶고 있습니다."

"이제부터 네 가족은 네가 책임져라. 네가 열심히 벌어서 아이들을 먹이고 공부도 시키란 말이다."

– 류일윤, 〈놀부전〉 미

20 (나)는 (가)를 재구성한 작품이다. (가)와 (나)를 비교하여 읽은 독자의 반응으로 적절하지 않은 것은?

① 미주: (가)와 달리 (나)의 놀부는 도움을 청하는 흥부를 외면해.

② 진수: (나)와 비교하였을 때 (가)는 문장이 길이가 더 긴 편이야.

③ 승아: (가)와 달리 (나)의 놀부는 동생을 생각하는 면모를 드러내고 있어.

④ 연재: (나)와 달리 (가)의 흥부는 생계를 위해 가리지 않고 일을 하고 있어.

⑤ 한솔: (가)와 달리 (나)의 흥부는 불성실하고 게으른 태도를 지닌 인물이야.

해결 전략

정답인 이유 ① (가)의 놀부는 재물을 나누고 싶지 않아서, (나)의 놀부는 흥부가 스스로 일할 수 있게 하려고 도와 달라는 흥부의 요청을 거절하고 있다.

오답인 이유 ② (가)는 (나)에 비해 문장의 길이가 길고 ❶ [ ] 이/가 느껴진다.
③ (나)의 놀부는 자신에게 의지하려는 흥부를 깨우쳐 주려 하고 있다.
④ (가)의 흥부는 생계를 위해 닥치는 대로 품을 팔고 있다.
⑤ (나)의 흥부는 일하지 않고 ❷ [ ] 에게 의지하고 있다.

답 ❶ 운율 ❷ 놀부

다시 한번 확인!!

• 원작과 재구성된 작품의 비교

	㉮ 원작 〈흥부전〉	㉯ 재구성된 작품 〈놀부전〉
갈래	고전 소설, 판소리계 소설	동화
인물	• 흥부: 착하고 성실함. • ❶ [ ]: 심술궂고 욕심이 많음.	• ❷ [ ]: 무능력하고 의존적임. • 놀부: 지혜롭고 흥부를 배려함.

답 ❶ 놀부 ❷ 흥부

대표 유형 21 재구성된 작품에 반영된 관점 및 가치 파악하기

● 다음 글을 읽고, 물음에 답하시오.

㉮ 몇 달 후 왕비는 공주를 낳았다. 그런데 놀랍게도 공주는 굴뚝에서 빼내 온 아이처럼 온몸이 새까맸다. 시녀들은 어쩔 줄 몰라 비명을 질렀지만 왕비만은 그 새까만 공주를 품에 안으며 기쁨의 눈물을 흘렸다.

"오, 정말로 검은 눈처럼 아름다운 아기가 태어났구나. 이 아기를 흑설 공주라고 부르도록 하여라."

흑설은 검은 눈이란 뜻이었다. 왕비는 흑설 공주에게 하얀 망토를 입히고 몹시 사랑했지만 안타깝게도 흑설 공주가 첫돌이 되기 전에 그만 병에 걸려 세상을 떠나고 말았다.

㉯ 이제 거울은 "거울아 거울아, 세상에서 가장 아름다운 사람이 누구지?" 하는 공주의 질문에 대답할 수 없게 되었다.

"모르겠어요. 다들 나름대로 아름다우니 누가 가장 아름다운지 도무지 알 수가 없어요."

흑설 공주는 그제야 미소를 지으며 대답했다.

"그래, 그게 정답이란다. 세상 사람들은 누구나 각각 다른 아름다움을 가지고 있거든. 장미는 장미대로 아름답고, 제비꽃은 제비꽃대로 아름답듯이 말이야!"

그러나 나무꾼에게 있어 가장 아름다운 사람은 여전히 검은 피부, 검은 눈동자, 검은 머리의 온통 밤처럼 새까만 흑설 공주 한 사람뿐이었다.

– 이경혜, 〈흑설 공주〉 지

21 이 글의 글쓴이가 지니고 있는 생각으로 가장 적절한 것은?

① 우리는 모두 평범하며 특별한 존재는 없다.

② 자신의 의견과 다른 의견도 존중할 수 있어야 한다.

③ 모두 자신만의 아름다움을 발견하고 자신을 사랑해야 한다.

④ 편견을 지니고 있는 사람은 다른 사람과 갈등을 일으킬 수밖에 없다.

⑤ 자신의 외모에 만족하지 못한다면 더욱 열심히 가꾸어 고민을 해결하면 된다.

해결 전략

작품 이해 이 글은 아름다움의 기준은 [❶](이)며 모든 사람은 자신만의 아름다움을 지니고 있다는 가치를 전달하고 있다.

정답인 이유 ③ (나)에서 '흑설 공주'와 [❷]의 대화를 통해 모든 사람에게는 자신만의 아름다움이 있으므로, 이를 발견하고 자신을 사랑해야 한다는 생각을 드러내고 있다.

답 ❶ 상대적 ❷ 거울

다시 한번 확인!

• 이 글에서 전달하는 가치

원작 〈❶ 〉의 결말	재구성된 작품 〈흑설 공주〉의 결말
'백설 공주'만 가장 아름다운 사람으로 남음.	모든 사람이 자신의 아름다움을 깨달음.

↓

전달하는 가치	인간은 모두 자신만의 [❷]을/를 지니고 있음.

답 ❶ 백설 공주 ❷ 아름다움

대표 유형 22 갈래 변화에 따른 표현의 차이 이해하기

● **다음 글을 읽고, 물음에 답하시오.**

㉮ 모진 소리를 들으면

내 입에서 나온 소리가 아니더라도

내 귀를 겨냥한 소리가 아니더라도

모진 소리를 들으면 / 가슴이 쩌엉한다.

온몸이 쿡쿡 아파 온다

누군가의 온몸을

가슴속부터 쩡 금 가게 했을 / 모진 소리

– 황인숙, 〈모진 소리〉 천(박)

㉯ 나는 안다, 현우가 상처받았다는 것을. 그래서일까. 아까처럼 마음이 욱신거렸다. 왜? 단순한 동정 따위가 아니다. 양심, 양심이 나를 자꾸 찌른다.

"너 참 이기적이다.", "짜증 나.", "한 거 없잖아." 그제야 내가 내뱉었던 말이 하나둘 떠올랐다. 민아의 말은 나를 향한 말이 아니었지만, 내가 뱉은 말이었다. 그것도 모진 소리. 낯설지 않게 느낀 것은 그 때문이었다. 아, 다시 아프다. 이번에는 온몸이 쿡쿡 쑤신다. 그냥 듣기만 해도 이렇게 아픈데……. 선미는, 선미는 어땠을까.

답답하다. 혼란스럽다. 교실을 빠져나와 복도를 빠르게 걷는데 아이들이 나만 바라보는 것 같았다. 숨을 곳이 필요했다.

– 학생 작품, 〈거울〉 천(박)

22 (나)는 (가)를 재구성한 작품이다. 표현 방식의 차이로 적절하지 <u>않은</u> 것은?

① '나'가 서술자가 되어 사건을 서술하고 있다.

② '나'가 모진 소리를 들은 공간을 구체적으로 설정하였다.

③ 모진 소리를 한 사람과 들은 사람을 구체적으로 설정하였다.

④ '나'가 모진 소리를 한 친구와 갈등을 겪는 사건을 구성하였다.

⑤ "너 참 이기적이다.", "짜증 나." 등 '나'가 들은 모진 소리를 제시하였다.

해결 전략

작품 이해 (나)는 (가)를 시에서 소설로 갈래를 바꾸어 재구성한 작품이다.

정답인 이유 ④ (나)에서 '나'는 다른 친구의 모진 소리를 듣고 모진 소리를 했던 자신을 반성하고 있다.

오답인 이유 ② (나)에 '나'가 모진 소리를 들은 공간이 ❶ ______ (이)라는 내용이 나타나 있다.

③ (나)에서 모진 소리를 한 사람은 민아와 '나'이고, 모진 소리를 들은 사람은 현우와 ❷ ______ 이다.

답 ❶ 교실 ❷ 선미

다시 한번 확인!

• 원작과 재구성된 작품의 비교

	㉮ 원작 〈모진 소리〉	㉯ 재구성된 작품 〈거울〉
갈래	현대시	현대 소설
표현	의성어나 ❶ ______ 을/를 사용하여 모진 소리에 상처받는 마음을 표현함.	인물, ❷ ______ , 배경을 구체적으로 설정하고, 주인공이 자신을 반성하도록 구성함.

답 ❶ 의태어 ❷ 사건

memo